ЭЛИЗАБЕТ ГИЛБЕРТ

# ЕСТЬ,
# МОЛИТЬСЯ,
# ЛЮБИТЬ

ELIZABETH GILBERT

# EAT, PRAY, LOVE

Бестселлер «The New York Times»

ЭЛИЗАБЕТ ГИЛБЕРТ

# ЕСТЬ, МОЛИТЬСЯ, ЛЮБИТЬ

РИПОЛ
КЛАССИК

Москва • 2011

УДК 821.111
ББК 84(4Вел)-44
Г47

*Перевод с английского Ю. Ю. Змеевой*

**Гилберт, Э.**

Г47    Есть, молиться, любить / Э. Гилберт ; [пер. с англ. Ю. Ю. Змеевой]. — М. : РИПОЛ классик, 2011. — 368 с.

ISBN 978-5-386-00210-7

    ...«Есть, молиться, любить» — книга о том, как можно найти радость там, где не ждешь, и как не нужно искать счастье там, где его не будет. По определению.

    ...Современная книга о современной женщине, для которой есть, молиться, любить — значит получать удовольствие от жизни...

*Her Magazin*

**УДК 821.111**
**ББК 84(4Вел)-44**

ISBN 978-5-386-00210-7

*Посвящается Сьюзан Боуэн —
которая поддерживала меня даже
на расстоянии двенадцати тысяч миль*

История о том, как в поисках смысла жизни одна девушка
исколесила всю Италию, Индию и Индонезию

Говори правду, только правду и ничего, кроме правды[*]
*Шерил Луиза Моллер*

---

# Предисловие

## Что это за книга, или

## Загадка сто девятой бусины

В Индии, особенно в путешествиях по святым местам и ашрамам, повсюду встречаются люди с четками на шее. Такие же четки висят на шеях голых костлявых йогов устрашающего вида, глядящих на вас с фотографий, развешанных на каждом шагу. (Правда, иногда на них встречаются и откормленные йоги с добродушной улыбкой.) Эти четки называются джапа-мала. В Индии их использовали веками: они помогают индуистам и буддистам поддерживать сосредоточение во время религиозной медитации. Четки берут в одну руку и перебирают пальцами по кругу — одно повторение мантры на каждую бусину. В эпоху религиозных войн средневековые крестоносцы, придя на Восток, увидели, как местные молятся и перебирают джапамала. Обычай им понравился, и они привезли четки в Европу.

В традиционной джапа-мала сто восемь бусин. У восточных философов-мистиков число «сто восемь» считается самым благоприятным: совершенное трехзначное число, которое делится на три, а составляющие его цифры «один» и «восемь» при сложении образуют девятку — три умножить на три. Цифра «три», в свою очередь, воплощает идеальное равновесие, и это понятно любому, кто когда-либо видел Святую Троицу или простой бар-

7

ный табурет. Так как моя книга посвящена попыткам найти равновесие, я решила организовать ее по типу джапа-мала. В ней сто восемь глав, или бусин. Цепочка из ста восьми историй делится на три больших раздела, посвященных Италии, Индии и Индонезии, — ведь именно в эти три страны меня завел поиск собственного Я, которому я посвятила целый год. Выходит, что в каждом разделе по тридцать шесть глав, и это число имеет для меня особенное, личное значение — я пишу эту книгу на тридцать шестом году жизни.

Но довольно нумерологии — иначе вы начнете зевать, так и не начав читать. Хочу только сказать, что сама идея нанизать одну историю на другую, подобно бусинам джапа-мала, кажется мне такой удачной, потому что в ней есть структура. Искренний духовный поиск всегда был связан со строгой самодисциплиной и остается таким и сейчас. Истину не нащупать случайно, разбрасываясь по пустякам, даже в наш век, когда вся жизнь — сплошное разбрасывание по пустякам. Четкая структура пригодилась мне и в духовных поисках, и в написании книги; я старалась не отвлекаться от «перебирания бусин», чтобы все внимание было сосредоточено на цели.

Но это еще не все. У джапа-мала есть еще одна, дополнительная бусина — специальная, сто девятая. Она висит за пределами совершенного круга из ста восьми как медальон. Раньше я думала, эта бусина — что-то вроде запасной на непредвиденный случай, как пуговка, пришитая изнутри к дорогому свитеру, или младший сын в королевском семействе. Но оказалось, сто девятая бусина служит более высокому предназначению. Когда во время молитвы пальцы доходят до этой бусины, отличной от остальных, следует прервать глубокую медитацию и вознести благодарность духовным учителям. Моя сто девятая бусина — Предисловие. Я хочу взять паузу в самом начале и поблагодарить всех учителей, которые явились ко мне в этот год, порой принимая любопытные обличья.

Однако больше всего я благодарна своей гуру, позволившей мне учиться в ее ашраме в Индии. Эта женщина — само воплощение человечности. Думаю, сейчас самое время прояснить еще вот что: в книге описаны исключительно мои личные впечатления от пребывания в Индии. Я — не теолог и не официальный представитель какого-либо течения. Именно поэтому не называю имени своей гуру — кто я такая, чтобы говорить от ее имени? Учение этой женщины говорит само за себя. Я также не упоминаю название и местоположение ее ашрама. Этому замечательному месту ни к чему лишняя реклама, и оно просто не справится с наплывом желающих.

И наконец, последняя благодарность. Имена некоторых людей изменены по разным причинам, но, что касается учеников индийского ашрама (индийцев и европейцев), я решила изменить их все. Я уважаю тот факт, что большинство людей отправляются в духовное паломничество не затем, чтобы их имена потом всплыли в какой-то книге. (Кроме меня, конечно.) Я сделала лишь одно исключение для своего правила всеобщей анонимности: Ричард из Техаса. Его на самом деле зовут Ричард, и он на самом деле из Техаса. Мне захотелось назвать его настоящее имя, потому что этот человек сыграл в моей жизни важную роль.

И последнее: когда я спросила Ричарда, как он относится к тому, что в книге будет написано о его алкогольно-наркотическом прошлом, он сказал, что ничуть не возражает.

Ричард ответил: «Я и сам хотел, чтобы все об этом узнали, но не знал, как лучше сказать».

Но об этом потом. Сначала все-таки была Италия...

# КНИГА ПЕРВАЯ

## *Италия,*

или

«Ты — то, что ты ешь»,

или

36 историй о поиске наслаждения

# 1

*Вот бы* Джованни меня поцеловал...

Но это плохая идея, и причин тому миллион. Для начала — Джованни на десять лет меня моложе и, как и большинство итальянцев до тридцати, до сих пор живет с мамой. Одно это делает его сомнительной кандидатурой для романтических отношений, тем более со мной — писательницей из Америки, недавно пережившей коллапс семейной жизни и измученной затянувшимся на годы разводом, за которым последовал новый горячий роман, разбивший мое сердце вдребезги. Из-за сплошных разочарований я стала угрюмой, злой на весь мир и чувствовала себя столетней старухой. К чему тяготить милого, простодушного Джованни рассказами о моем несчастном покалеченном самолюбии? Да и к тому же я наконец достигла того возраста, когда женщина волей-неволей начинает сомневаться в том, что лучший способ пережить потерю одного юного кареглазого красавчика — немедленно затащить в койку другого, такого же. Именно поэтому у меня уже много месяцев никого не было. Мало того, по этой самой причине я решила дать обет целомудрия на целый год.

Услышав это, смышленый наблюдатель непременно спросил бы: тогда почему из всех стран на свете я выбрала именно Италию?

Хороший вопрос. Это все, что приходит в голову, особенно когда напротив сидит неотразимый Джованни.

Джованни — мой языковой партнер. Звучит двусмысленно, но ничего такого в этом нет (увы!). Мы всего лишь встречаемся несколько вечеров в неделю в Риме, где я живу, чтобы попрактиковаться в языках. Сначала говорим по-итальянски, и Джованни терпит мои ошибки; потом переходим на английский — и тогда уж моя очередь быть терпеливой. С Джованни мы познакомились через несколько недель после моего приезда в Рим, благодаря объявлению в большом интернет-кафе на пьяцца Барбарини —

того, что стоит прямо напротив фонтана с атлетичным тритоном, дующим в рог. Он (Джованни, не тритон) повесил на доске листовку: итальянец ищет человека с родным английским для разговорной практики. Рядом висело в точности такое объявление, слово в слово, даже шрифт был одинаковый — только адреса разные. На одном объявлении был имейл некоего Джованни, на втором — Дарио. Но вот их домашние телефоны совпадали.

Положившись на интуицию, я отправила письма обоим одновременно и спросила по-итальянски: «Вы, случаем, не братья?»

Джованни ответил первым, прислав весьма провокационное сообщение. «Лучше. Мы — близнецы».

Ну как тут не согласиться — двое лучше, чем один. Высокие, смуглолицые, видные и неотличимые друг от друга, обоим по двадцать пять, и у обоих огромные карие глаза с влажным блеском — типичные итальянские глаза, от которых у меня мурашки бегут по коже. Познакомившись с близнецами лично, я невольно засомневалась, не стоит ли мне внести кое-какие поправки в свой обет целомудрия. Например, хранить целомудрие, но сделать исключение для двоих симпатичных двадцатипятилетних близнецов из Италии? Тут я вспомнила одну свою знакомую, которая, будучи вегетарианкой, все же никогда не может отказаться от бекончика... В мыслях уже складывался текст письма для «Пентхауса»:

*...Стены римского кафе освещали лишь дрожащие свечи, и было невозможно понять, чьи руки ласкают...*

Ну уж нет.

Нет, нет и еще раз нет.

Я оборвала фантазию. Не время сейчас искать приключений на свою голову и (что неизбежно) усложнять и без того запутанную жизнь. Мне нужно исцеление и покой, а их способно подарить лишь одиночество.

Как бы то ни было, к середине ноября (то есть к сегодняшнему дню) мы с Джованни, который оказался скромным и прилежным парнем, стали хорошими друзьями. Что касается Дарио, более взбалмошного из двоих, то его я познакомила со своей очаровательной подружкой Софи из Швеции, и они проводили время вместе, практикуя совсем другое. Мы же с Джованни только говорили. Мы ужинали вместе и общались вот уже несколько чудесных недель, исправляя грамматические ошибки за пиццей, и сегодняшний вечер был не исключением. Новые идиомы, свежая моцарелла — словом, приятное вечернее времяпрепровождение.

Сейчас полночь, стоит туман, и Джованни провожает меня домой по римским закоулочкам, петляющим вокруг старинных зданий, подобно змейкам-ручейкам в тенистых зарослях кипарисовых рощ. Вот мы и у двери моего дома, стоим лицом к лицу. Джованни обнимает меня по-дружески. Уже прогресс, первые несколько недель он отваживался лишь пожать мне руку. Останься я в Италии еще годика на три, глядишь — набрался бы храбрости для поцелуя. А вдруг он прямо сейчас меня поцелует? Здесь, на пороге... ведь есть еще шанс... и мы стоим, прижавшись друг к другу в лунном свете... это, конечно, будет ужасной ошибкой, но нельзя же упускать возможность, что он сделает это прямо сейчас... ведь всего-то и нужно наклониться и... и...

И ничего.

Джованни отступает.

— Спокойной ночи, дорогая Лиз, — говорит он.

— *Buona notte, caro mio*, — отвечаю я.

Я в одиночестве поднимаюсь на четвертый этаж. Одна вхожу в свою маленькую студию. Закрываю дверь. Меня ждет очередная одинокая ночь в Риме. Долгий сон в пустой кровати в компании итальянских разговорников и словарей.

Я одна, совсем одна, одна-одинешенька.

Мысль об этом заставляет меня выронить сумку, опуститься на колени и прикоснуться к полу лбом. И там, на полу, я обращаюсь ко Вселенной с искренней молитвой благодарности.

Сначала по-английски.

Потом по-итальянски.

И в довершение, чтобы уж наверняка, — на санскрите.

2

Раз уж я стою на коленях, позвольте перенести вас на три года в прошлое — в то самое время, когда началась эта история. Оказавшись там, вы обнаружили бы меня в той же позе: на коленях, на полу, бормочущей молитву.

Но, не считая позы, все остальное три года назад было совсем не похоже на день сегодняшний. Тогда я была не в Риме, а в ванной на втором этаже большого дома в пригороде Нью-Йорка. Этот дом мы с мужем купили совсем недавно. Холодный ноябрь, три часа ночи. Муж спит в нашей кровати. А я прячусь в ванной, пожалуй, уже сорок седьмую ночь подряд и, как и все предыдущие ночи, плачу. Плачу так горько, что наплакала уже лужу слез, которая разлилась передо мной на кафельной плитке резервуаром душевных радиоактивных отходов, — тут и стыд, и страх, и растерянность, и печаль.

*Не хочу больше быть замужем.*

Мне очень не хотелось верить в это, но правда засела глубоко внутри и не давала мне покоя.

*Не хочу больше быть замужем. Не хочу жить в этом доме. Не хочу иметь детей.*

Но как это — не хочу детей?! Я же должна их хотеть! Мне тридцать один год. Мы с мужем вместе восемь лет, женаты шесть, и вся наша жизнь построена на уверенности, что после тридцати — самое время остепениться — я наконец успокоюсь и рожу ребеночка. Нам обоим казалось, что к тому времени я устану от постоянных разъездов и с радостью поселюсь в большом доме, полном хлопот, детишек и сшитых собственноручно лоскутных одеял. На заднем дворе будет сад, а на плите — уютно побулькивающая кастрюлька с домашним рагу. (Кстати, это весьма точное описание моей матери, что еще раз доказывает, как трудно было мне отделить себя от этой властной женщины, в чьем доме я выросла.) Но мне все это было не нужно. Я осознала это с ужасом. Мне исполнилось двадцать восемь, двадцать девять, и вот уже неизбежная цифра тридцать замаячила на горизонте, как смертный приговор. Тогда я и поняла, что не хочу заводить ребенка. Я все ждала, когда это желание появится, а оно все не приходило и не приходило. А ведь мне прекрасно известно, что значит *желать* чего-то. И ничего подобного я не чувствовала. Мало того, мне все время вспоминалось, что сказала сестра, когда кормила грудью своего первенца: «Родить ребенка — это как сделать наколку на лбу. Чтобы решиться на такое, надо точно знать, что тебе этого хочется».

Но разве можно теперь дать задний ход? Ведь у нас все идет по плану. Ребенок запланирован на этот год. По правде говоря, мы уже несколько месяцев упорно пытаемся зачать. Но ничего не происходит (разве что — в порядке издевательской насмешки над беременными? — у меня началась психосоматическая утренняя тошнота: каждое утро дарю туалету свой завтрак). А каждый месяц, когда приходят месячные, я украдкой шепчу в ванной: «Спасибо, Господи, спасибо, спасибо за то, что еще хотя бы месяц у меня будет моя жизнь...»

Я пыталась убедить себя в том, что со мной все в порядке. Все женщины наверняка чувствуют то же самое, когда пытаются забеременеть. (Это чувство я характеризовала как «противоречивое», хотя вернее было бы сказать «чувство всепоглощающего ужаса и паники».) Так я и уговаривала себя, что со мной все нормально, хотя все свидетельствовало об обратном. Взять хотя бы одну знакомую, которую я встретила на прошлой неделе. Она только что узнала, что беременна, — после двух лет лечения от бесплодия, которое обошлось ей в кругленькую сумму. Она была в экстазе. По ее словам, она всегда мечтала стать матерью. Годами тайком покупала одежду для новорожденных и прятала ее под кроватью, чтобы муж не нашел. Ее лицо так и лучилось от счастья, и я вдруг поняла, что это чувство мне знакомо. Именно так я чувствовала себя прошлой весной, в тот день, когда узнала, что журнал, где я работаю, посылает меня в Новую Зеландию с заданием написать статью о поисках гигантского кальмара. И я решила: «Когда мысль о ребенке вызовет у меня такой же восторг, как предвкушение встречи с гигантским кальмаром, тогда и заведу детей».

*Не хочу больше быть замужем.*

В дневные часы я отталкивала эту мысль, но по ночам не могла думать ни о чем ином. Это была настоящая катастрофа. Лишь я одна могла проявить поистине преступный идиотизм: дотянуть брак до такой стадии — и только потом понять, что хочу все бросить. Дом мы купили всего год назад. Неужели мне не хочется жить в этом замечательном доме? Ведь когда-то он мне нравился. Так почему же теперь каждую ночь я брожу по его коридорам и завываю, как Медея? Неужели я не горжусь всеми нашими накоплениями — дом в престижном районе Хадсон-Вэлли, квартира на Манхэттене, восемь телефонных линий, друзья, пикники, вечеринки, уик-энды, проведенные в магазинах очередного торгового центра, похожего на гигантскую коробку, где можно купить еще больше бытовой техники в кредит? Я активно участвовала в построении этой жизни — так почему же теперь мне кажется, что вся эта конструкция, до последнего кирпичика, не имеет со мной ничего общего? Почему на меня так давят обязательства, почему я устала быть главным кормильцем в семье, а также домохозяйкой, устроителем вечеринок, собаковладельцем, женой, будущей матерью и, в урывках между всем этим, еще и писательницей?

*Не хочу больше быть замужем.*

Муж спал в соседней комнате на нашей кровати. Я любила и ненавидела его примерно поровну. Будить его и делиться своими переживаниями было совершенно ни к чему. Он и так был свидетелем того, как в течение нескольких месяцев я разваливалась на куски и вела себя, как ненормальная (я была даже не против, чтобы меня так называли). Я порядком его утомила. Мы оба понимали, что со мной что-то не так, но терпение мужа было не бесконечным. Мы ссорились и кричали друг на друга и устали от всего этого так сильно, как устают лишь пары, чей брак катится к чертям. Даже взгляд у нас стал, как у беженцев.

Многочисленные причины, по которым я больше не хотела быть женой этого человека, не стоит перечислять здесь хотя бы потому, что они слишком личные и слишком безотрадные. Во многом виновата была я, но и его проблемы сыграли свою роль. И это естественно: ведь в браке всегда две составляющие, два голоса, два мнения, две конфликтующие стороны, каждая из которых принимает собственные решения, имеет собственные желания и ограничения. Но я думаю, что некрасиво обсуждать проблемы мужа в этой книге. И не стану никого убеждать, что способна пересказать нашу историю беспристрастно. Пусть лучше рассказ о том, как разваливался наш брак, так и останется за кадром. Я также не стану открывать причины, по которым мне одновременно и хотелось остаться его женой, не стану говорить о том, какой чудесный это был человек, за что я любила его и почему вышла за него замуж и почему жизнь без него казалась мне невозможной. Все это останется при мне. Скажу лишь, что в ту ночь муж был для меня в равной степени маяком и камнем на шее. Перспектива уйти от него казалась немыслимой, но еще более невыносимой была перспектива остаться. Мне не хотелось, чтобы кто-то (или что-то) пострадал по моей вине. Если можно было бы тихонько выйти через черный ход без всякой сумятицы и последствий и бежать, бежать, бежать до самой Гренландии — я бы так и сделала.

Это не самая радостная часть моей истории. Но я должна рассказать ее, потому что именно тогда, на полу в ванной, случилось нечто, навсегда изменившее весь ход моей жизни. Это было сравнимо с тем непостижимым астрономическим явлением, когда планета в космосе переворачивается на сто восемьдесят градусов без всякой на то причины и ее расплавленная оболочка смещается, изменяя расположение полюсов и меняя форму так, что планета в одно мгновение становится овальной, а не круглой. Нечто похожее я тогда и испытала.

А случилось вот что: я вдруг начала молиться.

Ну, знаете, как люди молятся Богу.

## 3

Надо сказать, такого со мной еще не случалось. Кстати, раз уж я впервые произнесла это многозначительное слово — БОГ и поскольку оно еще не однажды встретится на страницах книги, думаю, справедливо будет отвлечься на минуту и объяснить, что я подразумеваю под этим словом, — чтобы люди сразу решили, стоит ли считать мои слова оскорбительными или нет.

Отложим на потом спор о том, существует ли Бог вообще. Хотя нет — давайте лучше совсем забудем об этом споре. Сначала поясню, почему я использую слово «Бог», хотя вполне можно было бы назвать Его, скажем, Иеговой, Аллахом, Шивой, Брахманом, Вишну или Зевсом. Я, конечно, могла бы называть Бога «Оно», как в древних санкритских священных книгах — это довольно точно характеризует то всеобъемлющее, не поддающееся описанию нечто, к которому мне порой удавалось приблизиться. Но «Оно» — какое-то безличное слово, скорее объект, чем существо. Лично мне нелегко молиться кому-то, кого называют «Оно». Мне нужно имя, чтобы создать впечатление личного общения. По этой же причине я не могу обращаться ко Вселенной, Великой бездне, Великой силе, Высшему Существу, Единству, Создателю, Свету, Высшему разуму и даже самой поэтичной интерпретации имени Божьего — Тени Перемен, — кажется, так Его называли в гностических евангелиях.

Ничего не имею против всех этих названий. По мне так все они имеют равное право на существование, поскольку в равной степени адекватно и неадекватно описывают то, что описать нельзя. Но каждому из нас нужно имя собственное, которым бы мы называли это неописуемое нечто. Мне ближе всего Бог, вот я и зову Его Богом. Признаюсь также, что обычно зову Бога «Он», и меня это ни капли не коробит, так как я воспринимаю слово «Он» всего лишь как подходящее личное местоимение, а не анатомическую характеристику и уж точно не повод для феминистского бунта. Не имею ничего против того, что для кого-то Бог — это «Она», я даже понимаю, что вынуждает людей звать Его женским именем. Но, по-моему, Бог-Он и Бог-Она имеют равное право на существование и одинаково точно и неточно описывают то, что должны описать. Хотя стоит все-таки писать эти местоимения с большой буквы в знак уважения к божественному присутствию — мелочь, а приятно.

Вообще-то, по рождению, а не по убеждению, я христианка. Родилась в англо-саксонской протестантской семье. Но, несмотря на мою любовь к Иисусу, великому проповеднику мира на земле, несмотря на то, что я сохраняю за собой право в определенных жизненных ситуациях задаваться вопросом, как поступил бы Он, с одной христианской догмой я все же никогда не соглашусь. Это постулат о том, что единственный путь к Богу — вера в Иисуса. Так что, строго говоря, никакая я не христианка. Большинство моих знакомых христиан с пониманием и непредвзятостью относятся к моим чувствам. Правда, большинство моих знакомых никак не назовешь догматиками. Тем же, кто предпочитает говорить и думать строго в рамках христианского канона, могу выразить лишь сожаление и пообещать не лезть в их дела.

Меня всегда привлекали трансцендентальные мистические учения во всех религиях. Я с трепетным волнением в сердце отзывалась на слова любого, кто утверждал, что Бог не живет в догматических рамках священных писаний, не восседает в небе на троне, а обитает где-то совсем рядом с нами — гораздо ближе, чем мы можем предположить, наполняя наши сердца своим дыханием. И я благодарна всем, кому удалось заглянуть в самый центр собственного сердца и кто вернулся в мир, чтобы сообщить всем нам, что Бог — это *состояние безусловной любви*. Во всех мировых религиозных традициях всегда были мистики-святые и просветленные, и все они описывали один и тот же опыт. К сожалению, для многих дело кончилось арестом и казнью. И все же я отношусь к ним с глубоким трепетом.

По существу, того Бога, к которому я пришла, очень легко описать. Был у меня когда-то песик. Бездомный, из приюта. Он был помесью примерно десяти разных пород, и от каждой из них взял самое лучшее. Пес был коричневого цвета. И когда люди спрашивали, что это за собака, я всегда отвечала одинаково: «Это коричневый пес». Так и на вопрос, в какого Бога я верю, отвечаю просто: «В хорошего Бога».

## 4

Конечно, с той ночи, когда я заговорила с Богом впервые в ванной на полу, у меня было немало времени, чтобы сформулировать мнение о Всевышнем. Но тогда, в самом эпицентре мрачного ноябрьского кризиса, мне было не до теологических рассуждений. Меня интересовало только одно: как спасти свою жизнь. Наконец я поняла, что достигла того состояния безнадежного, самоубийственного отчаяния, когда некоторые как раз и просят о помощи Бога. Кажется, я читала об этом в книжке.

И вот сквозь рыдания я обратилась к Богу и сказала что-то вроде: «Привет, Бог. Как дела? Меня зовут Лиз. Будем знакомы».

Да-да, я обращалась к Богу так, будто нас только что представили друг другу на вечеринке. Но каждый говорит, как может, а я привыкла, что знакомство начинается именно с этих слов. Мне даже пришлось одернуть себя, чтобы не добавить: «Я ваша большая поклонница...»

— Извини, что так поздно, — добавила я. — Но у меня серьезные проблемы. И прости, что раньше не обращалась к Тебе напрямую, хотя всегда была безмерно благодарна за все то хорошее, чем Ты наградил меня в жизни.

При этой мысли меня накрыла новая волна рыданий. Бог ждал. Я взяла себя в руки и продолжила:

— Молиться я не умею, да Ты и сам видишь. Но не мог бы Ты мне помочь? Мне очень нужна помощь. Я не знаю, что делать. Мне нужен совет. Пожалуйста, подскажи, как поступить. Скажи, что мне делать. Скажи, что мне делать...

Так вся моя молитва свелась к одной простой просьбе — «скажи, что мне делать». Я повторяла эти слова снова и снова. Уж не знаю, сколько раз. Но молилась я искренне, как человек, чья жизнь зависит от ответа. И плакала.

А потом все резко прекратилось.

Я вдруг поняла, что больше не плачу. Не успела я довсхлипывать, как слезы исчезли. Печаль улетучилась, как в вакуумную дыру. Я отняла лоб от пола и удивленно села, отчасти ожидая увидеть некое великое божество, которое осушило мои слезы. Однако в ванной я была одна. Но при этом рядом со мной ощущалось что-то еще. Меня окружало нечто, что можно описать как маленький кокон тишины — тишины столь разреженной, что боязно дышать, чтобы не разрушить ее. Меня окутал полный покой. Не помню, когда в последний раз мне было так спокойно.

А потом я услышала голос. Не паникуйте — то не был зычный Божий глас, как в голливудских фильмах в озвучке Чарлтона Хестона. И он не приказывал мне построить бейсбольное поле на заднем дворе*. Это был мой голос, и доносился он изнутри. Но я никогда не слышала, чтобы мой внутренний голос был таким мудрым, спокойным и понимающим. Мой собственный голос мог бы звучать именно так — будь моя жизнь наполнена любовью и определенностью. Невозможно описать, какой заботой и теплом был проникнут этот голос, который дал мне ответ и навсегда избавил от сомнений в существовании божественного.

Он сказал: «Иди спать, Лиз».

И я вздохнула с облегчением.

Сразу стало ясно, что это и есть единственный выход. Ведь любой другой ответ показался бы мне подозрительным. Вряд ли я поверила бы хоть одному слову, если бы раскатистый бас вдруг произнес: «Ты должна развестись с мужем!» или «Ты не

---

* Имеется в виду фильм «Поле мечты» 1989 года, где Кевин Костнер играет фермера, который слышит таинственный голос, приказывающий ему построить бейсбольное поле на месте кукурузного. (*Здесь и далее примеч. пер.*)

должна разводиться с мужем!» В этих словах нет истинной мудрости. Истинно мудрый ответ — единственно возможный в данный момент, а в ту ночь единственно возможным выходом было пойти спать. Иди спать, сказал всеведущий внутренний голос, потому что тебе необязательно знать главный ответ прямо сейчас, в три часа ночи, в четверг, в ноябре. Иди спать, потому что я люблю тебя. Или спать, потому что единственное, что тебе сейчас нужно, — хорошо отдохнуть и позаботиться о себе до тех пор, пока не узнаешь ответ. Иди спать, и, когда разразится буря, у тебя хватит сил ей противостоять. А бури не избежать, моя милая. Она придет очень скоро. Но не сегодня. Поэтому...

Иди спать, Лиз.

Между прочим, этому эпизоду свойственны все типичные признаки опыта обращения в христианство: душа, погруженная в глубокие сумерки, мольба о помощи, голос свыше, чувство перерождения. Но для меня это не было обращением в традиционном смысле слова — то есть перерождением, или спасением. Я бы скорее назвала случившееся в ту ночь началом религиозного *общения*. То были первые слова открытого и сулящего открытия диалога, который в конечном счете приблизил меня к Богу.

<h2 style="text-align:center">5</h2>

*Е*сли бы я знала, что мое и без того плачевное положение обернется еще более плачевным (как сказала однажды Лили Томлин), вряд ли бы я спала так крепко той ночью. Но спустя семь месяцев, которые дались мне очень тяжело, я все-таки ушла от мужа. Приняв решение, я думала, что худшее позади. Как оказалось, мало я знала о разводах.

Помню один комикс в «Нью-Йоркере»: женщина говорит подруге, мол, хочешь узнать мужчину получше, разведись с ним. У меня, конечно, все вышло наоборот. Я теперь могу давать такой совет: хочешь, чтобы кто-то стал тебе совсем незнакомым человеком — разведись с ним. Или с ней. Потому что именно это произошло у нас с мужем. Кажется, мы оба были ошарашены тем, как быстро два самых близких в мире человека могут превратиться в незнакомцев, совершенно неспособных найти общий язык. Причиной отчуждения стало наше поведение: мы оба делали то, чего другой никак не мог ожидать. Муж ни на секунду не мог представить, что я действительно от него уйду, а я, даже в страшных снах, не могла вообразить, что он приложит все усилия, чтобы затруднить этот процесс.

Я искренне верила, что, когда объявлю мужу о своем решении, мы в момент, буквально за пару часов, решим все финансовые вопросы. И понадобится нам для этого всего лишь калькулятор, немного здравого смысла и искреннее пожелание счастья тому человеку, который еще недавно был любимым. Я думала, мы продадим дом и разделим доход пятьдесят на пятьдесят; мне и в голову не приходило, что все может сложиться иначе. Но мужу мое предложение показалось несправедливым. Тогда я повысила ставки и предложила другой расклад: пусть забирает все, а мне останутся лишь угрызения совести. Но даже это его не устраивало. Тут я растерялась. О чем еще договариваться, когда я и так предложила отдать все? Мне ничего не оставалось, как ждать встречного предложения. Я не смела думать, что имею право хоть на цент из заработанного мною за последние десять лет, — так мне было стыдно, что я бросила семью. Мало того, недавно приобретенные духовные знания не позволяли мне вступать в стычки. Моя позиция была такой: я не стану ни защищаться, ни враждовать с ним. Очень долго, несмотря на советы всех, кому была небезразлична моя судьба, я даже не хотела обращаться к адвокату, потому что считала это проявлением враждебности. Я хотела быть как Ганди. Как Нельсон Мандела. Не зная тогда, что и Ганди, и Мандела сами были адвокатами.

Шли месяцы. Я застряла в неизвестности и ждала, когда же стану свободной, когда мне наконец предъявят условия. Мы жили отдельно (он переехал в квартиру на Манхэттене), но ситуация оставалась неразрешенной. Копились счета, простаивала карьера, ветшал наш дом, но муж прерывал молчанку лишь для того, чтобы изредка напомнить мне, какая я эгоистичная дура.

А ведь был еще и Дэвид.

Мои переживания из-за Дэвида, в которого я влюбилась перед тем, как уйти от мужа, во много раз приумножили осложнения и боль от многолетнего скандального развода. Говоря, что «влюбилась» в Дэвида, я имею в виду, что нырнула в его объятия после расставания с мужем, как циркач из мультика ныряет с высокой платформы в маленький стакан с водой, умещаясь в нем целиком. Сбежав от мужа, я цеплялась за Дэвида, как американский солдат за последний вертолет из Сайгона. Он был моей надеждой на спасение и счастье. Конечно же я его любила. Если бы я знала словечко, способное охарактеризовать эту любовь глубже, чем «отчаянная», я бы ввернула его тут. От отчаянной любви, знаете ли, всегда самые большие трудности.

Сразу после того как я ушла от мужа, мы с Дэвидом стали жить вместе. Дэвид был — и остается — достойным восхищения. Уроженец Нью-Йорка, актер и писатель, огромные карие глаза с влажным блеском — типично итальянские глаза, от которых у меня мурашки бегут по коже (кажется, я уже говорила). Дэвид разбирался в жизни и ни от кого не зависел, был вегетарианцем и умел красочно материться; занимался духовными практиками и знал, как обращаться с женщинами; не признавал авторитетов, писал стихи, занимался йогой. Баловень судьбы из нью-йоркского пригорода, он производил неизгладимое впечатление. Незабываемое. По крайней мере, на меня. Когда моя подруга Сьюзан впервые услышала, как я его расхваливаю, ей было достаточно одного взгляда на мое горячечное лицо, чтобы сказать: «Ну ты и попала, детка».

Дэвид играл в пьесе по мотивам моих рассказов — так мы и познакомились. Его герой родился в моем воображении, что уже кое о чем говорило. Ведь когда ты отчаянно влюблена, иначе и быть не может. Отчаянно влюбленные люди всегда воспринимают своих возлюбленных как вымышленных героев и требуют, чтобы они были именно такими, как им нужно, а когда те отказываются выполнять предназначенную роль, чувствуют себя несчастными.

Но как весело нам было вместе в первые месяцы, когда Дэвид все еще был моим романтическим героем, а я — его ожившей мечтой! Никогда не думала, что двое людей могут быть настолько совместимы, что они способны так волновать друг друга. Мы даже придумали собственный язык. Уезжали то на день, то надолго в настоящее дорожное путешествие. Взбирались на вершины, ныряли на самое дно, планировали совместные кругосветные экспедиции. Даже в очереди в Департамент автотранспорта нам было веселее, чем большинству людей в медовый месяц. Мы дали друг другу одинаковые прозвища, и теперь нас было не различить. Мы ставили цели, давали клятвы и обещания и вместе готовили ужины. Он читал мне вслух и стирал мои вещи. (Когда это случилось впервые, я даже позвонила Сьюзан поделиться своим потрясением от только что увиденного чуда. Это было все равно что увидеть верблюда, звонящего из телефонной будки. Я воскликнула: «Мужчина только что постирал мое белье! А нижнее белье выстирал вручную!» На что Сьюзан снова ответила: «Ну ты и попала, детка».)

Наше первое лето было похоже на начальные кадры всех мелодрам, вместе взятых: мы брызгались в прибое и бежали, взявшись за руки, в сумерках по золотым лугам. В то время я еще продолжала думать, что дело с разводом, быть может, разрешится по-доброму, — ведь я дала мужу целое лето на отдых от переговоров, надеясь, что за это время мы оба успеем остыть. Да и легко было не думать о плохом, когда тебя окружает столько хорошего. Но потом это лето (которое на самом деле было всего лишь отсрочкой неизбежного) закончилось.

В последний раз я видела мужа девятого сентября две тысячи первого года. Тогда я еще не знала, что все наше последующее общение будет проходить через адвокатов. Мы ужинали в ресторане. Я пыталась обсудить наш развод, но все мои попытки заканчивались ссорой. Он сказал, что я лгунья и предательница, что он меня ненавидит и больше не скажет мне ни слова. Через два дня я проснулась, проворочавшись всю ночь, и узнала, что угнанные самолеты врезались в два самых высоких здания моего родного города, и все, что когда-то казалось нерушимым, превратилось в дымящуюся лавину обломков. Я позвонила мужу удостовериться, что он цел, и мы вместе погоревали о случившейся катастрофе, но все же я к нему не поехала. На той неделе, когда все ньюйоркцы отбросили враждебность перед лицом гораздо более серьезной трагедии, я так и не вернулась к мужу. Именно тогда мы поняли, что все кончено, кончено навсегда.

Следующие четыре месяца я не спала. И это не преувеличение.

Раньше мне казалось, что моя жизнь разваливается на части, но теперь от нее и вовсе остались клочки. Впрочем, это вполне соответствовало состоянию окружающего мира, который тоже рушился на глазах. Становится не по себе при мысли о том, какую ношу я возложила на Дэвида в те несколько месяцев, что мы прожили вместе после одиннадцатого сентября и нашего с мужем окончательного расставания. Могу представить его удивление, когда он выяснил, что в сердце у самой счастливой и уверенной в себе женщины, стоит ей только остаться наедине с собой, разливается грязное болото бездонной печали. Я опять начала постоянно плакать. Тогда Дэвид стал замыкаться в себе, и настала моя очередь увидеть другую сторону моего романтического героя. Этот Дэвид был одинок, как жертва кораблекрушения на необитаемом острове; до него невозможно было достучаться, и он требовал не меньше личного пространства, чем стадо бизонов.

Эмоциональное отчуждение Дэвида было бы для меня катастрофой даже при обычных обстоятельствах, ведь я представляю собой самую любвеобильную форму жизни на планете, нечто вроде помеси золотистого ретривера и рыбы-прилипалы. Но тогдашние обстоятельства были хуже не придумаешь. Я была в отчаянии, зависела от Дэвида и нуждалась в его любви не меньше, чем недоношенные тройняшки нуждаются в материнской заботе. Глядя на то, как он замыкается в себе, я все сильнее требовала ласки, а он, глядя на мою требовательность, лишь сильнее замыкался в себе. Очень скоро ему пришлось буквально бежать под перекрестным огнем из моих слезных требований: «Куда ты уходишь? Что же с нами произошло?»

Запомните на будущее: мужчины просто обожают, когда им задают такие вопросы.

Дело в том, что я привязалась к Дэвиду, как к наркотику (в свою защиту скажу, что он сам поощрял это, будучи, если можно так выразиться, роковым мужчиной). Теперь же, когда он стал уделять мне меньше внимания, я жила в предвидении легко предсказуемых последствий. Болезненная привязанность непременно сопровождает все истории об отчаянной любви. Все начинается, когда предмет обожания дарит тебе головокружительную, галлюциногенную дозу чувства, о котором ты не смела и помышлять, — это может быть, к примеру, эмоциональный коктейль из неземной любви и ошеломляющего восторга. Вскоре без интенсивного внимания уже не обойтись, и тяга превращается в голодную одержимость наркомана. Когда наркотик отнимают, человек заболевает, сходит с ума, испытывает эмоциональное опустошение (не говоря уж о ненависти к дилеру, который подсадил тебя на эту дрянь, а теперь отказывается давать ее бесплатно, хотя ты точно знаешь, что она спрятана где-то рядом, ведь раньше тебе ее давали просто так). Следующий этап: ты сидишь в углу, исхудав и дрожа, готов продать душу и ограбить соседей, лишь бы еще раз испытать тот кайф. Тем временем предмет обожания начинает испытывать к тебе отвращение. Он смотрит на тебя так, будто видит в первый раз, — этот взгляд уж никак не может быть обращен к той, к кому он когда-то питал возвышенные чувства. И самое смешное, разве он в этом виноват? Посмотри на себя. Ты превратилась в жалкую развалину, саму себя не узнать.

Вот и все. Последняя стадия отчаянной любви — полная и жестокая деградация собственного Я.

То, что сейчас я так спокойно об этом пишу, еще раз доказывает, что время лечит. Когда все это происходило, я была отнюдь не так спокойна. Потерять Дэвида сразу после того, как развалился мой брак и террористы напали на мой город, как раз в то самое время, когда бракоразводный процесс принял самый мерзкий оборот (мой друг Брайан как-то сказал, что мой развод был похож на «ужасную автомобильную аварию, которая происходила каждый день в течение двух лет»)... все это было слишком.

Днем нам с Дэвидом по-прежнему было весело и хорошо вместе, но по ночам я казалась себе единственной выжившей после ядерной зимы. Он отодвигался от меня — в прямом смысле, и с каждым днем все сильнее, как будто я была заразная. Я боялась ложиться спать, как заключенный боится спускаться в камеру пыток. Рядом со спящим Дэвидом, таким прекрасным и недоступным, меня затягивал водоворот панического страха одиночества. В моем воображении рисовались мельчайшие подробности собственного самоубийства. Каждая клеточка тела причиняла боль. Я казалась себе примитивным пружинным механизмом, который поместили под гораздо большее давление, чем он способен выдержать, и который вот-вот взорвется, уничтожив все вокруг. Я представляла, как руки и ноги отскакивают прочь от тела, чтобы быть подальше от вулкана безрадостности, в который я превратилась. По утрам Дэвид находил меня на полу рядом с кроватью: я тревожно спала, свернувшись на груде полотенец, как бездомная собака.

«Ну что еще?» — обычно спрашивал он с видом человека, которого окончательно достали.

За это время я похудела килограммов на пятнадцать.

# 6

*Н*о все же в те несколько лет со мной происходило не только плохое...

Известно, что Бог никогда не захлопывает дверь у тебя перед носом, не открыв при этом коробку шоколадных конфет (или как там в пословице\*), поэтому на общем депрессивном фоне были и радостные события. Во-первых, я наконец начала учить итальянский. И нашла своего духовного учителя, гуру из Индии. И старик-индонезиец, хилер с Бали, пригласил меня приехать к нему погостить.

Объясню все по порядку.

Моя жизнь начала налаживаться, когда в начале две тысячи второго года я съехала от Дэвида и впервые в жизни нашла собственную квартиру. Она была мне не по карману, ведь мне по-прежнему приходилось платить за огромный дом в пригороде, в котором никто уже не жил и который мой муж запрещал продавать, да и услуги адвокатов и психоаналитиков обходились недешево. Но для выживания мне было просто необходимо иметь собственную, хотя бы и однокомнатную, квартиру. Она казалась мне чем-то вроде санатория, восстановительной клиники, где состоится мое выздоровление. Я выкрасила стены в самые теплые цвета и каждую неделю покупала себе цветы — как будто навещала саму себя в больнице. Сестра подарила на новоселье грелку (чтобы не было одиноко в холодной постели), и я спала, прижав ее к сердцу и держа так бережно, как спортсмен — сломанную руку.

Мы с Дэвидом расстались насовсем. Или не совсем насовсем. Трудно припомнить, сколько раз мы расставались и воссоединялись за эти месяцы. У нас образовалось нечто вроде ритуала: я уходила от Дэвида, ко мне возвращались силы и уверенность, а потом его прежняя страсть вдруг вспыхивала с новой силой (когда он видел, какой сильной и уверенной я снова стала). Уважительно и рассудительно мы обсуждали, не стоит ли нам «поп-

---

\* Пословица звучит так: «Когда Бог закрывает дверь, взамен он открывает окно».

робовать снова», и каждый раз придумывали новый, вполне здравый план, как преодолеть нашу очевидную несовместимость. Мы твердо вознамерились решить эту проблему. Ведь разве бывает такое, что двое людей, настолько влюбленных друг в друга, не могут жить долго и счастливо? Не может быть, чтобы у нас ничего не вышло. Просто не может. Воссоединившись и вдохновившись новыми надеждами, мы проводили вместе несколько самозабвенно счастливых дней. Иногда даже недель. Но в конце концов Дэвид опять замыкался в себе, а я начинала требовать его внимания (или наоборот — я липла к нему, а он уходил в себя: так мы и не выяснили, что за чем следует), и мое сердце снова было разбито. А Дэвид уходил.

Он был моей приманкой и отравой.

Когда мы все же были в разлуке, я старалась научиться жить одна, хоть это и было нелегко. В результате такого опыта мой внутренний мир начал меняться. Мне стало казаться, что я вот-вот буду самостоятельной, хотя жизнь моя по-прежнему напоминала массовую аварию на переполненном шоссе в период отпусков. В те минуты, когда мне не хотелось покончить с собой из-за развода или расставания с Дэвидом, меня бесконечно радовало, что у меня вдруг стало появляться свободное время и возможность им распоряжаться. И тогда я задавала себе совершенно новый для меня вопрос: «Чем ты хочешь заняться, Лиз?»

Обычно я даже не осмеливалась ответить на него — меня по-прежнему терзали угрызения совести, что я сбежала от мужа, — но мне было приятно, что он вообще возник. Когда наконец я стала задумываться, чем бы мне действительно хотелось заняться, я делала это очень осторожно, позволяя себе формулировать только мелкие, неглобальные желания. К примеру:

*Я хочу заняться йогой.*

*Я хочу уйти с вечеринки пораньше, вернуться домой и почитать книжку.*

*Я хочу купить себе новый пенал.*

Но одно странное желание присутствовало всегда, когда бы я ни задавала себе этот вопрос:

*Я хочу выучить итальянский.*

Много лет я мечтала выучить итальянский. Этот язык прекраснее, чем розы. Но моему желанию не находилось практического оправдания. Не логичнее было бы вспомнить французский или русский, ведь их я уже учила несколько лет назад? Или выучить испанский, чтобы лучше понимать своих сограждан-американцев? Зачем мне итальянский? Не собралась же я переезжать в Италию. Выучиться играть на аккордеоне и то практичнее.

Но неужели все, что мы делаем, должно иметь практическую цель? Много лет я пахала, как прилежный солдатик, — работала, писала, всегда укладывалась в сроки, заботилась о близких, держала в порядке зубы и исправно платила по кредиту, голосовала и т. д. и т. п. Неужели вся наша жизнь — это всего лишь обязанности? Неужели в эту темную пору неудач, когда я чувствую, что лишь изучение итальянского способно принести мне радость, мне нужно какое-то иное оправдание? И не такая уж это неперспективная цель — изучение языка. Вот если бы в тридцать два года я решила стать прима-балериной нью-йоркского балета, это вызвало бы сомнения. Но выучить язык — вполне возможно. И  вот я записалась на курсы «непрерывного образования» (другими словами, в вечернюю школу для разведенных). Друзья очень смеялись. Мой друг Ник спросил: «Почему итальянский? Ты, наверное, думаешь, что Италия снова вторгнется в Эфиопию*, на этот раз успешно, и тогда можно будет похвастаться знанием языка, на котором говорят в целых *двух* странах!»

Но я любила этот язык. В нем каждое слово было как пение соловья, как волшебное заклинание, как тающая во рту конфета. После занятий я бежала домой под дождем, наливала горячую ванну и лежала в пене, читая вслух итальянский словарь и забывая о тяжелом разводе и своем ноющем сердце. Произнося слова, я смеялась от восторга. Я называла телефон *иль мио телефониньо* («мой милый маленький телефончик»). Я стала одной из тех, кто раздражает всех своих знакомых, говоря на прощание *чао*. Только моим знакомым не повезло еще больше: ведь я к тому же объясняла, откуда произошло это слово. (На всякий случай скажу и вам: это сокращение от фразы, которую средневековые венецианцы произносили в интимных ситуациях: «Sono

---

* Речь идет об итало-эфиопской войне (1935—1936), в результате которой Эфиопия находилась в итальянской оккупации с 1936 по 1941 год.

il suo schiavo», или «Я твой раб».) Уже произнося эти слова вслух, я чувствовала себя желанной и счастливой. Адвокат по разводам говорила, что беспокоиться нечего; у нее была клиентка из Кореи, которая после ужасного развода сменила имя на итальянское, чтобы снова почувствовать себя желанной и счастливой.

Да как знать, может, я и в Италию перееду...

*В* этот период случилось еще одно примечательное событие — мое знакомство с духовными практиками. Побуждением и стимулом к этому было появление в моей жизни настоящего, живого гуру из Индии. За это я вечно благодарна Дэвиду. Я встретила свою духовную наставницу в первый же вечер, когда пришла к нему домой. Можно сказать, я их обоих полюбила с первого взгляда. Оказавшись в квартире Дэвида, я увидела на комоде фотографию лучезарно прекрасной индианки и спросила: «Кто это?»

Дэвид ответил: «Мой духовный учитель».

Тут сердце мое споткнулось, запуталось в ногах и рухнуло носом вниз. Потом поднялось, отряхнулось, вздохнуло поглубже и объявило: «И я хочу духовного учителя». Это не шутка: сердце говорило со мной, хотя слова вылетали изо рта. Я четко почувствовала, как мое существо странным образом разделилось, мозг на минуту вышел из тела, повернулся к сердцу лицом и безмолвно спросил:

— Неужели?

— Да, — ответило сердце. — Хочу.

Тут мозг спросил не без доли сарказма:

— С каких это пор?

Но ответ уже был мне известен. С той ночи в ванной на полу.

Да, мне хотелось иметь духовного учителя. Я тут же начала фантазировать, как это будет. Прекрасная индианка будет приходить ко мне домой несколько раз в неделю, мы будем сидеть, пить чай и беседовать о божественном, а потом она будет давать мне книги и объяснять всю значимость странных ощущений, возникающих во время медитации...

Но идиллия мгновенно рассеялась, стоило Дэвиду рассказать, что эта женщина знаменита во всем мире и у нее несколько десятков тысяч учеников, большинство из которых даже не встречались с ней. Зато здесь, в Нью-Йорке, есть группа последователей, которые собираются по вторникам для совместной медитации и пения мантр. Дэвид сказал: «Если не пугает перспектива сидеть в одной комнате с сотнями людей, поющих имя Бога на санскрите, можешь как-нибудь присоединиться».

Я пошла на собрание в ближайший же вторник. Меня вовсе не напугали все эти совершенно обычные на вид люди, распевающие имя Божье; напротив, пение вызвало легкость и душевный подъем. В тот вечер я шла домой и чувствовала, что воздух проходит сквозь меня; я была как чистое белье, трепещущее на веревке, Нью-Йорк казался сделанным из рисовой бумаги, а я — совсем невесомой, способной пробежаться по бумажным крышам. Я стала ходить на собрания каждый вторник. Потом начала медитировать по утрам, повторяя на санскрите древнюю мантру, которую гуру советует всем ученикам (великую «Ом намах шивайя», что означает «я склоняюсь перед божественным внутри себя»). Потом я впервые побывала на лекции гуру, и от ее слов у меня все тело покрылось гусиной кожей — даже лицо. А узнав, что в Индии у нее есть ашрам, я поняла, что обязана побывать там как можно скорее.

## 8

Но пока мне предстояла поездка в Индонезию.

Меня отправили в командировку. В один из дней, когда моя жалость к себе достигла особо глубокой отметки (денег нет, никого рядом нет, развод так и не сдвинулся с мертвой точки), мне позвонила редактор женского журнала и спросила, не хочу ли я съездить на Бали и написать статью о йога-семинаре. И мне за это еще и заплатят. Я задала ей кучу вопросов, ответ на которые был очевиден, из серии «почему вода мокрая?». На Бали (замечательный остров, к слову) наш инструктор по йоге спросила, не хочет ли кто, пока мы здесь, съездить в гости к балинезийскому хилеру в девятом поколении. Ответ на этот вопрос опять же был очевиден, и все мы как-то вечером завалились к нему домой.

Хилер оказался сморщенным старичком с веселыми глазками, кирпичного цвета кожей и почти беззубым ртом, до жути похожим на учителя Йоду из «Звездных войн». Имя его было Кетут Лийер. По-английски он говорил с переменным успехом, с очень смешными ошибками, но у нас был переводчик на случай, если то или иное слово выпадет у старичка из памяти.

Инструктор по йоге заранее предупредила, что каждый может задать хилеру вопрос или изложить свою проблему, а Кетут уж постарается подсказать, как с ней справиться. Несколько дней я думала, о чем его спросить. Сначала в голову приходила какая-то ерунда. *Как думаете, муж даст мне развод? Стану ли я снова желанной для Дэвида?* Мне самой стало стыдно за такие мысли: ну кто едет на край света к старому индонезийскому лекарю, чтобы спросить у него совета в любовных делах?

И когда наедине старик спросил, чего мне хочется больше всего на свете, я нашла другой, более правдивый ответ.

— Я хочу обрести глубокую веру в Бога, — призналась я. — Иногда мне кажется, что я чувствую Его присутствие в мире, но потом незначительные страхи и желания отвлекают меня, и я теряю это чувство. Мне хочется, чтобы Бог всегда был со мной. Но при этом я не хочу становиться монахиней и отказываться от всех мирских удовольствий. Наверное, я больше всего хочу научиться жить в этом мире и наслаждаться его дарами, но одновременно и посвятить себя Богу.

Кетут сказал, что может ответить на мой вопрос, нарисовав картину. И показал набросок, сделанный им однажды во время медитации. На нем было изображено бесполое человеческое существо, которое стояло, сложив ладони как для молитвы. Но у этого существа было к тому же четыре ноги, а головы и вовсе не было. На ее месте виднелся букет из папоротников и цветов. А на месте сердца была нарисована маленькая улыбающаяся рожица.

— Чтобы обрести равновесие, к которому стремишься ты, — объяснил Кетут через переводчика, — ты должна стать, как это существо. Ты должна крепко на земле стоять, так, словно бы у тебя четыре ноги, а не две. Так ты сможешь оставаться в этом мире. Но тебе нужно перестать воспринимать мир через голову. Сердце должно стать твоими глазами. Только тогда ты познаешь Бога.

Потом старик спросил разрешения погадать мне по руке. Я протянула левую ладонь, и он продолжил раскладывать меня по полочкам, словно решая головоломку из трех кусочков.

— Ты путешественница, — сказал он.

Это было очевидно, учитывая, что на данный момент я находилась в Индонезии, но я тем не менее промолчала.

— Такого удачливого человека, как ты, я впервые вижу. Ты проживешь долгую жизнь, у тебя будет много друзей, много впечатлений. Весь мир повидаешь. Одна только проблема есть у тебя. Слишком много ты беспокоишься. Вечно одни эмоции, одни нервы. Если пообещаю, что в жизни у тебя не будет больше причин беспокоиться, поверишь?

Я встревоженно кивнула, не веря ни одному слову.

— Твоя работа связана с творчеством. Возможно, ты художница, получаешь хорошие деньги. Ты всегда будешь получать большие деньги за работу. Но тратишь много, пожалуй, даже чересчур. Еще одну проблему вижу. Один раз в жизни тебе придется потерять все деньги. По-моему, случится это очень скоро.

— Может, даже в следующие шесть—десять месяцев, — пробормотала я, думая о разделе имущества.

Кетут кивнул, точно соглашаясь с моими словами.

— Но беспокоиться не надо, — добавил он. — Сначала потеряешь деньги, а потом все они к тебе вернутся. Все сразу исправится. Замужем будешь два раза. Один брак короткий, второй длинный. И будет у тебя двое детей...

Я думала, сейчас он скажет: «один короткий, второй длинный», — но Кетут вдруг замолк и нахмурился, глядя на мою ладонь.

— Странно... — Вот слова, которые меньше всего хочется услышать от двух людей: предсказателя судьбы и стоматолога. Кетут попросил меня сесть прямо под лампочку, чтобы ему было лучше видно. — Ошибся, — объявил он. — Ребенок будет только один. Дочка, родишь поздно. Может, дочка... как сама решишь. Но тут еще кое-что. — Он нахмурился, поднял глаза и вдруг очень уверенно произнес: — Однажды, очень скоро, ты вернешься на Бали. Ты должна вернуться. Проживешь здесь три, а может, четыре месяца. Станешь моим другом. Может, станешь жить здесь, в моей семье. Я смогу подучить английский. А то учить меня некому. А ты способна к языкам... Ведь твоя работа как-то связана с языком, я прав?

— Да, — ответила я. — Я писательница. Я пишу книги.

— Писательница из Нью-Йорка, — кивнул он, словно подтверждая то, что и так было ему известно. — Да, ты вернешься на Бали и будешь учить меня английскому. А я научу тебя всему, что знаю.

Тут он встал и отряхнул руки, давая понять, что мы договорились.

А я ответила:

— Если вы не шутите, мистер, то и я не шучу.

Кетут улыбнулся беззубым ртом и сказал:

— Значит, увидимся.

## 9

*Т*акой уж я человек: если индонезийский хилер в девятом поколении говорит, что мне суждено перехать на Бали и прожить четыре месяца в его доме, я уверена, что так оно и будет, и считаю своим долгом осуществить это любыми усилиями. Именно так у меня и зародилась идея отправиться в путешествие на год. Я чувствовала, что непременно должна вернуться в Индонезию, но за свой счет. Это было очевидно. Хотя как именно это осуществится, трудно было представить, поскольку моя жизнь представляла собой сплошной хаос и расстройство. Помимо развода, который обходился недешево, и волнений из-за Дэвида была еще работа в журнале, и из-за нее я не могла уехать больше, чем на три-четыре месяца. Но мне было просто необходимо вернуться на Бали. В этом я не сомневалась. Ведь старик предсказал, что так и будет! Проблема в том, что одновременно мне хотелось поехать в Индию, в ашрам к гуру, а поездка в Индию весьма затратна как по деньгам, так и по времени. Как будто дилемма была недостаточно сложной, в последнее время мне к тому же до смерти хотелось попасть в Италию, чтобы попрактиковаться в языке в естественной среде. Кроме того, привлекала перспектива пожить в стране, где существует культ наслаждения и красоты.

Все эти желания противоречили одно другому. Особенно Италия и Индия. Что предпочесть? С одной стороны, как здорово было бы полакомиться телятинкой в Венеции. С другой —

просыпаться до восхода солнца, повинуясь строгому распорядку ашрама, а впереди целый день, посвященный лишь медитации и молитвам... Великий суфийский поэт и философ Руми как-то поручил ученикам составить список из трех пунктов, отражающих их самые сильные стремления. Но, если какой-либо из пунктов противоречит другому, предупредил Руми, автор списка обречен на несчастливую жизнь. Лучше всего, когда в жизни есть одна цель, учил он. Ведь гармоничная жизнь среди крайностей имеет столько преимуществ. Ведь вполне возможно каким-то образом расширить границы существования и соединить на первый взгляд непримиримые противоположности, обретя мировоззрение, в котором нет взаимоисключающих факторов. На Бали я сказала правду — мне хотелось испытать обе крайности. Простые мирские удовольствия и приобщение к божественному — два пути к счастью в человеческой жизни. Мне хотелось обрести то, что греки называли *kalos kai agathos** — исключительное равновесие добродетели и красоты. За эти несколько трудных лет я успела соскучиться и по тому и по другому. Ведь удовольствие и преданность духовным идеалам возможны лишь в отсутствие стресса, а моя жизнь была похожа на бездонную сточную канаву, куда беспрерывно сливают эмоциональные отходы. Что до того, как уравновесить тягу к удовольствиям и веру в Бога... должен же быть способ этому научиться. После короткого пребывания на Бали мне почему-то подумалось, что я смогу узнать этот секрет у балинезийцев. Может, даже у старика-хилера?

*Существо с четырьмя ногами и букетом из листьев и цветов вместо головы, которое смотрит на мир через сердце...*

Так я перестала метаться между Италией, Индией и Индонезией, наконец решив, что хочу побывать во всех этих странах. По четыре месяца на каждую. Итого — год. Конечно, это желание было куда амбициознее, чем «хочу купить новый пенал». Но именно этого мне и хотелось. А еще я знала, что хочу написать книгу о путешествиях. Не то чтобы я стремилась исследовать эти страны вдоль и поперек, многие сделали это до меня. Мне скорее хотелось тщательно изучить аспекты своей личности на фоне каждой страны, в среде, которой эти качества традиционно присущи. Искусство жить в свое удовольствие — в Италии, духовные практики — в Индии и умение уравновесить две этих

---

* Прекрасный и добрый.

крайности — в Индонезии. Только потом, признавшись себе, чего мне на самом деле хочется, я заметила счастливое совпадение: все три страны начинаются с буквы «И». Это показалось благоприятным знаком в начале моего духовного пути*.

Теперь представьте, сколько поводов для издевательств появилось у моих остроумных друзей, когда они узнали об этой затее. Значит, мне захотелось побывать в трех местах, названия которых начинаются на «и»? Тогда почему бы не поехать в Иран, Израиль и Исландию? Или еще проще — пойти в ИКЕЮ в Итоне, штат Индиана? Подруга Сьюзан предложила основать благотворительную организацию «Разведенные без границ». Но все эти шутки были не к месту — ведь я по-прежнему не могла никуда уехать. Прошло немало времени с тех пор, как я ушла от мужа, но развод он мне так и не дал. Мне пришлось оказывать на него давление через суд, совершать ужасные поступки, которые и в кошмарах не снились, — слать повестки, предъявлять обвинения в моральной жестокости, как того требовал закон штата Нью-Йорк. Эти документы не оставляли никакой возможности решить дело деликатно. Я не могла объяснить судье: знаете, у нас с мужем очень запутанные отношения, я в жизни тоже делала ошибки, и мне очень жаль, но я просто хочу, чтобы мне позволили уйти.

(Здесь мне даже хочется прерваться и искренне понадеяться, что мои дорогие читатели никогда — никогда! — не узнают, что такое развод в штате Нью-Йорк.)

Весной две тысячи третьего года дело наконец сдвинулось с мертвой точки. Через полтора года после расставания муж согласился обсудить условия раздела имущества. Он требовал, чтобы я отдала ему все наши сбережения, дом и оплачивала аренду квартиры на Манхэттене, — собственно, все, что я давно предлагала. Но кроме этого он запросил, и совершенно немыслимо, проценты от продажи книг, написанных мною во время замужества, долю прибыли от экранизации будущих книг, долю моих сбережений в пенсионном фонде и так далее. Тут я просто была вынуждена возразить. Последовали многомесячные переговоры через юристов, в ходе которых мы пришли к некоему подобию согласия. Похоже, мой муж наконец согласился с измененными условиями сделки. Она сулила обойтись мне в круглую

---

* В английском языке названия всех трех стран начинаются с буквы «I» — «я».

сумму, однако судебные баталии отняли бы намного больше денег и времени (не говоря уж о душевной деградации). Если муж соглашался подписать договор, мне оставалось лишь расплатиться и навсегда уйти из его жизни. На тот момент меня это полностью устраивало. От наших отношений ничего не осталось, никакого намека на цивилизованное общение, и единственное, что мне было нужно, — покончить с этим раз и навсегда.

Но оставался вопрос: подпишет ли он? Проходили недели, а он оспаривал все новые и новые пункты. Если бы и это соглашение его не устроило, пришлось бы идти в суд. То есть все, что у меня осталось, до последнего цента, утекло бы на оплату судебных издержек. Но хуже всего, если бы мы начали судиться, что вся эта катавасия растянулась бы еще как минимум на год. Поэтому от решения мужа (а он по-прежнему оставался мне мужем) зависело то, как пройдет следующий год моей жизни. Отправлюсь ли я в одиночное путешествие по Италии, Индии и Индонезии? Или буду давать показания под присягой во время перекрестного допроса где-нибудь в подвальном помещении здания суда?

Каждый день я звонила адвокату по пятнадцать раз, надеясь узнать хоть какие-то новости. И каждый день она уверяла меня, что делает все возможное и что немедленно позвонит, как только документы будут подписаны. Состояние нервного ожидания, в котором я тогда пребывала, можно сравнить с чувствами ребенка, вызванного к директору, или больного, ожидающего результатов биопсии. Хотелось бы соврать, что я хранила безмятежность в духе дзен-буддизма, но это было не так. Бывало, в приступе ярости я избивала диван софтбольной битой. Но большую часть времени просто пребывала в тупом унынии.

Тем временем мы с Дэвидом в очередной раз расстались. И теперь, похоже, навсегда. А может, и нет — мы были совершенно неспособны отпустить друг друга. Меня часто переполняло желание пожертвовать всем ради любви к нему. Бывало и наоборот: хотелось, чтобы между нами пролегли континенты и океаны, — может, тогда мне удалось бы наконец обрести покой и счастье.

У меня появились морщины между бровей от постоянного беспокойства, плача и волнений.

И вот посреди всего этого хаоса мне пришлось отправиться в маленький пресс-тур — книга, которую я написала несколько лет назад, переиздавалась в бумажной обложке. За компанию со мной поехала подруга Айва. Мы с ней одного возраста, но Айва выросла в Бейруте — столице Ливана. Это значит, что, пока я гоняла мячик и ходила на прослушивания для любительского мюзикла в средней школе в Коннектикуте, Айва по пять дней в неделю сидела в бомбоубежище, дрожа от страха и пытаясь выжить. Мне не совсем понятно, каким образом из ребенка, в раннем детстве ставшего свидетелем такого насилия, смог вырасти столь уравновешенный человек, но таких спокойных людей, как Айва, я больше не встречала. Кроме того, у нее есть то, что я называю «телефонный номер Бога» — круглосуточный доступ к некоей высшей мудрости, открытый только для нее.

И вот мы с Айвой едем по Канзасу. Я, как обычно, покрытая нервной испариной от мыслей о разводе — *подпишет? не подпишет?* — говорю ей:

— Не выдержать мне еще одного года по судам. Что мне нужно, так это чудо. Вот бы написать петицию Богу, чтобы Он вмешался и положил делу конец.

— Ну так напиши.

Тут я стала объяснять Айве свое отношение к молитве. Что неудобно мне требовать от Бога чего-то конкретного — как будто моя вера недостаточно сильна. Ну не по нутру мне просить: Бог, будь добр, измени то-то и то-то, потому что очень уж сложно жить. Как знать, может, Он нарочно подстроил мне такие трудности, чтобы я их преодолела? Я больше люблю молиться о том, чтобы Он дал мне мужество справиться с любыми неприятностями, и неважно, как все обернется.

Айва вежливо меня выслушала и спросила:

— И кто вбил тебе в голову такую глупость?

— Почему это?

— Откуда ты взяла, что нельзя просить о чем-то конкретном? Ты сама — часть Вселенной, Лиз. Ты — ее составляющее и имеешь полное право участвовать в том, что происходит в мире, и высказывать свои чувства. Выскажи свое мнение. Изложи проблему. Гарантирую, тебя по крайней мере выслушают.

— Правда? — Вот это новость так новость.

— Правда! Вот послушай: если бы прямо сейчас тебя попросили написать прошение к Богу, что бы ты написала?

Я задумалась на минутку, потом достала блокнот и написала вот что.

*Дорогой Бог!*

*Прошу Тебя вмешаться и покончить с этим бракоразводным делом. Жить вместе у нас с мужем не получилось, и отдельно тоже не выходит. Этот развод отравляет нас и всех, кому не безразлична наша судьба.*

*Я, конечно, понимаю, что Ты занят войнами, трагедиями и намного более важными проблемами, чем бесконечный спор одной непутевой пары. Но мне кажется, благосостояние планеты зависит от благосостояния каждого человека. И до тех пор пока двое не разрешили свой спор, весь мир будет страдать. А если хоть одна из этих душ освободится от страданий, это будет на благо всему миру — как несколько здоровых клеток способствуют выздоровлению всего тела.*

*Поэтому нижайше прошу помочь нам разрешить этот конфликт, чтобы хотя бы у двоих людей появилась возможность стать свободными и счастливыми. Тогда в мире, где и без того полно бедствий, станет пусть чуть-чуть, но меньше враждебности и злобы.*

*Благодарю за внимание.*

*С уважением,*

*Элизабет М. Гилберт.*

Я зачитала петицию Айве, и та одобрительно кивнула.

— Дай подпишу, — сказала она.

Я протянула ей петицию и ручку, но Айва была за рулем и потому просто сказала:

— Давай представим, что я ее только что подписала. В душе.

— Спасибо, Айва. Ценю твою поддержку.

— Кто еще мог бы подписаться? — спросила она.

— Да вся моя семья. Мама, папа, сестра.

— О'кей, — заявила Айва. — Представь, что все они это сделали. Считай, их имена стоят на бумаге. Я, можно сказать, почувствовала, как они ее подписали. Они в списке. Так... кто еще? Называй имена.

И я стала перечислять имена тех, кто, по моему мнению, мог бы подписать петицию. Это были все мои близкие друзья, кое-кто из родственников и коллег. Когда я называла очередное имя, Айва убежденно произносила «Да, он только что подписал» или «Она только что подписала». Иногда добавляла и кого-то со своей стороны: «Мои родители подписали бы твою петицию. Их дети росли во время войны. Они ненавидят бесплодные конфликты. И были бы рады, если бы твой развод наконец кончился».

Я закрыла глаза и стала думать дальше.

— Билл и Хилари Клинтон подписали, — выпалила я.

— Не сомневаюсь, — сказала Айва. — Знаешь, Лиз, да кто угодно подписал бы твою петицию. Неужели не понимаешь? Назови любого человека — живого и мертвого — и все подписи будут твои.

— Святой Франциск Ассизский только что подписал!

— Точно! — Айва решительно хлопнула по рулю.

Тут меня было уже не остановить:

— Авраам Линкольн подписал! Ганди, Мандела и все остальные борцы за мир. Элеанор Рузвельт, мать Тереза, Боно, Джимми Картер, Мохаммед Али, Джеки Робинсон и далай-лама. Моя бабушка — она умерла в 1984 году — и другая бабушка, она еще жива. Мой препод по итальянскому, психоаналитик, литературный агент. Мартин Лютер Кинг-младший, Кэтрин Хэпберн... и Мартин Скорсезе (он совсем неожиданно всплыл, но и ему спасибо). И моя гуру, конечно... и Джоан Вудвард, и Жанна д'Арк, и миссис Карпентер, моя учительница в четвертом классе, и Джим Хэнсон...

Я сыпала именами. Это продолжалось почти час, пока мы ехали по Канзасу, и благодаря всем этим людям моя петиция за мир в душе растянулась на многие страницы. Айва все время поддакивала — тот подписал, та подписала, — а меня вдруг охватило приятное чувство защищенности, словно все эти добрые души окружили меня своей благосклонностью.

Наконец мой список подошел к концу, и вместе с ним ушла взбудораженность. Захотелось спать. Айва сказала:

— Поспи. Я еще поведу.

Я закрыла глаза. И тут мне в голову пришло последнее имя:

— Майкл Джей Фокс подписал, — пробормотала я и уснула. Не знаю, как долго я спала, может, всего минут десять, но очень крепко. Когда очнулась, Айва по-прежнему вела машину и тихонько напевала себе под нос. Я зевнула...

И тут зазвонил телефон.

Я посмотрела на *иль мио телефониньо*, который исступленно вибрировал в пепельнице арендованной машины, словно не в силах сдержать волнения. После сна я еще плохо ориентировалась в пространстве, была как под кайфом и не сразу сообразила, что нужно делать с телефоном.

— Ты что? — спросила Айва (она раньше меня все поняла). — Возьми трубку.

Я взяла телефон и прошептала:

— Да...

— Хорошие новости! — раздался голос моей адвокатессы из далекого Нью-Йорка. — Он только что подписал бумаги!

## 10

Несколько недель спустя я уже жила в Италии.

Я ушла с работы, выплатила бракоразводную компенсацию мужу и гонорар адвокату, покинула дом и квартиру, а все, что у меня осталось, отдала на хранение сестре и собрала два чемодана. Так началось мое путешествие длиною в год. И самое главное — оно было мне по карману, ведь произошло настоящее чудо: издательство заранее купило еще не написанную книгу о моих приключениях. Короче, все вышло именно так, как предсказывал старик-индонезиец. Я потеряла деньги, но они тут же вернулись ко мне — если не все, то достаточно, чтобы обеспечить год безбедной жизни.

И вот теперь я живу в Риме. Нашла тихую студию в старинном здании всего в нескольких узких улочках от Испанской лестницы, под кружевным тенистым балдахином роскошного сада Боргезе, прямо напротив пьяцца дель Пополо, где древние римляне устраивали гонки на колесницах. Конечно, здешним улицам далеко до простора и великолепия моего старого нью-йоркского квартала с видом на вход в тоннель Линкольна, но все же...

Все же я устроилась неплохо.

## 11

Первый ужин, отведанный мною в Риме, был так, ничего особенного. Домашняя паста — спагетти карбонара — с гарниром из тушеного шпината с чесноком. (В письме друзьям на родину вели-

43

кий романтик Шелли ужасался итальянским обычаям: «Молодые аристократки здесь едят — никогда не догадаешься, что — ЧЕСНОК!») Кроме того, я съела артишок — просто на пробу, ведь римляне до жути гордятся своими артишоками. И еще мне достался неожиданный бонус от официантки: она принесла один гарнир бесплатно. Это была порция жареных цветков цуккини, фаршированных мягким сыром (они были обжарены так быстро, что, наверное, сами не заметили, как их сорвали с ветки). После спагетти я заказала телятину. О, и еще выпила бутылку домашнего вина — в одиночку. И закусила теплым хлебом, сбрызнутым оливковым маслом и посыпанным солью. Плюс тирамису на десерт.

Возвращаясь домой после этого пира примерно в одиннадцать вечера, я услышала шум, доносящийся из окон дома на моей улице. Похоже, там было целое сборище дошколят, — может, у кого-то из детей день рождения? Смех, визг, беготня. Поднявшись по лестнице в квартиру, я легла на кровать и выключила свет. И стала привычно ждать, когда же меня охватит тревога или слезы польются — обычно именно это и случалось, стоило мне остаться одной в темноте. Но сегодня мне было хорошо. Я чувствовала себя нормально. Первые шаги к счастью были сделаны.

Уставшее тело спросило уставший мозг: «И это все, что тебе было нужно?»

Ответа не последовало. Я уже крепко уснула.

## 12

Кое в чем все западные мегаполисы похожи. Все те же африканцы торгуют поддельными сумками и очками, все те же выходцы из Гватемалы дудят старую песенку на бамбуковых флейтах («Соловьем быть лучше, чем улиткой»). Но кое-что увидишь только в Риме и больше нигде. Например, продавец бутербродов, который при встрече зовет меня красоткой. «Горячий или холодный панини, *белла*?» И обнимающиеся парочки на каждом углу — как будто у них конкурс «кто кого»: завязываются узлом на каждой скамейке, гладят друг друга по головам и причинным местам, целуются и милуются без конца.

А фонтаны... Плиний Старший писал: «Если задуматься о том, сколько воды поступает в публичное пользование в Риме — для бань, резервуаров, каналов, домов, садов и вилл, — и представить пройденное ею расстояние, обойденные плотины, проточенные насквозь горы, пересеченные долины, то нельзя не признать, что нет ничего более чудесного в мире».

Со времен Плиния прошли столетия, и сегодня у меня есть несколько претендентов на звание моего любимого римского фонтана. Один — на вилле Боргезе. В центре него резвится семейство из бронзы. Папа — фавн, мама — обычная женщина, а ребенок просто без ума от винограда. Родители стоят в странной позе — лицом друг к другу, ухватив друг друга за запястья и отклонившись назад. То ли они собираются начать ссору, то ли весело кружатся — трудно понять, но скульптура в самом деле как живая. Что бы там родители ни делали, их отпрыск восседает прямо между ними, на сплетенных руках и, не обращая внимание на ссору или веселье, жует свой виноград, болтая раздвоенными копытцами (малыш явно пошел в папу).

Сейчас самое начало сентября две тысячи третьего года. Погода теплая и праздная. Я в Риме четвертый день, и нога моя до сих пор не переступила порог ни одного музея или церкви, я даже в путеводитель ни разу не заглянула. Все это время я подолгу и бесцельно гуляла по улицам, пока наконец не набрела на маленькое кафе, где, по словам добродушного водителя автобуса, продается лучшее в Риме *gelato* — то есть мороженое. Кафе называется *Il Gelato di San Crispino* — в переводе что-то вроде «мороженое от святого Хрустино». Для начала я попробовала медовое с лесными орехами. В тот же день зашла еще и выбрала грейпфрутово-дынное. А вечером, после ужина, специально вернулась, не поленившись пройти всю дорогу пешком, в последний разочек, за порцией корично-имбирного.

Каждый день я стараюсь прочитывать по одной статье из газеты, сколько бы времени это ни отнимало. Каждое третье слово приходится смотреть в словаре. Сегодня новости просто сенсационные. Трудно представить более драматичный заголовок, чем *«Obesità! I Bambini Italiani Sono I Più Grassi d'Europa!»* Боже правый! Ожирение! Похоже, в статье речь о том, что итальянские новорожденные — самые толстые в Европе. Продолжив читать, я выяснила, что итальянские карапузы значительно упитаннее немецких и в несколько раз толще французских. (К счастью, статья умалчивала о том, где в этой шкале находятся американские дети.) У детей постарше лишний вес также достиг опасной отметки. (Производители макарон утверждают, что они тут ни при чем.) Тревожная статистика детского ожирения в Италии обнародована вчера некой *una task force internazionale** (в переводе не нуждается). На расшифровку статьи целиком ушел почти час. Все это время я ела пиццу и слушала, как какой-то итальянский карапуз играет на аккордеоне в доме напротив. Мне он не показался слишком толстым, но, может, это потому, что он был цыганенком? С последней строчкой я, возможно, что-то напутала, но кажется, правительство решило, что единственный способ справиться с кризисом ожирения в Италии — ввести налог для граждан с лишним весом... Может ли такое быть на самом деле? Если я и дальше буду продолжать так питаться, через несколько месяцев придут и за мной.

Очень важно читать газеты и для того, чтобы узнать, как поживает папа. В Риме о состоянии здоровья папы ежедневно сообщается в газетах, наряду с прогнозом погоды и расписанием телепрограмм. Сегодня папа устал. Хотя вчера был бодрее. И завтра, по прогнозам, он будет бодрее, чем сегодня.

Я чувствую, что попала в страну чудес для изучающих итальянский. Для человека, который всегда мечтал говорить на этом языке, ничего лучше, чем оказаться в Риме, и придумать нельзя. Как будто этот город создан специально для моих нужд. Здесь все говорят на этом волшебном языке — дети, таксисты, даже актеры в рекламных роликах. Все словно сговорились, чтобы обучить меня итальянскому. Пока я здесь, даже газеты издаются на итальянском, и никто не против! В книжных лавках книги только на итальянском! Вчера зашла в такой магазин и словно очутилась в зачарованном замке. Здесь все было на итальянском — даже «Гринч — похититель Рождества». Я ходила вдоль полок и трогала корешки, надеясь, что те, кто видит меня сейчас, думают, что я говорю по-итальянски. Как мне хотелось, чтобы этот язык открыл мне свои тайны! Как будто мне снова было четыре года, и читать я пока не умела, но умирала от желания скорее научиться. Помню, как мы с мамой сидели в приемной врача, и я держала журнал «Домашний очаг» прямо у лица, медленно пере-

---

* Международная комиссия по исследованиям.

ворачивая страницы и внимательно глядя на строчки — пусть взрослые в комнате думают, что я в самом деле читаю. Впервые с тех пор меня переполняло такое сильное желание *знать*. Я нашла книги американских поэтов с английским текстом на одной стороне страницы и итальянским — на другой, и купила томик Роберта Лоуэлла* и Луизы Глюк**.

На каждом шагу я попадала на спонтанные уроки разговорной речи. Взять хотя бы сегодня — сидела на скамейке в парке, и тут подошла маленькая старушка в черном платье, примостилась рядом и начала что-то мне выговаривать. Я качала головой, молча и озадаченно, потом извинилась и очень вежливо сказала по-итальянски: «Простите, я не говорю по-итальянски». У старушки был такой вид, будто она хотела хлопнуть меня деревянной ложкой: «Вы же понимаете!» (Забавно, но она была права. Именно это предложение я поняла.) Теперь старушка захотела узнать, откуда я родом. Из Нью-Йорка, ответила я, и в свою очередь спросила, откуда она. Глупый вопрос — из Рима, конечно! В ответ на это я захлопала в ладоши, как малый ребенок. Ах, Рим! Прекрасный Рим! Обожаю Рим! Какой красивый город! Старушка скептически выслушала мои примитивные излияния, а потом в лоб спросила, замужем ли я. Мой ответ был — разведена. Впервые я произнесла это вслух, и представьте, по-итальянски. Старушка, разумеется, спросила: «*Perché*?» Почему? На этот вопрос мне было трудно найти ответ — даже по-английски. Я замялась и наконец выдала: «*L'abbiamo rotto*» (Мы порвали).

Тут старушка кивнула, встала и зашагала к автобусной остановке через улицу. Села в автобус и даже ни разу не обернулась, чтобы взглянуть на меня. Рассердилась, что ли? Я отчего-то прождала ее на скамейке целых двадцать минут, вопреки здравому смыслу решив, что она вернется и продолжит наш разговор, — но этого так и не произошло. Ее звали Селеста, а итальянцы произносят это имя как Челеста — с отрывистым *ч*, как в слове *cello*.

В тот же день я забрела в библиотеку. Библиотеки — моя страсть. Римская библиотека оказалась старинной и красивой, в ней был даже садик, о существовании которого невозможно бы-

---

* Роберт Лоуэлл (1917—1977) считается одним из величайших американских поэтов XX века.

** Луиза Глюк (род. 1943) — американская поэтесса.

ло догадаться, если смотреть на здание с улицы. Садик был сделан в форме идеального квадрата, усаженного апельсиновыми деревьями, с фонтаном в центре. Я сразу поняла, что этот фонтан станет главным претендентом на звание моего любимого: он не походил ни на один, что мне доводилось видеть. Во-первых, он был не из мрамора, маленький, зеленый, мшистый, древний фонтан, и напоминал косматый куст папоротника, из которого вытекают струйки. (Вообще-то, он был в точности как тот букет из листьев, что рос вместо головы у человечка, нарисованного для меня стариком-индонезийцем.) Вода поднималась из центра цветущего куста и стекала по листьям с чудесным меланхоличным звуком, разносившимся по всему дворику.

Я села под апельсиновым деревом и раскрыла книжку стихов, купленную вчера. Стихи Луизы Глюк. Сперва прочла стихотворение по-итальянски, потом по-английски, но, увидев вот эти строчки, замерла:

> *Dal centro della mia vita venne una grande fontana...*
> *Из центра моей жизни забил большой фонтан...*

Я положила книгу на колени, дрожа и чувствуя, как все плохое отступает.

## 13

*Е*сли честно, не такая уж из меня и великая путешественница.

Я, как никто другой, это понимаю: ведь поездить мне пришлось немало, и я видала людей, у которых это действительно получается. Они словно рождены для путешествий. Мне встречались люди, столь физически непробиваемые, что даже выпить литр воды из калькуттской канавы им было нипочем. Люди, подхватывающие слова незнакомого языка с той же скоростью, с какой иные из нас подхватывают лишь заразные болезни. Таким известно, как справиться с недобрым пограничником и равнодушным бюрократом из визового отдела. У них правильный рост и правильный цвет лица, и где бы они ни оказались, их принимают за своих — в Турции легко сойдут за турок, в Мексике вдруг превращаются в мексиканцев, в Испании их не отличишь от басков, а в Северной Африке и с арабами спутать недолго.

Но у меня нет ни одного из этих качеств. Во-первых, я не умею сливаться с толпой. Высокая блондинка с розовой кожей, я выделяюсь на общем фоне, как фламинго. Где бы я ни оказалась, за исключением, пожалуй, Дюссельдорфа, я как бельмо на глазу. В Китае матери подходили ко мне на улице и показывали детям, словно я зверь, сбежавший из зоопарка. Эти дети, в жизни не видевшие таких чудных великанов с розовыми лицами и соломенными волосами, нередко при виде меня закатывали истерику. Вот это в Китае мне понравилось меньше всего.

Я не очень сильна (прежде всего из-за лени) в предварительном сборе информации о стране, обычно придерживаясь правила «на месте как-нибудь разберемся». Такой подход к путешествиям обычно заканчивается тем, что я оказываюсь посреди железнодорожной платформы, не имея понятия, что мне делать и куда идти, или селюсь в дорогущих отелях, потому что просто не в курсе, что на самом деле в этом городе есть куча мест подешевле. Я слабо ориентируюсь на месте, не сильна в географии и умудрилась за свою жизнь объехать шесть континентов — каждый раз с весьма туманным представлением о своем местонахождении. Вдобавок к дефективному внутреннему компасу природа наградила меня полным отсутствием такого нужного для путешественника качества, как умение хранить невозмутимость. Я так и не научилась делать незаметное выражение лица, которое может весьма пригодиться в разъездах по чужим небезопасным странам. Некоторые умеют выглядеть полностью расслабленными, будто у них все под контролем, и казаться частью происходящего, где бы они ни находились, — даже в гуще уличных беспорядков в Джакарте. Но это не про меня. Когда я волнуюсь или нервничаю, то выгляжу взволнованной или нервной. И если заблудилась (такое бывает нередко), то по мне сразу видно: заблудилась. Мое лицо ясно передает все мысли. Дэвид как-то сказал: «Знаешь, игроки в покер обычно учатся делать непроницаемое лицо, а у тебя все наоборот. Ты как игрок в... в... мини-гольф».

Отдельная история — катастрофическое влияние путешествий на мой пищеварительный тракт. Не хотелось бы открывать эту, извините за выражение, банку с червями; скажу лишь, что ни один вид желудочных катаклизмов не обошел меня стороной. Однажды ночью в Ливане меня так раздуло, что я всерьез начала думать, не сразила ли меня ближневосточная разновидность лихорадки эбола. В Венгрии меня мучил другой кишечный недуг — с тех пор слова «эпоха застоя» имеют для меня совсем иное значение. Мое тело в целом неустойчиво к внешним воздействиям: например, в первый же день путешествия по Африке у меня начался радикулит, а в джунглях Венесуэлы меня одну из всей группы покусали ядовитые пауки. И пожалуй, никто, кроме меня, не смог бы — вы только задумайтесь — обгореть в *Стокгольме*!

Но, несмотря ни на что, путешествия остаются моей великой и настоящей любовью. Всю жизнь, с самой первой поездки в Россию в шестнадцать лет на сэкономленные деньги (сидела с соседскими детишками), я знала, что готова пожертвовать всем ради путешествий, что не пожалею на них никаких денег. Я хранила верность и постоянство этой любви, в отличие от других моих увлечений. Я отношусь к путешествиям так же, как счастливая мать к ужасному, страдающему коликами, круглосуточно орущему младенцу — мне абсолютно все равно, какие меня ждут испытания. Потому что люблю. Потому что это — мое. Моя точная копия. Даже если нагадит прямо на меня — мне все равно.

Несмотря на всю мою невезучесть, я все же не совсем беспомощна в большом незнакомом мире. У меня есть собственная технология выживания. Я терпелива. Умею путешествовать налегке. Бесстрашно пробую все местные блюда. Но самый главный мой талант в том, что я могу подружиться с кем угодно. Хоть с выходцем с того света. Как-то завязала знакомство с военным преступником из Сербии, и он пригласил меня отдохнуть с его семьей в горах. Нет, я вовсе не горжусь дружбой с сербскими массовыми убийцами (мне пришлось подмазаться к нему ради статьи, ну и чтобы он меня не тронул). Но на примере ясно: общаться я умею. Если вокруг не окажется никого, с кем можно было бы поболтать, мне по силам разговорить и груду щебня. Потому я и не боюсь путешествовать в самые далекие уголки планеты, где меня никто не ждет. Перед отъездом в Италию знакомые спрашивали: «А в Риме у тебя есть друзья?» Я качала головой и думала: пока нет, но будут.

Обычно в путешествии знакомишься случайно — с соседом по купе, по столику в кафе, бывает, что и по тюремной камере.

Но целиком и полностью на случай полагаться нельзя. Если вы предпочитаете более систематичный подход, есть прекрасная и старая как мир система рекомендательных писем (в наше время, скорее, электронных писем), с помощью которых тебя официально знакомят со знакомыми твоих знакомых. Лучшего способа найти друзей и не придумаешь — особенно если не стесняешься звонить незнакомым людям и напрашиваться на ужин. Прежде чем уехать в Италию, я всех своих знакомых опросила, нет ли у них друзей в Риме? И стала счастливой обладательницей длинного списка контактов.

Среди всех претендентов на роль новых итальянских друзей меня особенно заинтриговал парень по имени... только, чур, не смеяться... Лука Спагетти. Лука Спагетти — сердечный приятель моего приятеля Патрика Макдевитта, с которым мы вместе учились в колледже. И, клянусь Богом, это его настоящее имя — я его не придумала. Как можно придумать такую несуразицу? Нет, вы только задумайтесь — человеку приходится всю жизнь жить с именем *Патрик Макдевитт!*

Короче говоря, я решила связаться с Лукой Спагетти как можно скорее.

## 14

*Н*о сперва нужно освоиться с учебой. Сегодня стартует мой курс в языковой академии Леонардо да Винчи. Мне предстоит изучать итальянский пять дней в неделю, четыре часа в день. И я просто в восторге. Я — настоящая ученица! Вчера вечером приготовила одежду, как в первый раз в первый класс: лаковые туфельки, новая коробочка для завтраков. Надеюсь, учительница меня полюбит.

В первый день в академии Леонардо да Винчи все проходят тест: нас должны распределить на нужный уровень по способностям. Узнав об этом, я стала надеяться, что меня не отправят на первый уровень, ведь это было бы так позорно, учитывая, что за спиной у меня целый семестр итальянского в нью-йоркской вечерней школе для разведенок, и все лето я заучивала карточки, да и живу в Риме уже целую неделю, тренируясь в языковой среде и даже обсуждая проблемы развода с итальянскими старушками. Вообще-то, я даже не в курсе, сколько здесь уровней, но стоит мне услышать слово *уровень*, как я решаю, что непременно должна попасть хотя бы на второй.

По крышам барабанит дождь. Я являюсь первой (как в школе — всегда была паинькой) и прохожу тест. Он такой трудный! Мне не под силу одолеть даже десятую часть. Я так хорошо знаю итальянский, выучила так много слов, но они не спрашивают ничего из того, что я знаю. Второй этап — устный экзамен: это еще хуже. Меня допрашивает худосочный итальяшка, который чересчур тараторит. Я могла бы отвечать гораздо лучше, но из-за нервов делаю ошибки даже в тех словах, которые учила (ну почему сказала *Vado a scuola* вместо *Sono andata a scuola*? Я же это знаю!).

Но все кончается хорошо. Учитель проверяет мой тест и называет уровень:

ВТОРОЙ!

Занятия начинаются после обеда. И я иду обедать (ем жареный эндивий), а потом возвращаюсь в академию и самодовольно дефилирую мимо студентов, попавших на начальный уровень (все они *molto stupido*, не иначе), на первый урок. Где все такие же умные, как я. Только вот вскоре становится ясно, что кое-кто вовсе не такой умный и мне здесь вообще нечего делать, так как второй уровень трудный невероятно. Я будто плыву, еле держась на поверхности, и с каждым вдохом наглатываюсь воды. Преподаватель, худосочный парень (почему все учителя такие тощие? Худые итальянцы кажутся мне подозрительными), слишком тараторит, пропускает целые главы в учебнике и все время повторяет: «Это вы уже знаете, это вы уже знаете...» Выстреливая фразы, как из пулемета, он ведет разговор с моими одногруппниками, которые, как оказывается, бегло владеют итальянским. Нутро сжимается от ужаса, я судорожно дышу и молю Бога, чтобы меня не вызвали. На перемене пулей выбегаю из класса, нетвердо держась на ногах, и чуть ли не в слезах плетусь к администратору. Там, четко выговаривая слова по-английски, прошу их перевести меня на первый уровень. Так они и делают. И вот теперь я здесь.

Наша учительница пухленькая и говорит медленно. Так-то лучше.

## 15

*И*нтересные у меня подобрались одногруппники: никому из них итальянский, в сущности, не нужен. В группе нас двенадцать человек разных возрастов, со всех концов света, но все приехали в Рим по одной причине — учить итальянский, потому что так нам захотелось. Никто не смог назвать хотя бы одну практическую причину нашего пребывания здесь. Мы тут не по приказанию начальника: «Ты должен выучить итальянский, чтобы мы могли успешно вести дела за рубежом!» У всех, даже у чопорного инженера из Германии, одинаковый мотив — а я-то думала, что одна такая: мы хотим выучить итальянский просто потому, что этот язык нам нравится. Русская девушка с грустным лицом говорит, что уроки итальянского для нее — способ побаловать себя, потому что ей кажется, что она «заслуживает в жизни чего-то прекрасного». Инженер из Германии заявляет: «Хочу учить итальянский, потому что люблю *dolce vita* — сладкую жизнь». (Только он произносит это с немецким акцентом, и получается «дойче вита» — немецкая жизнь. Боюсь, такой жизни он хватил уже с лишком.)

Как мне предстоит узнать в следующие несколько месяцев, есть вполне оправданные причины, почему итальянский является самым красивым и эротичным языком в мире — и почему так кажется не только мне. Чтобы понять их, нужно сперва представить, что когда-то в Европе говорили на многочисленных диалектах латыни, которые по прошествии веков превратились в разные языки — французский, португальский, испанский и итальянский. Во Франции, Португалии и Испании этот процесс носил характер органичной эволюции: диалект столицы постепенно становился общепринятым для всего региона. Поэтому сегодняшний французский — не что иное, как разновидность средневекового парижского диалекта; на нынешнем португальском некогда говорили в Лиссабоне; испанский же родом из Мадрида. Победа была за столицей — на языке крупнейшего города заговорила вся страна.

Но не Италия. Здесь было одно существенное отличие: Италия, по сути, и страной-то не была. Объединение Италии случилось очень поздно, в тысяча восемьсот шестьдесят первом году, а прежде это был полуостров воюющих между собой городов-государств, где правили гордые князья или правительства других европейских стран. Италия была частично собственностью Франции, частично — Испании, а частично — церкви; были и области, которые и вовсе принадлежали всем кому не лень — лишь бы силенок хватило оккупировать крепость или замок. Что до итальянцев, кому-то такая ситуация, безусловно, казалась унизительной, а кому-то было глубоко наплевать. Большинству, конечно, было не по душе присутствие европейских колонизаторов, но были и апатичные личности, заявлявшие: *Franza o Spagna, purche se magna* — что на диалекте означает: «Франция, Испания — какая разница, лишь бы желудок не пустовал».

Такая внутренняя разрозненность привела к тому, что Италия так никогда и не стала единым целым — и итальянский язык тоже. Неудивительно, что итальянцы веками писали и читали на местных диалектах, совершенно не понимая друг друга. Ученый из Флоренции едва ли смог бы вести беседу с сицилийским поэтом или венецианским купцом (только на латыни, а латынь национальным языком не считалась). В шестнадцатом веке группа итальянских ученых собралась и решила, что такая ситуация абсурдна. На итальянском полуострове должен быть итальянский язык, хотя бы письменный, одинаковый для всех. И вот эта группа интеллектуалов совершила беспрецедентный поступок в европейской истории: они просто выбрали самый красивый из местных диалектов и окрестили его новым итальянским языком.

А чтобы найти самый красивый диалект, когда-либо звучавший на территории Италии, ученым пришлось вернуться на двести лет назад, во Флоренцию образца четырнадцатого века. Собрание ученых умов решило, что итальянским следует сделать тот язык, на котором говорил великий флорентийский поэт Данте Алигьери. Автор «Божественной комедии», повествующей о путешествии через Ад, Чистилище и Рай, шокировал литературный мир, написав свое произведение не на латыни. Латынь виделась Данте гниющим языком элиты, а использование латыни в серьезной прозе, по его словам, «превратило литературу в продажную девку». Универсальное ремесло писателя становилось уделом богачей, обладающих привилегией аристократического образования. Данте же вышел на улицы, послушал живой флорентийский язык, бывший в ходу у городских жителей (среди них были столь блестящие его современники, как Боккаччо и Петрарка), и использовал этот язык в своей поэме.

Его шедевр был написан на просторечии, которое он окрестил «сладкоречивым новым стилем» (*dolce stil nuovo*), и непосредственно во время написания этот язык менялся — так же, как предстояло измениться английскому эпохи Елизаветы I под влиянием Шекспира. И группа ученых-националистов, которые намного позже взяли и постановили, что итальянский Данте станет официальным языком, в этом отношении очень напоминала собрание оксфордских шишек, в начале девятнадцатого века решивших, что отныне все в Англии будут говорить на языке Шекспира. И самое удивительное — их решение претворилось в жизнь.

Выходит, что современный итальянский — вовсе не диалект Рима или Венеции, хотя оба города были могущественными в военном и торговом отношении. Это даже не флорентийский диалект в чистом виде. Грубо говоря, это язык Данте. Ни одному европейскому языку не свойственна такая поэтичность. И ни один из них не может быть более идеальным средством выражения человеческих эмоций, чем флорентийский диалект четырнадцатого века, увековеченный одним из величайших поэтов западной цивилизации. «Божественная комедия» Данте написана терцинами — цепочкой рифм, повторяющихся трижды каждые пять строчек, из-за чего образное флорентийское просторечие сложилось в «каскадный ритм», как его называют ученые. Этот ритм до сих пор слышен в ступенчатых поэтичных каденциях, которыми в Италии изъясняются таксисты, мясники и чиновники даже сегодня. Последняя строка «Божественной комедии», в которой Данте предстает перед ликом самого Бога, отражает чувство, хорошо знакомое любому, кто имеет представление о так называемом современном итальянском языке. Данте пишет, что Бог — это не просто ослепительный образ яркого света, но прежде всего *l'amor che move il sole e l'altre stelle...*

*Любовь, которая движет солнце и прочие звезды.*

Ничего удивительного, что мне так хочется выучить именно этот язык.

## 16

Мои старые друзья Депрессия и Одиночество настигают меня примерно на десятый день жизни в Италии. Однажды вечером, после удачного дня в академии, я иду мимо виллы Боргезе. Закатное солнце золотит верхушки базилики Святого Петра. На фоне столь романтичной картины я чувствую себя вполне умиротворенно, хоть и гуляю совсем одна — в то время как все остальные в парке или обнимаются с возлюбленными, или играют со смеющимися малышами. Я останавливаюсь у балюстрады, чтобы проводить закат, и слишком глубоко погружаюсь в мысли. Они переходят в тягостные размышления, и тут-то и появляются мои старые друзья.

Они подходят молча, угрожающе, как тайные агенты, и обступают меня с двух сторон — Депрессия слева, Одиночество справа. Им даже не надо показывать значки. Я и так хорошо знаю этих ребят. Долгие годы играла с ними в кошки-мышки. Хотя, признаюсь, для меня — неожиданность встретить их в живописном саду в Италии, на закате. Им тут совсем не место.

Я спрашиваю:

— Как вы меня нашли? Кто вам сказал, что я в Риме?

Депрессия — она всегда любила сострить — отвечает:

— Неужели ты не рада нас видеть?

— Уходи, — говорю я ей.

Одиночество — в этой парочке оно играет роль участливого полицейского — отвечает:

— Простите за неудобство, мэм. Но, боюсь, мне придется сопровождать вас на всем протяжении путешествия. Это моя работа.

— Лучше не надо, — прошу я, но Одиночество лишь с сожалением поводит плечами и подступает ближе.

Меня обыскивают. Вытряхивают из карманов радость, которой они были набиты. Депрессия конфискует мою самооценку — она делает это каждый раз. Одиночество принимается за допрос, и это самое страшное — ведь он может продолжаться часами. Одиночество орудует вежливо, но безжалостно, и в конце концов неизменно подавляет меня. Оно спрашивает: есть ли у меня хоть одна причина чувствовать себя счастливой? Почему сегодня вечером я опять одна? Почему терплю неудачи в любви, почему угробила свой брак, наши отношения с Дэвидом и со всеми остальными, с кем когда-либо встречалась (мы уже тысячу раз проходили все эти вопросы). Где я была в ночь своего тридцатилетия и почему именно с того дня все пошло наперекосяк? Почему не могу взять себя в руки и жить в красивом доме, воспитывая красивых детишек, как любая уважающая себя женщина моего возраста? Почему я вдруг решила, что заслужила эти римские каникулы, хотя ровным счетом ничего не добилась в жизни? С какой это стати я думаю, что, сбежав в Италию, точно девчонка-несмышленыш, вдруг стану счастливой? Что ждет меня в старости, если я и дальше буду продолжать в том же духе?

По дороге домой я пытаюсь от них оторваться, но они следуют за мной по пятам, как пара наемных головорезов. Депрессия крепко держит за плечо, а Одиночество продолжает изнурительный допрос. Решаю не ужинать — не хочу, чтобы они на меня глазели. Впускать их на лестницу и уж тем более домой совсем не хочется, но у Депрессии при себе полицейская дубинка — раз решила войти, ее уже не остановить.

— Вы не должны были приезжать сюда, это несправедливо, — говорю я ей. — Я и так уже наказана. Отсидела срок в Нью-Йорке.

Но Депрессия всего лишь мрачно улыбается, садится в мое любимое кресло, кладет ноги на стол и закуривает сигару, наполняя всю комнату вонючим дымом. Глядя на нее, Одиночество вздыхает и ложится в мою постель, натягивая одеяло с головой — не раздеваясь, в ботинках. И я понимаю, что сегодня мне снова придется спать в его компании.

## 17

*Н*есколько дней назад я прекратила принимать таблетки. Антидепрессанты в Италии — сама мысль казалась нелепой. Откуда здесь взяться депрессии?

Я вообще никогда не хотела их принимать. Долго противилась этому по личным причинам, которых набрался целый список (мы, американцы, и так принимаем слишком много лекарств; долговременное воздействие антидепрессантов на человеческий мозг неизвестно; даже дети в Штатах сидят на таблетках — это преступление; мы лечим симптомы, а не причины заболевания национального масштаба). И все же в последние несколько лет моей жизни никто не сомневался, что у меня серьезные проблемы и они никуда сами по себе не денутся. Когда развалился мой брак и началась катавасия с Дэвидом, меня настигли все симптомы глубокой депрессии — бессонница, потеря аппетита и либидо, беспричинные слезы, хроническая боль в спине и желудке, отчуждение и отчаяние, неспособность сосредоточиться на работе. Даже победа республиканцев на президентских выборах оставила меня равнодушной, и всему этому не было ни конца ни края.

Заблудившись в дебрях, иногда не сразу осознаешь, что потерялась. Можно очень долго убеждать себя, что всего лишь отошла на пару шагов в сторону от тропинки и в любой момент найдешь дорогу назад. Но день за днем тебя накрывает темнота, а ты по-прежнему не имеешь понятия, где находишься, и тогда самое время признать, что забрела так далеко, что не знаешь даже, в какой стороне встает солнце.

Я взялась за свою болезнь так, будто то было самое важное сражение в моей жизни — да, собственно говоря, так оно и было. Я стала изучать свое депрессивное состояние, пытаясь распутать, с чего все началось. Где кроются корни моей депрессии? Может, она имеет психологические причины (и во всем виноваты родители)? Или это временно, как черная полоса в жизни? (И когда развод закончится, депрессии тоже конец.) А может, все дело в наследственности? (Меланхолия в паре со своим унылым другом Алкоголизмом вот уже несколько поколений живет в моей семье.) Или причина в культурных особенностях? (Карьеристка из Штатов эпохи постфеминизма пытается найти равновесие в урбанистической среде, где царят стрессы и человеческое разобщение.) А может, так звезды решили? (И я пребываю в унынии, как и подобает тонкокожему Раку, основные качества которого находятся под влиянием изменчивых Близнецов.) Или все дело в моей художественной натуре? (Творческие люди вечно мучаются депрессиями, потому что они гиперчувствительны и вообще не такие, как все.) Или во всем виновата эволюция? (Человечество тысячелетиями пыталось выжить в жестоком мире, оттого и подсознательная паника.) А может, карма всему причиной? (Жестокое уныние — всего лишь следствие плохого поведения в прошлых жизнях, последнее препятствие на пути к освобождению.) Была также вероятность, что причины гормональные. Или я неправильно питаюсь. Или у меня неверная жизненная философия. Или просто погода плохая. Или во всем виновато загрязнение окружающей среды. Или я нахожусь в вечном религиозном поиске. Или у меня химический дисбаланс в организме. Или, наконец, мне просто не хватает нормального здорового секса.

Какое множество факторов определяет жизнь одного-единственного человека! Как многослойно наше существование, и сколько всего на него влияет — разум, тело, история, семья, город, где мы живем, душевное состояние и даже пища. Я пришла к выводу, что мое состояние в той или иной степени вызвано всеми этими причинами, а также теми, о которых я даже не подозреваю или просто не могу описать. Поэтому и решила вести сражение по всем фронтам. Накупила книжек из серии «Помоги себе сам» с такими названиями, что стыдно произнести вслух (я прятала их за обложкой «Хастлера», чтобы незнакомые люди не догадались, что я на самом деле читаю). Обратилась к специалисту — проницательному и, что немаловажно, участливому врачу. Молилась, как только что обращенная монашенка. Бросила есть мясо (правда, ненадолго) после того, как кто-то сказал, что я «питаюсь страхом животного в момент его смерти». Даже послушалась совета своей массажистки, увлекающейся восточными практиками и немного не от мира сего: она сказала, что для восстановления баланса сексуальных чакр нужно носить оранжевые трусы, — и представьте, я носила. Тем количеством зверобоевого чая, которое я потребила за это время, можно было бы вылечить от депрессии всех заключенных ГУЛАГа — а мне хоть бы хны. Я занималась спортом. Делала только то, что поднимает настроение, тщательно оберегая себя от грустных фильмов, книжек и песен (стоило кому-либо лишь упомянуть слова «Леонард» и «Коэн» в одном предложении — я тут же выходила из комнаты).

Я очень старалась избавиться от привычки постоянно плакать. Как-то вечером, в очередной раз свернувшись калачиком на диване в углу, в очередной истерике после очередного раунда унылых размышлений, я спросила себя: «Взгляни на себя, Лиз, можешь ли ты изменить хоть что-то?» И сделала единственное, на что была способна: встала и, не прекращая плакать, стала балансировать на одной ноге посреди комнаты. Мне хотелось доказать себе, что я все еще хоть немного контролирую ситуацию: пусть мне не под силу остановить слезы и мрачный внутренний диалог, я, по крайней мере, могу биться в истерике, стоя на одной ноге. Хоть что-то для начала.

Я переходила улицу, чтобы идти по солнечной стороне. Находила утешение в кругу семьи и близких, общаясь с родными, которые меня воодушевляли, а из друзей — лишь с неисправимыми оптимистами. Женские журналы услужливо сообщали, что с такой низкой самооценкой, как у меня, с депрессией не справиться, — и я сделала красивую стрижку, купила дорогую косметику и красивое платье. Правда, когда подруга похвалила мой новый образ, я смогла лишь мрачно пробурчать: «Операция "Поверь в себя" — день первый».

Таблетки были последним средством, к которому я обратилась после двух лет борьбы с хронической депрессией. Я твердо убеждена, что его стоит использовать лишь тогда, когда больше ничего не помогает. В моем случае перелом настал, когда я всю ночь просидела в спальне, пытаясь отговорить себя от намерения проткнуть руку кухонным ножом. Тогда здравый смысл одержал верх, но с небольшим перевесом. В тот период мне в голову лезли всякие приятные мысли — например, прыжок с крыши или выстрел в висок легко избавят меня от страданий. Но лишь когда я всю ночь просидела с ножом в руке, что-то во мне переломилось.

Наутро, как только взошло солнце, я позвонила Сьюзан и стала просить о помощи. Не думаю, что хоть одна женщина за долгие века существования моей семьи когда-либо делала такое: на середине пути, в середине своей жизни садилась посреди дороги и заявляла: «Все, дальше не пойду — мне нужна помощь». Мои предки ни за что бы не остановились. Им никто бы не помог — это было невозможно. Они бы просто умерли с голоду вместе со своими семьями. Я думала об этом не переставая.

Никогда не забуду лицо Сьюзан, когда она ворвалась в комнату через час после моего звонка и увидела меня, развалину, скорчившуюся на диване. Это одно из самых тяжелых воспоминаний тех страшных лет — моя боль, которая как в зеркале отразилась на ее лице, выражавшем настоящий страх за мою жизнь. Я так и лежала, свернувшись калачиком, а Сьюзан обзвонила всех и наконец нашла психотерапевта, который согласился принять меня в тот же день и выписать антидепрессанты. Во время ее разговора с доктором я могла слышать только ее реплики, и она сказала: «Я очень боюсь, что моя подруга может навредить себе». Я тоже этого боялась.

Когда в тот день я пришла на прием, доктор спросил, почему я так долго не обращалась за помощью. Можно подумать, все это время я не пыталась помочь себе сама. Я объяснила, почему не хочу и не считаю нужным принимать антидепрессанты, положила на стол три своих опубликованных книги и сказала: «Я — писательница. Пожалуйста, не прописывайте ничего, что разрушит мой мозг!» Доктор ответил: «Будь у вас почечная недостаточность — вы недолго думали бы, прежде чем принять таблетку, так почему сейчас сомневаетесь?» Этот вопрос лишь показывает, как плохо он знал мою семейку. Ведь Гилберты вполне могут отказаться от таблеток и при почечной недостаточности; любая болезнь для нас — свидетельство личных, этических или моральных проблем.

Мне прописали коктейль из лекарств: занакс, золофт, веллбутрин, бусперин. Постепенно мы выяснили, какое именно сочетание таблеток не провоцирует тошноту и не заглушает либидо намертво. Очень быстро, меньше чем через неделю, я почувствовала, как в мои мысли проник первый солнечный лучик. Кроме того, я наконец смогла нормально поспать. Это было настоящим подарком, ведь без сна из трясины не выбраться — шансов ноль. Так ко мне вернулись часы благотворного сна, перестали трястись руки, а обруч, тисками сжимавший грудь, и панический страх в сердце попросту исчезли.

И хотя таблетки помогли сразу, меня по-прежнему тревожило, что я их принимаю. Меня не волновало, кто сказал, что антидепрессанты — лучший и совершенно безопасный выход; я все равно испытывала по этому поводу противоречивые чувства. Эти таблетки были мостиком, который должен был привести меня к выздоровлению — в этом я не сомневалась, — но все же мне хотелось как можно скорее прекратить их принимать. Я начала пить лекарства в январе две тысячи третьего года. И к маю уже существенно снизила дозировку. Эти месяцы были самыми тяжелыми — последние месяцы бракоразводного процесса и нелегкой жизни с Дэвидом. Смогла бы я выдержать все это без таблеток, ведь стоило выждать лишь чуть-чуть? Смогла бы выжить в одиночку, без посторонней помощи? Не знаю. Такова уж человеческая жизнь: в ней не может быть статистики, нельзя узнать, что бы вышло при замене одной из переменных.

Я понимаю, что таблетки облегчили мои мучения. И благодарна им за это. Но все же пилюли, влияющие на эмоциональное состояние, вызывают у меня очень двойственные чувства. Меня восхищает их сила, но тревожит их повсеместность. Мне кажется, следует выдавать эти лекарства по рецепту и использовать гораздо менее свободно, чем сейчас в Америке, обязательно в комплексе с сеансами психотерапии. Устранить симптом болезни, не обращаясь к ее истинным причинам, — классический пример легкомысленной западной философии: нам кажется, что кто угодно может выздороветь быстро и сразу. Может, антидепрессанты и спасли мне жизнь, но их эффект проявился лишь в сочетании с примерно двадцатью другими методами лечения, которые я использовала одновременно, чтобы спасти себя, — и надеюсь, мне больше никогда не придется принимать эти лекарства. Хотя врач и заявил, что следует применять их курсами в течение всей жизни, так как у меня есть «склонность к меланхолии». Очень надеюсь, что это не так, и намерена приложить все усилия, чтобы доказать его неправоту — или хотя бы бороться со своей склонностью всеми средствами. Говорит ли это о моей целеустремленности или об ослином упрямстве — трудно сказать.

Такая уж я.

## 18

Да уж, я такая. Приехала в Рим — и сразу начались проблемы. Громилы Депрессия и Одиночество снова вломились в мою жизнь, а последняя упаковка веллбутрина кончилась три дня назад. Есть, правда, еще таблетки в нижнем ящике комода, но я их трогать не хочу. Хочу освободиться от них навсегда. Но вместе с тем нужно прогнать Депрессию и Одиночество. Как разрешить эту дилемму — непонятно, поэтому я начинаю метаться в панике. Так происходит всегда, когда мне непонятно, что делать. И вот сегодня вечером я достаю свою самую заветную тетрадку, которую храню рядом с кроватью на экстренный случай. Я открываю ее, отыскиваю чистую страницу и пишу:

*Мне нужна твоя помощь.*

А потом жду. Через некоторое время приходит ответ, написанный моим почерком:

*Я здесь. Чем тебе помочь?*

Так начинается наш крайне странный и сверхсекретный разговор. Здесь, на страницах тетрадки, я говорю сама с собой. Мне отвечает тот голос, что я слышала в ту ночь, сидя на полу в ванной, когда впервые обратилась к Богу со слезами и услышала, как кто-то (или что-то) велело мне идти спать. В последующие годы этот голос возвращался ко мне во времена самого черного отчаяния, и я обнаружила, что до него легче всего достучаться в письменной форме. К моему удивлению, доступ к моему собеседнику был открыт почти всегда, даже в самые безрадостные минуты. Даже когда боль становилась невыносимой, спокойный, участливый, добросердечный и бесконечно мудрый голос (может, это был мой внутренний голос, а может, и нет) неизменно отвечал мне на бумаге в любое время дня и ночи.

Я решила не терзаться и не беспокоиться, что у меня не все в порядке с головой — раз я сама с собой переписываюсь. Ведь этот голос может быть гласом Божьим или голосом моей гуру, которая говорит через меня. Не исключено, что это ангел-хранитель, назначенный следить за мной, или высший разум моего существа, или подсознание, созданное мной в целях защиты от самоистязаний. Святая Тереза называла такие сверхъестественные внутренние голоса *локуциями* — слова необъяснимого происхождения спонтанно возникают в мозгу, переводятся на родной язык и становятся духовным утешением. Мне прекрасно известно, что Фрейд сказал бы о такого рода сверхъестественных помощниках: что они иррациональны и «не заслуживают доверия. Опыт учит нас, что жизнь — это не детский сад». Согласна, жизнь не детский сад. Но именно потому, что в мире столько трудностей, иногда просто необходимо искать помощь за его пределами, взывая к высшей силе, чтобы найти успокоение.

В начале своего духовного эксперимента я не очень-то верила в мудрость внутреннего голоса. Помню, как-то раз, в припадке горькой злобы и горя, я схватила тетрадку и нацарапала послание внутреннему голосу, источнику высшего душевного покоя. Оно заняло всю страницу заглавными буквами:

*Я В ТЕБЯ НЕ ВЕРЮ!!!!!!!!!!*

Через секунду — не успела я отдышаться — во мне словно вспыхнул огонек, и я сама написала ответ, спокойно и словно забавляясь над собой:

*Тогда с кем ты сейчас разговариваешь?*

С тех пор я перестала сомневаться, существует ли мой собеседник на самом деле. И вот сегодня пришло время опять просить его о помощи. Со дня приезда в Италию я ни разу не вступала с ним в контакт. И вот сегодня пишу в дневнике, что чувствую неуверенность и страх. Объясняю, что Депрессия и Одиночество снова настигли меня и, боюсь, останутся со мной навсегда. Не хочу принимать таблетки, но, похоже, придется. Но больше всего меня пугает, что я так никогда и не смогу привести в порядок свою жизнь.

И вот где-то внутри зарождается уже знакомое мне спокойствие духа, предлагая ответы, которые мне всегда хотелось получить от друга в беде. Вот что я пишу:

*Я здесь. Я люблю тебя. Мне все равно, даже если ты проплачешь всю ночь, — я буду рядом. Если тебе придется снова начать принимать лекарства, не бойся, я не перестану тебя любить. И если ты сможешь этого избежать, я тоже буду тебя любить. Что бы ты ни делала, мое отношение к тебе не изменится. Я буду оберегать тебя до самой смерти, и даже после смерти ты не потеряешь мою защиту. Я сильней Депрессии, отважней Одиночества, и ничто не способно отнять у меня силы.*

Это странное внутреннее проявление участия — словно я протягиваю руку самой себе, когда рядом больше нет никого, кто бы мог меня утешить, — напомнил мне один случай, приключившийся в Нью-Йорке. Я тогда очень спешила, зашла в офисное здание и побежала к лифту, но на бегу вдруг увидела свое отражение в зеркале будки охранника. И мой мозг очень странно отреагировал — на долю секунды в нем вдруг промелькнула мысль: «Эй! Ты ее знаешь! Это же твоя подруга!» И я с улыбкой побежала навстречу своему отражению, готовясь поздороваться с той девчонкой, чье имя запамятовала, но чье лицо было таким знакомым. Разумеется, через мгновение я осознала свою ошибку и смущенно рассмеялась: надо же, прямо как собака, которая не понимает, что такое зеркало! Но отчего-то тот случай вспомнился мне именно сегодня, в Риме, в минуту уныния. И вот внизу страницы я пишу обнадеживающие строки:

*Не забывай о том, что однажды ты случайно приняла себя за свою подругу.*

Я засыпаю, прижав тетрадку к груди и впуская в себя новую надежду. Проснувшись утром, чувствую слабый запах дыма, оставленный Депрессией, но самой ее нигде не видно. В какую-то минуту посреди ночи она встала и ушла. Прихватив с собой своего напарника Одиночество.

## 19

**В**от что странно. Со дня приезда в Рим я никак не могу заставить себя заняться йогой. Долгие годы я занималась серьезно и регулярно и из лучших побуждений даже взяла с собой резиновый коврик. Но в Риме йога как-то не идет. Посудите сами — когда здесь делать асаны? До того, как позавтракаешь гремучей смесью из булочек с шоколадом и двойного капучино, или после? Первые несколько дней я прилежно расстилала коврик каждое утро, смотрела на него, и мне становилось смешно. Как-то раз даже обратилась к себе вслух от лица этого самого коврика: «Привет, мисс *пенне аи кваттро формаджи*˙. Что у нас сегодня на завтрак?» После чего в смятении запихнула этот кусок резины на дно чемодана (где он с успехом пролежал до самой Индии), пошла на улицу и съела порцию фисташкового *gelato*. Итальянцы считают, что нет ничего предосудительного в том, чтобы есть мороженое в полдесятого утра, и, если честно, я их полностью поддерживаю.

---

˙ Макароны с соусом «четыре сыра».

Йога никак не вписывается в римский образ жизни, — по крайней мере, мне никак не удается объединить это. Я даже решила, что у Рима и йоги нет вообще ничего общего. Ну разве что тот факт, что римляне носили тоги, а слово «тога» рифмуется с «йога».

## 20

Мне срочно нужно было с кем-то познакомиться. Я взялась за дело и к октябрю нашла кучу друзей. Теперь я знаю двух Элизабет, которые, как и я, тоже живут в Риме. Обе из Штатов и обе писательницы. Первая пишет романы, а вторая пишет о еде. У второй Элизабет квартира в Риме, домик в Умбрии, муж-итальянец и работа, подразумевающая путешествия по Италии с дегустацией местной кухни и описание своих впечатлений в журнале «Гурман». Сдается мне, в прошлой жизни эта Элизабет только и делала, что спасала утопающих сироток. Неудивительно, что она в курсе всех лучших римских ресторанов и кафе — это она отвела меня в *gelateria**, где готовят замороженный рисовый пудинг (если в раю им не кормят, не хочу попадать в рай). На днях Элизабет пригласила меня на обед. Помимо барашка с трюфелями и карпаччо в муссе из лесных орехов нам подали по крошечной порции экзотических маринованных *lampascione*, которые, как известно, являются не чем иным, как луковицами дикорастущего гиацинта.

Нельзя забывать и о моих друзьях Джованни и Дарио, красавчиках-близнецах, с которыми мы тренируем разговорную речь. Джованни такой милый, что его впору объявить итальянским национальным достоянием. Он очаровал меня в первый же вечер нашей встречи. Я расстроилась из-за того, что не могу вспомнить нужные слова по-итальянски, а он положил мне руку на плечо и сказал: «Лиз, надо быть терпеливой к себе, когда учишься чему-то новому». Иногда мне кажется, что Джованни старше меня, — у него такое серьезное выражение лица, он окончил философский факультет и разбирается в политике. Мне нравится его смешить, правда, не все мои шутки до него до-

---

* Кафе-мороженое.

ходят. Шутки на чужом языке сложны для понимания, особенно если вы такой серьезный молодой человек, как Джованни. Недавно он признался: «Когда ты шутишь, я не поспеваю за смыслом. Я вечно на шаг позади, как будто ты — молния, а я — гром».

О да! Ты — магнит, а я — сталь! Ты — грубая кожа, я — нежное кружево...

Правда, Джованни так меня и не поцеловал.

Второго близнеца, Дарио, я вижу редко, хотя он проводит много времени с Софи. Софи — моя лучшая подруга из академии, и я не удивляюсь, что Дарио хочется все время быть с ней, — любому на его месте хотелось бы того же. Софи из Швеции, ей еще нет тридцати, и она такая хорошенькая, что впору насадить ее на крючок и использовать как приманку для парней всех национальностей и возрастов. Софи взяла четырехмесячный отпуск, к ужасу родных и изумлению коллег оставив хорошую работу в шведском банке, — и все лишь потому, что мечтала отправиться в Рим и выучить чудесный итальянский язык. Каждый день после занятий мы с Софи садимся на берегу Тибра с мороженым и делаем уроки. Хотя на самом деле то, чем мы занимаемся, трудно назвать уроками. Скорее, мы совершаем ритуал совместного поклонения итальянской речи — почти священнодействие — и делимся новыми познаниями. Скажем, на днях мы узнали, что *un'amica stretta* означает «близкий друг». Но дословно *stretta* значит «обтягивающий» — как обтягивающая одежда. Выходит, в итальянском близкий друг — это тот человек, который совсем рядом, как одежда, плотно прилегающая к коже. Именно таким другом стала мне малышка Софи.

Сначала мне нравилось думать, что мы с Софи как сестры. Но однажды мы ехали на такси, и водитель спросил: это ваша дочка? Ну знаете ли — ведь она всего на семь лет моложе! Мой мозг тут же перешел в режим перегрузки, пытаясь перевернуть смысл его слов. (К примеру, я подумала: может, римский таксист не очень хорошо говорит по-итальянски и на самом деле хотел спросить, не сестры ли мы?) Но, конечно, это было не так. Он сказал «дочка», имея в виду именно дочку. Ну что тут скажешь? За последние годы в моей жизни было всякое. Наверное, после развода я и впрямь выгляжу изможденной старухой. Но как поется в старой техасской кантри-песенке, «весь наколками покрыт, по судам затаскан и избит, но пока еще живой, вот стою перед тобой».

Благодаря своей подруге Анне, художнице из Америки, которая жила в Риме несколько лет назад, я подружилась с семейной парой — Марией, американкой, и Джулио, родом из Южной Италии. Он кинорежиссер, она работает в международной сельскохозяйственной компании. Джулио не слишком хорошо говорит по-английски, зато Мария тараторит по-итальянски будь здоров (а еще по-китайски и по-французски, и при этом ни капли ни задается). Джулио хочет выучить английский — он даже спросил, нельзя ли нам с ним организовать еще один тандем и практиковаться в разговорной речи. Возможно, вы недоумеваете: почему его жена-американка не может научить его родному языку? Потому что они муж и жена, и, когда один пытается учить другого, дело заканчивается ссорой. Поэтому мы с Джулио теперь обедаем вместе два раза в неделю и одновременно занимаемся, он — английским, я — итальянским: отличная договоренность для двух людей, не связанных семейными узами и потому неспособных вызвать друг у друга раздражение.

У Джулио и Марии прекрасная квартира. На мой взгляд, самым впечатляющим элементом дизайна в ней является стена, которую Мария как-то исписала гневными проклятиями в адрес Джулио (при помощи толстого черного маркера). Они поссорились, а, поскольку «он кричит громче меня», ей захотелось донести смысл своих возражений другим способом.

Мария невероятно сексуальна, и необузданные граффити на стене это лишь подтверждают. Хотя Джулио говорит, что исписанная стена, напротив, говорит о ее сдержанности, ведь ругательства на ней по-итальянски, а итальянский для Марии — чужой язык, и она должна подумать, прежде чем подобрать правильные слова. Если бы Мария действительно пришла в ярость, говорит Джулио, то исписала бы стену по-английски, но, будучи насквозь правильной англо-протестанткой, она никогда по-настоящему не выходит из себя. Все американцы такие, говорит он: они подавляют свои чувства. Поэтому представляют серьезную, порой смертельную опасность — стоит им «перекипеть через край».

— Дикие люди, — подытоживает Джулио.

Больше всего мне нравится, что этот разговор происходит в приятной и спокойной обстановке, за ужином, с видом на ту самую стену.

— Еще вина, дорогой? — предлагает Мария.

Но моим самым лучшим новым другом, бесспорно, стал Лука Спагетти. Кстати, даже в Италии над фамилией «Спагетти» все смеются. Благодаря Луке я наконец смогла сравнять счеты со своим приятелем Брайном, который вырос по соседству с индейским мальчиком по имени Деннис Ха-Ха и всегда хвастался, что ни у кого больше нет друзей с таким смешным именем. Наконец-то и мне есть чем похвалиться!

Помимо всего прочего, Лука превосходно говорит по-английски и любит вкусно поесть (в Италии таких называют *una buona forchetta* — «хорошая вилка»), а для вечно голодающих вроде меня такой друг — настоящая находка. Часто он звонит мне посреди дня и говорит: «Я тут мимо проходил — давай выпьем кофейку! Или хотя бы съедим тарелочку супа из бычьих хвостов». Мы вечно околачиваемся в грязных тесных забегаловках на римских задворках. Больше всего нам нравятся рестораны с флюоресцентными лампочками и без вывесок. С красными клетчатыми клеенками вместо скатертей. В таких подают домашнюю лимончеллу и громадные порции пасты, а здешних официантов Лука зовет «кандидатами в Юлии Цезари»: эти парни ходят с нахальным самодовольным видом, у них волосатые руки и ревностно уложенный чуб. Я как-то сказала, что они, похоже, в первую очередь считают себя римлянами, во вторую — итальянцами, и уж в третью — европейцами. На что Лука ответил: «Нет, они римляне и в первую, и во вторую, и в третью очередь. Причем каждый — римский император».

Лука — аудитор. Быть аудитором в Италии, по его собственному определению, искусство, так как здесь несколько сотен налоговых законов, и все они противоречат друг другу. Подача налоговой декларации в Италии сравнима с джазовой импровизацией. Когда я думаю о том, кем работает Лука, становится смешно: парень — оторви и брось, а занимается таким серьезным делом. Лука тоже смеется над моей второй ипостасью — йоговской, которой он никогда не видел. Он не может понять, зачем мне ехать в Индию, тем более в какой-то ашрам, если я могла бы весь год прожить в Италии, где, по его мнению, мне самое место. Когда Лука видит, как я куском хлеба собираю соус с тарелки и облизываю пальцы, он говорит: «Ну что ты будешь кушать в своей Индии?» Иногда он зовет меня Ганди — в шутку, обычно когда я откупориваю вторую бутылку вина.

Лука немало поездил по свету, хотя утверждает, что жить можно только в Риме — рядом с мамой. Таковы итальянские мужчины — что с них взять? Но в Риме Луку держит не только *mamma*. Хоть ему уже за тридцать, он встречается с той же девушкой, что и в школе (милашка Джулиана, которую Лука как нельзя точно характеризует ласковым оборотом *acqua y sapone* — «вода и мыло», то есть очаровательная невинность). Все его друзья остались с детства, все до сих пор живут в том же районе. По воскресеньям собираются и смотрят футбольные матчи — на стадионе или в баре (но только если играют римские команды), а потом каждый возвращается в тот дом, где вырос, чтобы съесть большой воскресный обед, приготовленный матушками и бабушками.

Будь я на месте Луки Спагетти, тоже бы никуда из Рима не уехала.

Лука был в Штатах несколько раз, и ему там понравилось. По его словам, в Нью-Йорке здорово, только ньюйоркцы слишком много работают, хотя, похоже, им это по душе. Вот римляне тоже работают много, но это им совсем не по вкусу. Что Луке не понравилось, так это американская кухня, которую он описывает двумя словами: «самолетная еда».

Это с Лукой я впервые попробовала кишки новорожденного барашка. Римская кулинарная классика. В гастрономическом отношении Рим — местечко не для слабонервных; среди традиционных блюд такие деликатесы, как внутренности и язык, — те части животных, которые богачи с севера Италии обычно выкидывают. Бараньи кишки, что мы ели, на вкус были ничего, главное — не думать о том, из чего это блюдо. Их подали в жирном сочном сливочном соусе, который сам по себе был просто объедение, но вот эти кишки... одним словом, кишки и есть. Похоже на печенку, только нечто более кашеобразное. Все шло нормально, пока я не задумалась, как описать блюдо в книге, и мне на ум не пришло сравнение с тарелкой ленточных червей. Я резко отодвинула блюдо и заказала салат.

— Не понравилось? — спросил Лука, уплетающий деликатес за обе щеки.

— Спорим, Ганди в жизни не пробовал бараньи кишки? — спросила я.

— Может, и пробовал.

— Не может быть, Лука. Ганди был вегетарианцем.

— Чем не вегетарианская еда? — возразил Лука. — Кишки — не мясо, Лиз. Это просто дерьмо!

## 21

*И*ногда я думаю — зачем я здесь?

Я приехала в Италию, чтобы научиться жить в свое удовольствие, но в первые недели чувствовала больше панику — как это делается? В моих генах нет и намека на гедонизм. В роду одни лишь работяги. По маминой линии — шведские эмигранты, которые на всех фотографиях выглядят так, будто доведись им увидеть что приятное — не поколебались бы раздавить это своими грубыми башмаками. (Дядя называет этих родственничков «стадом».) По папиной — пуритане из Англии, как известно, большие любители повеселиться. Если проследить папино генеалогическое древо до семнадцатого века, там найдутся родственнички с именами типа Дилидженс и Микнесс*.

У родителей была маленькая ферма, и мы с сестрой с самого детства были при деле. Нас учили быть надежными и ответственными, лучшими ученицами в классе, самыми организованными и работящими среди девочек, сидевших с чужими детьми, — словом, миниатюрными копиями отца, труди-фермера, и мамы, медсестры, человеческим аналогом швейцарского армейского ножа, мастерицами на все руки с самого рождения. Нет, в нашем доме тоже знали, что такое радость и смех, но все стены были увешаны списками дел, и никогда в жизни я не видела, чтобы кто-то сидел без занятия, да и сама постоянно была занята.

Рассуждая в более широком смысле, американцы вообще не умеют расслабляться просто ради удовольствия. Да, мы жаждем развлечений, но не удовольствия в чистом виде. Тратим миллиарды долларов, чтобы придумать себе занятие, — будь то порнография, парки аттракционов или война, но все это не имеет ничего общего с тем, чтобы просто спокойно наслаждаться

---

* Усердие и смирение *(англ.)*.

жизнью. Американцы работают усерднее, больше и напряженнее любой другой нации на планете. Но, как заметил Лука Спагетти, им это, похоже, по вкусу. Его наблюдение подтверждает тревожная статистика, согласно которой многие американцы именно на работе, а не дома чувствуют себя счастливее и живут более полноценной жизнью. Разумеется, после неизбежно тяжелой трудовой недели мы «перегораем» и потому вынуждены проводить все выходные в пижаме, поедая хлопья прямо из коробки и пялясь в телик в легком коматозе (состояние, противоположное работе, но никак не синонимичное приятному отдыху). Американцы не умеют бездельничать. Оттого и известный и печальный стереотип — замученный стрессами американский начальник, который даже в отпуске не может расслабиться.

Я как-то спросила Луку, не возникают ли такие проблемы и у итальянцев в отпуске. В ответ он так смеялся, что чуть не въехал на мотороллере в фонтан.

— Ну уж нет! — воскликнул он. — Мы — настоящие спецы во всем, что касается *bel far niente*.

Замечательное выражение *bel far niente* означает «радость ничегонеделания». Заметьте, итальянцы всегда вкалывали по полной — особенно это касается многострадальных трудяг *braccianti* (названных так потому, что лишь грубая сила рук — *braccie* — помогала им выжить в этом мире). Но, несмотря на тяжелые трудовые будни, их идеалом всегда оставалось благословенная *bel far niente*. Радость ничегонеделания была целью всей работы, финальным достижением, за которое ждет самая высокая награда. Считается, что чем более изощренно и самозабвенно человек предается безделью, тем большего он добился в жизни. И для этого не надо быть богатым. У итальянцев есть еще одно чудное выражение: *l'arte d'arrangiarsi* — умение из ничего сделать конфетку. Это искусство приготовить пир из нехитрой снеди, созвать пару друзей и устроить грандиозный праздник. На это способен не только богач, но любой, у кого есть талант быть счастливым.

Что касается меня, основным препятствием на пути к удовольствию было чувство пуританской вины, впитанное с молоком матери. Заслужила ли я такой радости? Это чисто американское свойство — все время сомневаться, заслужили ли мы счастья. Вся американская реклама построена на необходимости убедить сомневающегося потребителя, что он действительно достоен особой награды. Это пиво — ваша награда! Вы имеете право на отдых! Ведь вы этого достойны! Делу время — потехе час! И сомневающийся потребитель думает: да, спасибо! Сейчас же пойду и куплю шесть банок пива, была не была! Нет, не шесть, а двенадцать! И напивается. А потом его мучает совесть. В Италии такие рекламные слоганы не пройдут, так как здесь люди и без того знают, что у них есть право на удовольствие. Попробуйте сказать итальянцу: «У тебя есть право на отдых!» — и он ответит: «А то. Именно поэтому я наметил сделать перерыв в двенадцать, пойти к тебе домой и переспать с твоей женой».

Вот почему, узнав, что я приехала в Италию, чтобы четыре месяца жить в свое удовольствие, ни один из моих друзей-итальянцев и не подумал ставить мне это в укор. Напротив, они наперебой принялись меня хвалить: *Complimenti! Vai avanti!* Ради Бога! Расслабляйся! Чувствуй себя как дома. Никто ни разу не произнес: «Какая безответственность!» или «Какое эгоистичное расточительство!». Но, несмотря на то что местные полностью одобряют мое намерение наслаждаться жизнью, я почему-то не могу расслабиться. Первые недели у меня чесались руки, не зная, чем себя занять. Получение удовольствия было для меня чем-то вроде домашнего задания, крупного научного проекта. В голову лезли вопросы типа: как максимизировать уровень удовольствия наиболее эффективно? Не провести ли мне весь свой отпуск в библиотеке, штудируя книги по истории удовольствия? А может, расспросить знакомых итальянцев, которые видели в жизни много приятного, о том, на что похоже удовольствие, а потом написать об этом отчет? (С двойными пропусками между строк и двухсантиметровыми полями. Сдать не позже понедельника.)

Все изменилось, как только до меня дошло, что единственная проблема — понять, что доставляет удовольствие *мне*, и свободно двигаться в этом направлении, тем более что в этой стране мне никто не помешает. Тогда все вдруг стало... приятным. От меня требовалось лишь каждый день задавать себе вопрос: «Лиз, чем бы ты хотела заняться сегодня? Что может порадовать тебя прямо сейчас?» Никогда прежде я не спрашивала себя об этом. Но теперь, когда не нужно было ни под кого подстраиваться, когда у меня не было никаких обязательств, я наконец смогла дать совершенно ясный и честный ответ на этот вопрос.

Осознав свое полное право наслаждаться жизнью, я с интересом узнала, что есть то, чего мне делать совсем не хочется. В Италии так много всего приятного, что мне просто не хватило бы времени попробовать все. Тут нужно определиться, какое именно удовольствие самое-самое приятное, — иначе можно сойти с ума. Задумавшись об этом, я решила, что вполне обойдусь без бутиков, оперы, кино, шикарных авто и альпийских горнолыжных курортов. Меня также не слишком интересовало искусство. Немного стыдно признаваться, но за четыре месяца в Италии я не была в музее ни разу. (Даже хуже. Один раз я все-таки ходила в музей, но это был Национальный музей пасты в Риме.) Я поняла, что единственное, чего мне на самом деле хочется, — набивать желудок вкусной едой и как можно больше говорить на чудесном итальянском. И все. Эти два удовольствия и стали моим приоритетом — итальянский и еда (в первую очередь мороженое).

Невозможно описать то наслаждение, которое мне принесли две эти простые вещи. Помню несколько часов в середине октября — постороннему наблюдателю они показались бы совершенно обычными, но для меня навсегда останутся счастливейшими в жизни. Рядом с домом, всего через несколько улиц, я нашла рыночек, который раньше почему-то не замечала. Там была крошечная овощная лавочка — местная женщина с сыном продавала свой товар. Темные, почти цвета водорослей листья шпината; томаты, красные, словно налитые кровью, похожие на коровьи внутренности; виноград, золотистый, как шампанское, туго затянутый в шкурку, словно гимнастка в трико.

Я взяла пучок тонких ярко-зеленых стебельков спаржи. И даже смогла уверенно спросить женщину по-итальянски, нельзя ли взять половину. Мне одной столько не съесть, объяснила я. Зеленщица тут же выхватила у меня пучок и разделила надвое. Я спросила, всегда ли они стоят здесь, и она ответила: каждый день в том же месте с семи утра. А ее сын, настоящий красавчик, хитро взглянул на меня и добавил: «К семи — это если она не проспит...» Мы дружно рассмеялись. Весь разговор шел на итальянском — а ведь всего пару месяцев назад я ни слова по-итальянски не знала!

Я пошла домой и сварила на обед два свежих коричневых яйца всмятку. Очистила их и положила на тарелку рядом с семью стеблями спаржи (такими тоненькими и хрустящими, что их даже не пришлось готовить). Добавила оливки, четыре ломтика козьего сыра, купленного вчера в *formaggeria* по соседству, и два кусочка розового маслянистого лосося. А на десерт — великолепный персик, его женщина с рынка дала бесплатно: он все еще хранил тепло римского солнца. Очень долго я не могла заставить себя прикоснуться к еде — так красиво смотрелся мой обед — наглядный пример умения сделать все из ничего. Наконец, налюбовавшись едой, я села на чистый деревянный пол — в то место, куда попадало солнце, — и руками съела все до кусочка, как обычно, читая статью в итальянской газете. Каждая молекула моего существа была наполнена счастьем.

Но вскоре, как часто бывало в первые месяцы моего путешествия, когда меня переполняло ощущение счастья, послышался тревожный звоночек. Чувство вины. Оно говорило презрительным тоном бывшего мужа: «Так вот ради чего ты все бросила? Вот ради чего погубила нашу совместную жизнь? Ради пучка спаржи и итальянской газеты?»

И я ответила вслух.

— Во-первых, — громко сказала я, — извини, конечно, но это больше тебя не касается. И, во-вторых, ответ на твой вопрос: да.

## 22

Говоря о жизни в удовольствие в Италии, нельзя не затронуть еще одну тему, а именно секс. Как же без него?

Могу ответить просто: пока я здесь, я не хочу никакого секса.

Могу и посложнее, и более искренне: конечно, иногда мне очень хочется, но я решила пока не играть в эти игры. Не хочу ни к кому привязываться. Да, мне не хватает поцелуев — ведь я обожаю целоваться. (На днях так долго жаловалась по этому поводу Софи, что та не выдержала и раздраженно выпалила: «Ради Бога, Лиз, если тебе совсем поплохеет, давай я тебя поцелую!») Но пока я ничего предпринимать не собираюсь. Когда мне становится одиноко, я говорю себе: ну и пусть, Лиз, побудь немного в одиночестве. Научись быть одна. Прочувствуй, каково это. Хоть раз в жизни задержись в таком состоянии. Радуйся новому опыту. Но никогда, никогда больше не используй другого человека физически и эмоционально, наваливая на него груз своей неудовлетворенности.

Такой подход — прежде всего крайнее средство выживания. Я очень рано узнала, что такое влюбленность и сексуальные удовольствия. Едва выйдя из подросткового возраста, завела первого бойфренда, и с тех пор, то есть с пятнадцати лет, в моей жизни постоянно присутствовали мальчики или мужчины (иногда и те и другие). С тех пор прошло — дайте-ка подсчитать — почти девятнадцать лет. Почти два десятка лет со мной рядом постоянно были мужчины. За одними отношениями следовали другие — порой и недели на передышку не было. И иногда я невольно задаюсь вопросом: не мешало ли мне это взрослеть?

Более того, в отношениях с мужчинами я склонна впадать в крайности. Это даже не совсем точное определение: ведь чтобы впадать в крайности, нужно иметь какое-то понятие о границах разумного. Я же рядом с любимым теряю их все. Я целиком отдаюсь чужому влиянию. Если уж я люблю, то отдаю все без остатка. Свое время, преданность, тело, деньги, семью, собаку, деньги моей собаки, время собаки: все — значит все. Если я люблю, то готова взять на себя чужую боль, чужие долги (во всех смыслах этого слова) и защитить любимого от его же комплексов, а также наделить его воображаемыми хорошими качествами, которых у него и в помине не было. Я готова накупить рождественских подарков для всех членов его семьи. Ради него я способна вызвать солнце и дождь, и если сразу не выйдет, то в следующий раз уж точно. Отдав другому все это и полкоролевства в придачу, я в конце концов почувствую себя полностью истощенной и измученной, и лишь одно будет способно восстановить мои силы — слепая влюбленность в следующего.

Гордиться тут нечем, но так было всегда.

Вскоре после расставания с мужем я оказалась на какой-то вечеринке, и парень, с которым я была едва знакома, заметил: «Знаешь, с тех пор, как появился Дэвид, ты стала совсем другим человеком. Раньше во всем была вылитый муж, а теперь — вылитый Дэвид. Ты даже одеваешься, как он, так же произносишь слова. Говорят, некоторые люди — копия своих собак. Так вот ты — копия своих мужчин».

Видит Бог, мне очень хотелось разорвать порочный круг, устроить передышку и выяснить наконец, как я выгляжу и произношу слова, когда не пытаюсь ни под кого подстроиться! Да и если честно, отказавшись ненадолго от интимных отношений, я оказала бы обществу щедрую услугу. Когда думаю о своих бывших, вспоминается мало хорошего. Сплошные фиаско. Я перепробовала влюбляться в совершенно разных мужчин и каждый раз терпела катастрофу — так столько можно? Сами посудите — если бы вы десять раз подряд попали в серьезную аварию, вам бы оставили водительские права? А вам самому захотелось бы водить машину?

Есть еще одна, последняя причина, почему я боюсь заводить отношения. Дело в том, что я до сих пор влюблена в Дэвида, а это было бы несправедливо по отношению к моему новому парню. Я даже не уверена, действительно ли между нами все кончено. Перед моим отъездом в Италию мы продолжали часто общаться, хотя не спали вместе уже давно. Но оба признавали, что лелеем надежду когда-нибудь, однажды...

В общем, поди разберись.

В одном я уверена — мне надоело терпеть последствия поспешных решений и хаоса страстей, из которых состояла вся моя предыдущая жизнь. Перед отъездом в Италию у меня не осталось никаких сил — ни физических, ни моральных. Как почва на ферме издольщика, истощенная вспашками и севом, я нуждалась в годике «под паром». Поэтому и отказалась от секса.

Поверьте, я понимаю, в какую забавную ситуацию попала, отправившись в Италию за поиском наслаждений и вместе с тем принеся добровольный обет целомудрия. Но воздержание — именно то, что мне сейчас нужно. Я окончательно убедилась в этом, услышав, как моя соседка сверху (сногсшибательно красивая итальянка с потрясной коллекцией туфель на высоких каблуках) занимается сексом в компании очередного счастливчика, которому повезло очутиться в ее квартире, — очень долго и громко, в сопровождении мокрых шлепков, треска кровати и хруста позвонков. Неистовая вакханалия продолжалась больше часа, больше часа я выслушивала ахи и вздохи, дикие животные кличи и прочие звуковые эффекты. Лежа этажом ниже, уставшая и одинокая, я могла думать лишь об одном: «Какое же это тяжкое и напряженное дело...»

Конечно, порой от природы никуда не скрыться. Ведь в день мне встречается в среднем дюжина итальянцев, которых я была бы рада видеть в своей постели. Или себя в их постели. Короче, в любой постели. По-моему, мужчины в Риме до абсурда, до одурения, до обидного хороши собой. Они даже красивее местных женщин. Красота итальянцев сродни красоте француженок — в стремлении к совершенству не упущено ни мелочи. Они похожи на выставочных пуделей. Порой выглядят так безупречно, что хочется аплодировать. Их красота невольно вызывает в памяти обороты из любовных романов: они «дьявольски привлекательны», их красота «жестока», а мускулы — как «у греческого бога».

Однако должна признаться, хоть это немного и обидно, местные красавцы на улице нечасто на меня заглядываются. По правде говоря, многие вообще не смотрят в мою сторону. Поначалу меня это насторожило. Прежде я была в Италии всего раз, мне было девятнадцать лет, и одно помню отчетливо: мужики на улице проходу не давали. И не только на улице, но и в пиццерии. И в кино. И в Ватикане! Их приставания были бесконечны и ужасны. Они чуть не испортили мне всю поездку, а иногда могли подпортить и аппетит. Зато теперь, в возрасте тридцати четырех лет, я, кажется, стала для них невидимкой. Конечно, иногда они обращаются ко мне по-дружески: «Вы прекрасно выглядите сегодня, *signorina*». Но это скорее исключение, чем правило, и не имеет ничего общего с агрессивным ухаживанием. Конечно, приятно, что противный незнакомец в автобусе тебя не лапает, но каждая женщина, кому не чуждо честолюбие, невольно задастся вопросом: что же изменилось? Неужели я? Или они?

И вот я порасспросила знакомых, и все подтвердили: да, в последние десять—пятнадцать лет в Италии действительно произошел некий сдвиг в этом направлении. Возможно, все дело в победе феминизма, или в культурной эволюции, или в неизбежном «осовременивании» в связи с вступлением в Евросоюз. А может, молодежь попросту стыдится того, что похотливость их отцов и дедов печально известна всему миру. Как бы то ни было, итальянское общество, видимо, решило, что подобные надоедливые приставания к женщинам следует прекратить. Теперь даже к хорошенькой юной Софи не липнут на улице — а раньше шведкам с их внешностью «кровь с молоком» приходилось хуже всего.

Одним словом, итальянские мужчины заслужили награду «за культурный прогресс».

И меня это очень радует. Ведь я было подумала, что все дело во мне. Испугалась, что на меня никто не обращает внимания, потому что мне уже не девятнадцать и я не такая красотка. И что мой приятель Скотт оказался прав, заметив прошлым летом: «Брось, Лиз, итальяшки больше приставать к тебе не будут. Только французы фанатеют от бальзаковских теток!»

## 23

*В*чера ходили на футбол с Лукой Спагетти и его друзьями. Играла «Лацио». В Риме две футбольных команды — «Лацио» и «Рома». Соперничество между ними (и взаимную ненависть их фанатов) просто невозможно описать, оно способно превратить счастливые семьи и тихие кварталы в зону боевых действий. Очень важно как можно раньше определиться, фанатом какой команды ты будешь, потому что от этого, в общем-то, зависит, с кем ты будешь тусоваться по воскресеньям до конца жизни.

У Луки с десяток близких друзей, и все они любят друг друга, как братья. Одна только проблема: половина — фанаты «Лацио», остальные болеют за «Рома». Тут уж ничего поделать нельзя: футбольные традиции устоялись в их семьях задолго до их рождения. Дед Луки (неужто его кличут дедушка Спагетти?) еще в младенчестве подарил ему первую небесно-голубую майку с символикой «Лацио». И сам Лука останется фанатом «Лацио» до самой смерти.

«Можно поменять жену, — говорит он, — сменить работу, национальность и даже религию. Но вот команду ни за что нельзя менять!»

Кстати, «фанат» по-итальянски *tifoso*. Это от слова «тиф». Одним словом, тот, кого сильно лихорадит.

Мой первый футбольный матч с Лукой Спагетти был похож на банкет в доме для умалишенных, где вместо угощения — итальянская речь. На стадионе я нахваталась всяких новых и забавных слов, которым в школе не научат. Позади меня сидел старичок и сыпал живописнейшим матом, адресуя его игрокам на поле. В футболе я не спец, но тратить время и задавать Луке тупые вопросы о том, что происходит на поле, все же не стала. Я спрашивала его о другом: «Лука, а что сказал тот дядька, что сзади сидит? Что значит *cafone*?» А Лука отвечал, не отрываясь от игры: «Козлина. Вот что это значит».

Я записывала все в блокнотик. Потом зажмуривалась и слушала старика-матершинника дальше. Это звучало примерно так:

*Dai, dai, dai, Albertini, dai… va bene, va bene, ragazzo mio, perfetto, bravo, bravo… Dai! Dai! Via! Via! Nella porta! Eccola, eccola, eccola, mio bravo ragazzo, caro mio, eccola, eccola, ecco-АААННННННННННН!!!! VAFFANCULO!!! FIGLIO DI MIGNOTTA!! STRONZO! CAFONE! TRADITORE! Madonna… Ah, Dio mio, perché, perché, perché, questo è stupido, è una vergogna, la vergogna… Che casino, che bordello… NON HAI UN CUORE, ALBERTINI! FAI FINTA! Guarda, non è successo niente… Dai, dai, ah… Molto migliore, Albertini, molto migliore, sm sm sm, eccola, bello, bravo, anima mia, ah, ottimo, eccola adesso… nella porta, nella porta, nell… VAFFANCULO!!!!!!!*

Все это можно попытаться перевести примерно так:

*Давай же, Альбертини, давай, давай… Отлично, отлично, мой мальчик, прекрасно, супер, супер… Вперед! Вперед! Вмажь им! Вмажь! В ворота! Так, так, так, мой дорогой мальчик, моя прелесть, так, так, та… ННЕЕЕЕТ! АХ ТЫ ЖОПА! СУКИН СЫН! ГОВНОЕД! КОЗЛИНА! ПРЕДАТЕЛЬ! …Матерь Божья… Ох Господи, за что мне это, за что, за что… вот дурень, вот позорище, позор на мою голову… Какой кошмар… [Примечание автора: увы, невозможно как следует перевести такие замечательные итальянские выражения, как che casino и che bordello, дословно означающие «что за казино!» и «что за бордель!», ну а в переносном смысле — какой кошмар.]… БЕССЕРДЕЧНЫЙ УБЛЮДОК, АЛЬБЕРТИНИ!!! МОШЕННИК! Смотри, ничего не случилось… Ну давай же, давай, эй, вперед… Вот так намного лучше, Альбертини, да-да-да, вот так, молодчина, супер, ох, отлично, ну вот, давай… в ворота, в ворота, в воро… АХ ТЫ ЖОПА!!!!*

Что за уникальные и счастливые минуты в моей жизни — сидеть прямо перед этим старикашкой. Любое слово, вылетавшее у него изо рта, было для меня как нектар. Мне даже захотелось откинуть голову и положить ее ему на колени, чтобы его красноречивые сквернословия беспрерывно лились мне в уши. И ни один только старичок был столь речист. Аналогичными монологами гудел весь стадион. А какой там был накал! Стоило на поле свершиться мало-мальски серьезному нарушению правил — как весь стадион вскакивал на ноги и принимался возмущенно махать руками и материться, словно всех этих болельщиков в количестве двадцати тысяч только что подрезали на дороге. Футболисты из «Лацио» не уступали по накалу страстей своим фанатам, катаясь по земле в муках боли, как в сцене умирания из «Юлия Цезаря» (стопроцентная игра на публику), а через две секунды подскакивая на ноги, чтобы возглавить очередную атаку на ворота.

Но они все равно проиграли.

Нуждаясь в поднятии духа после матча, Лука Спагетти спросил ребят, не хотят ли они «завалиться куда-нибудь».

Я подумала, что он имеет в виду «завалиться в бар». В Америке футбольные фанаты всегда идут в бар, если их команда проигрывает, так? Заваливаются в бар и напиваются в хлам. Да и не только в Америке — в Англии, Австралии, Германии... да везде так делают! Но Лука с ребятами вовсе не в бар направились. Они пошли в кондитерскую. В маленькую безобидную булочную-кондитерскую в подвальчике дома, в невзрачном римском квартале. В воскресенье вечером там было не протолкнуться. Но так всегда после матчей: фанаты «Лацио» заходят сюда по дороге со стадиона и часами торчат на улице, облокотившись на свои мотороллеры. Эти супермачо обсуждают игру и... уминают эклеры.

Обожаю Италию.

## 24

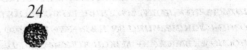

Я учу примерно двадцать новых слов в день. Учусь постоянно — гуляя по городу, проглядываю свои карточки со словами и натыкаюсь на прохожих. Откуда в моей голове место для всех этих слов? Вот хорошо, если бы мозг решил стереть старые негативные мысли и грустные воспоминания, а на их место поместить новенькие итальянские слова!

Я тружусь над своим итальянским, а втайне все равно надеюсь, что однажды он вдруг откроется мне — безграничный и совершенный. Однажды я открою рот и как по волшебству бегло заговорю по-итальянски. Тогда я стану настоящей итальянкой, а не американкой до мозга костей, которой до сих пор инстинктивно хочется крикнуть «Поло!», когда кто-то зовет через улицу своего приятеля *Марко*. Мне так хочется, чтобы итальянский просто взял и *поселился* во мне, но слишком уж много в этом языке загвоздок. Почему, к примеру, «дерево» и «отель» по-итальянски так похожи (*albero* и *albergo*)? Из-за этой схожести я постоянно смущаю людей, говоря, что на нашей ферме мы выращивали гостиницы — вместо более точного и куда менее сюрреалистичного «мы выращивали деревья». Есть и слова с двойным и даже тройным значением. Скажем, *tasso*. Процент, барсук или тис — в зависимости от контекста. Но больше всего меня расстраивает, когда натыкаешься на откровенно некрасивые итальянские слова — как ни печально, бывают и такие. Вы уж извините, но я не для того тащилась аж в саму Италию, чтобы зубрить произношение словечек типа *скермо* (ширма).

Но в целом тащиться сюда все же стоило. Ведь по большей части итальянский — чистое удовольствие. Нам с Джованни очень нравится учить друг друга выражениям на итальянском и английском. На днях разговор зашел о фразах, которые люди говорят друг другу в утешение. Я объяснила Джованни, что на английском мы иногда говорим: «И я там был». Он сперва не понял — я был где? Но я пояснила, что глубокая печаль порой напоминает определенное место, становится координатой на карте времени. Заблудившись в дебрях уныния, иногда и представить не можешь, что когда-нибудь выберешься отсюда и окажешься в более приятном месте. Но если кто-то говорит, что когда-то «был там», а теперь вот выбрался, это вселяет надежду.

— Так значит, грусть — это место? — спросил Джованни.

— Иногда люди живут там годами, — отвечала я.

Джованни в свою очередь сказал, что сопереживающие итальянцы говорят: «*L'ho provato sulla mia pelle*», что означает «я вынес это на своей шкуре». То есть — и я тоже обжигался, и у меня остались шрамы, я точно знаю, что ты чувствуешь.

До сих пор самое любимое слово, выученное мною по-итальянски, — это очень простое и рапространенное *attraversiamo*.

Оно обозначает «давай перейдем улицу». Друзья говорят это слово сплошь и рядом, когда идут по тротуару и вдруг решают перейти на другую сторону. Это такое слово для пешеходов. В нем нет ничего особенного. Но мне почему-то оно прямо-таки в душу запало. Когда Джованни впервые его произнес —

мы тогда шли мимо Колизея, — я вдруг услышала это прекрасное слово и замерла как вкопанная, а потом спросила:

— Что это значит? Что ты сейчас сказал?

— *Attraversiamo*.

Джованни никак не мог понять, чем мне оно так приглянулось. Давай перейдем улицу? Но моему слуху оно казалось идеальным сочетанием итальянских звуков. Меланхоличное «ah» в начале, переливчатая трель, мягкое «s» и тягучая завершающая каденция «ии-аа-мо». Обожаю это слово. И не устаю его повторять. Использую любой предлог, чтобы его произнести. Софи уже с ума сходит. Давай перейдем улицу! Давай перейдем улицу! Я постоянно таскаю ее туда-сюда через улицы с римскими водилами-камикадзе. В один прекрасный день это слово может стоить нам жизни.

А вот любимое английское слово Джованни — «полудурок».

Луке Спагетти нравится «капитуляция».

## 25

В Европе сейчас идет мощная борьба. Сразу несколько городов воюют за звание величайшей европейской столицы двадцать первого века. Будет ли это Париж? Лондон? Берлин? Цюрих? А может, Брюссель, столица нового Евросоюза? Все они стараются перещеголять друг друга в культуре, архитектуре, политике, финансах. Но Риму нет дела до этой погони за статусом. Рим не участвует в гонках. Он лишь наблюдает за суетой и дерзаниями со стороны, абсолютно невозмутимый, словно хочет сказать: «Что бы вы ни делали, Рим всегда будет Римом». Меня бесконечно вдохновляет царственная уверенность этого города — такого целостного, крепко стоящего на ногах, удивленно взирающего на мир с монументальной высоты, понимающего, что история надежно укрывает его своей сенью. В старости мне бы хотелось стать похожей на Рим.

Сегодня я отправляюсь на шестичасовую прогулку по городу. Это не так утомительно, как кажется, особенно если часто останавливаться в кафе и подзаряжаться эспрессо и пирожными. Стартую у двери своего дома и не спеша иду по родному кварталу с его магазинами и многонациональной толпой. (Хотя в традиционном смысле слова я не назвала бы это кварталом. Если все мы — ребята из одного квартала, то среди моих соседей можно встретить таких простых «ребят», как Валентино, Гуччи и Армани.) Этот район всегда был престижным. Рубенс, Теннисон, Стендаль, Бальзак, Лист, Вагнер, Теккерей, Байрон, Китс — все жили здесь. Место, где я живу, называют «английским гетто» — именно здесь останавливались аристократы из высшего света, совершая гранд-туры по Европе. Один лондонский клуб для путешественников назывался *«Society of Dilettanti»* — представьте, эти люди афишировали себя как дилетантов! Выдающееся бесстыдство...

Я иду по направлению к пьяцца дель Пополо с ее великолепной аркой, сотворенной Бернини в честь достопамятного визита шведской королевы Кристины. (Ее след в истории был подобен взрыву нейтронной бомбы. Вот как моя подруга Софи описывает великую королеву: «Она была превосходной наездницей, охотницей, ученой, перешла в католичество и тем самым спровоцировала огромный скандал. Кое-кто утверждает, что на самом деле она была мужчиной, во всяком случае, ее лесбийские наклонности были очевидны. Она носила брюки, ездила на археологические раскопки, собирала предметы искусства и напрочь отказалась рожать наследника».) Рядом с аркой — церковь: можно войти бесплатно и полюбоваться двумя полотнами Караваджо, изображающими мучения святого Петра и обращение святого Павла (переполненный благодатью Господней, тот упал на землю в священном трепете, не убедив, однако, даже своего коня). Глядя на картины Караваджо, я всегда преисполняюсь чувств и становлюсь плаксивой, поэтому, чтобы приободриться, я направилась в другую часть церкви и стала разглядывать фреску, на которой красовался самый счастливый, пухлый и смешной малыш Иисус во всем Риме.

Иду дальше на юг. Прохожу мимо палаццо Боргезе — эти стены видали немало знаменитых жильцов. В их числе Полин, скандально известная сестра Наполеона, державшая здесь несметное число любовников. Еще ей нравилось использовать служанок в качестве табурета для ног. (Прочитав эту фразу в путеводителе по Риму, невольно думаешь, что прочел неправильно, но нет, все так и было. Полин также нравилось, чтобы в ванну ее относил, как тут написано, «негр-гигант».) Прогуливаюсь по берегу широкого болотистого первозданного Тибра, до самого острова Тибр. Это мое любимое уединенное местечко в Риме. Остров издавна связан с целительством. В двести девяносто первом году до нашей эры, после эпидемии чумы, здесь был построен храм Эскулапа; в Средние века монашеский орден под названием Фатабенефрателли («добрых дел братцы» — смешное название) соорудил здесь госпиталь, да и сейчас на острове больница.

На другом берегу — квартал Трастевере, который, как говорят, населяют самые что ни на есть коренные римляне — работяги, те самые ребята, что за много веков построили все памятники по ту сторону Тибра. Там я обедаю в тихой траттории, смакуя еду и вино не спеша — потому что ни один трастеверец никогда не помешает вам спокойно обедать, если вам так хочется. Заказываю ассорти из брускетты, спагетти *cacio e pepe* (простейшее римское блюдо — паста с сыром и перцем) и небольшого жареного цыпленка, которого съедаю пополам с бродячей собакой — она наблюдала за моим обедом такими глазами, какие бывают лишь у бродячих собак.

Возвращаюсь к мостику и оказываюсь в старинном еврейском гетто — печальное место, веками стоявшее нетронутым, пока его не разорили нацисты. Сворачиваю обратно к северу и иду мимо пьяцца Навона с ее огромным фонтаном в честь четырех великих рек планеты Земля (и мутный Тибр гордо, хоть и не совсем правомерно, в их числе). Потом я иду смотреть на Пантеон. Я хожу смотреть на Пантеон при каждом случае, ведь как-никак, я живу в Риме, а в старой поговорке говорится, что кто был в Риме и не видел Пантеона, тот «как приехал ослом, так и уехал».

По дороге домой делаю небольшой крюк, чтобы наведаться в одно место, которое почему-то обладает для меня странной притягательностью: мавзолей Августа. Это большая, круглая, полуобсыпавшаяся груда кирпича некогда была великолепным мавзолеем, построенным Октавианом Августом для захоронения собственных останков и всех членов его семьи на вечные века. Должно быть, в то время императору было трудно представить, что пройдет время — и Рим перестанет быть могущественной империей, боготворящей Августа. Разве мог он предвидеть, что его мир исчезнет? Разве мог знать, что варвары разрушат акведуки и превратят в руины великолепные дороги, а город опустеет, и пройдет ни много ни мало двадцать веков, прежде чем численность римского населения сравняется с той, что была во времена прежней славы?

Мавзолей Августа был разрушен и разграблен в Средние века. Прах императора был украден — кем, неизвестно. В двенадцатом веке влиятельная семья Колонна перестроила мавзолей в крепость, чтобы защититься от нападений многочисленных враждующих княжеств. Впоследствии на месте мавзолея разбили виноградник, затем — сад эпохи Возрождения; была здесь и арена для травли быков (в восемнадцатом веке), и склад фейерверков, и концертный зал. В тридцатые годы Муссолини конфисковал здание и восстановил его первоначальный вид — с целью в один прекрасный день сделать местом собственного захоронения. (Должно быть, ему тоже было трудно представить, что пройдет время — и Рим перестанет быть империей, боготворящей Муссолини.) Как известно, фашистские мечты Муссолини оказались недолговечными, и похорон на императорском уровне не вышло.

Сегодня мавзолей Августа — одно из самых тихих и уединенных мест в Риме. Он стоит, глубоко погрузившись в землю. С веками город вокруг него вырос. (Два с половиной сантиметра в год — средняя скорость, с которой города вытягиваются вверх со временем.) Над мавзолеем в бешеном колесе кружатся машины, а вниз никто никогда не спускается (я ни разу не видела) — лишь иногда место используют, как общественный туалет. Но здание до сих пор стоит, с достоинством держится на римской земле в ожидании очередной реинкарнации.

Непоколебимость мавзолея Августа вселяет в меня спокойствие. За свою жизнь это сооружение послужило самым разнообразным целям и каждый раз адаптировалось к диким временам. Мавзолей Августа можно сравнить с женщиной, которая прожила совершенно сумасшедшую жизнь: сначала была, скажем, обычной домохозяйкой, потом внезапно овдовела и, чтобы свести концы с концами, подалась в стриптизерши, но в результате каким-то образом умудрилась стать первой женщиной-дантистом, побывавшей в космосе, а потом баллотировалась в сенат. Но в каждой из этих ипостасей неизменно оставалась собой.

Глядя на мавзолей Августа, я понимаю, что мою жизнь, пожалуй, нельзя назвать столь безумной. Это наш мир сошел с ума: он приносит перемены, которых никто не ожидал. Для меня мавзолей Августа — свидетельство того, что нельзя привязываться к устаревшим понятиям о том, кто я такая, что собой представляю, кому принадлежу и каково мое предназначение. Что еще вчера было величественным памятником — завтра может стать складом фейерверков. Даже в Вечном городе, твердит безмолвный мавзолей, нужно всегда быть готовым к стремительным и непрерывным изменениям.

## 26

Еще до отъезда в Италию, в Нью-Йорке, я отправила самой себе коробку с книгами. Посылка должна была прийти по моему римскому адресу в течение четырех — шести дней, однако на итальянской почте, кажется, ошиблись и прочли «четыре — шесть», как «сорок шесть», — иначе почему прошло уже два месяца, а о посылке ни слуху ни духу? Друзья-итальянцы говорят, что лучше мне о ней забыть. Мол, посылка может и прийти, а может и не прийти никогда, и поделать ничего нельзя.

— Может, ее украли? — жалуюсь я Луке Спагетти. — Или на почте потеряли?

Он прикрывает рукой глаза.

— Не задавай глупых вопросов. Ты только больше расстроишься.

Загадка пропавшей посылки стала поводом для долгого спора между мною, моей подругой американкой Марией и ее мужем Джулио. Мария считает, что в цивилизованном обществе люди должны быть уверены, что можно положиться на своевременную доставку почты, но Джулио другого мнения. Он полагает, что такое явление, как доставка, за пределами человеческого контроля и подвластно лишь судьбе, поэтому никто не может гарантировать, что посылка будет доставлена. Мария раздосадованно заявляет, что это всего лишь очередное свидетельство различий между католиками и протестантами. Лучше всего эту разницу доказывает тот факт, что итальянцы, в том числе ее собственный муж, хронически не способны строить планы на будущее, да что уж там — на неделю вперед. Спросите протестанта с американского Среднего Запада, не согласится ли он поужинать с вами на следующей неделе, и он в полной уверенности, что является капитаном собственной судьбы, ответит: «Четверг меня устроит». Но стоит попросить о том же католика из Калабрии, тот лишь пожмет плечами, возденет глаза к небесам и воскликнет: «Откуда мне знать, где я буду вечером следующего четверга, ведь все в руках Божьих, и судьба наша нам неизвестна!»

Но, несмотря на это, я пару раз заходила на почту и пыталась найти посылку. Правда, безуспешно. Работница римской почты была очень недовольна, что я прервала ее телефонный разговор с бойфрендом. А в стрессовых ситуациях мой итальянский меня подводит — хоть нельзя не признать, что в последнее время я говорю намного лучше. Я пытаюсь логично объяснить, что посылка с книгами пропала, но сотрудница почты смотрит на меня так, будто я пузыри пускаю.

— Может, она придет через неделю?

Девушка пожимает плечами.

— *Magari.*

Еще одно непереводимое итальянское словечко, может обозначать что угодно — от «возможно» до «размечталась, наивная».

Ну, может, это и к лучшему. Ведь я уже забыла, что за книжки там были. Наверняка какое-нибудь фуфло, непременно подлежащее изучению, чтобы «понять Италию». Полная коробка книг с жизненно необходимой информацией по Риму, которая теперь, когда я здесь, кажется совершенно ненужной. Похоже, там даже была полная «История заката и падения Римской империи» Гиббона. Думаю, без нее мне будет лучше. Жизнь так коротка, и к чему тратить одну девяностую оставшихся дней на Земле на занудство вроде Эдварда Гиббона?

27

На прошлой неделе познакомилась с девчонкой из Австралии, которая совершает свое первое путешествие по Европе с рюкзаком за плечами. Я объяснила ей, как пройти к вокзалу. Девушка ехала в Словению узнать, что за страна такая. Услышав о ее планах, я вдруг почувствовала глупую зависть и подумала: «Я тоже хочу в Словению! Почему это я никогда никуда не езжу?»

Вообще-то, наблюдательный читатель заметит, что я вроде как тоже путешествую. А когда хочется путешествовать, по дороге недолго и от жадности лопнуть. Как если бы я фантазировала о сексе с любимым киноактером, при этом занимаясь сексом с другим, тоже любимым киноактером... Но раз уж эта девочка спросила у меня дорогу (решив, что я местная), значит, я вовсе не путешествую, а живу в Риме. Пусть временно, но живу. Более того, когда эта девочка ко мне подошла, я как раз бежала оплачивать счет за электричество — разве дело для путешественника? Энергетика путешествия и энергетика статичного пребывания в одном месте фундаментально разнятся, и, встретив юную австралийку, направлявшуюся в Словению, мне вдруг невыносимо захотелось куда-нибудь уехать.

Поэтому я позвонила Софи и сказала: «Поехали в Неаполь на один день — пиццы поедим!»

И вот всего через несколько часов мы едем в электричке и почти мгновенно, как по волшебству, оказываемся в Неаполе. Я моментально влюбляюсь в этот город. Дикий, безумный, шумный, грязный, хамоватый Неаполь. Муравейник в кроличьем садке, смесь экзотики ближневосточного базара и таинственности нью-орлеанского вуду. Здесь, как в сумасшедшем доме, царит наркотический угар, опасность и разгул. Мой приятель Уэйд был в Неаполе в семидесятые, и его ограбили... в музее. Главное украшение города — белье, развешанное во всех окнах и через улицы: свежевыстиранные ночнушки и лифчики развеваются на ветру, как тибетские флаги. В Неаполе нет ни одной улицы, где не встретишь нахального мальца в шортах и разных носках, который стоит на тротуаре и что-то горланит другому такому же мальцу на крыше напротив. Нет и ни одного дома, в окне которого не сидела бы по меньшей мере одна скрюченная бабулька, подозрительно взирающая на происходящее внизу.

Здешние жители до психоза гордятся своим неаполитанским происхождением, и не зря. Ведь этот город подарил миру пиццу и мороженое. Местные женщины — банда хриплых, громкоголосых, добродушных и дотошных матрон с командирскими манерами. Они лезут тебе прямо под нос с раздраженным видом и пытаются помочь такой неумехе — им до всего есть дело! Неаполитанский акцент — как дружеская оплеуха, словно весь город — повара, горланящие поварятам приказания на кухне, причем все одновременно. Здесь до сих пор говорят на местном диалекте, а сленг — эта текучая субстанция — меняется постоянно, но мне порой кажется, что именно неаполитанцев легче всего понять. Почему? Да потому, что они хотят, чтобы их поняли. В Неаполе говорят громко и отчетливо, и если уж слова непонятны, то все доскажут жестами. Как та семилетняя панкушка, что ехала на багажнике мотороллера со своей сестрицей и показала мне средний палец, при этом улыбнувшись совершенно очаровательно. Эта улыбка словно говорила: «Эй, тетя, не держи на меня зла, ведь мне всего семь лет, но уже в таком возрасте мне ясно, что ты — полная ослиха. Но ничего, ты все равно мне нравишься, несмотря на твое тупое лицо. Мы обе знаем, что ты хотела бы оказаться на моем месте, но уж извини — не выйдет. Поэтому вот тебе мой средний палец, приятного отдыха в Неаполе, и — *ciao*!»

Как и повсюду в Италии, в Неаполе в любое время можно увидеть мальчишек, подростков и взрослых парней, играющих в футбол. Но тут футболом не ограничиваются. Вот, например, сегодня видела ребят, мальчишек лет восьми, которые смастерили самодельные стулья и стол из ящиков и сели играть в покер на площади, да с таким азартом, что я побоялась, как бы кого не пристрелили.

Мои близнецы Джованни и Дарио тоже родом из Неаполя. В это трудно поверить. Не могу представить робкого, прилежного, доброго Джованни мальчишкой среди этой, не побоюсь выразиться, черни. Но он определенно из Неаполя — ведь перед отъездом из Рима он дал мне название пиццерии, в которой обязательно нужно побывать, так как, по словам Джованни, там делают лучшую в Неаполе пиццу. Учитывая, что лучшая пицца в Италии — неаполитанская, а лучшая пицца в мире, разумеется, из Италии, перспектива побывать в этой пиццерии кажется весьма заманчивой — ведь это значит, что там подают... страшно даже произнести... *лучшую пиццу в мире*! Джованни до того серьезно и торжественно сообщал мне название этого места, словно посвящал меня в какое-то тайное общество. Вложив мне в кулак записку с адресом, он в обстановке строжайшей секретности произнес: «Прошу тебя, обязательно сходи в эту пиццерию. Возьми маргариту с двойной моцареллой. Если будешь в Неаполе и не попробуешь эту пиццу, пожалуйста, потом соври мне, что попробовала».

И вот мы с Софи сидим в «Пиццерия да Микеле», и наши пиццы — по одной на каждую — просто сводят нас с ума. Моя нравится мне до такой степени, что, кажется, у меня едет крыша и в бреду я начинаю думать, что и пицца тоже меня обожает. У нас с этой пиццей любовь, прямо-таки роман. Софи тем временем чуть не рыдает над своей, у нее случился метафизический кризис, и она вопрошает: «Ну зачем, зачем в Стокгольме повара пытаются делать пиццу? Как можно вообще есть в Стокгольме?»

«Пиццерия да Микеле» — крошечное заведение, здесь всего два зала и одна печь, выпекающая пиццу нон-стоп. От вокзала — пятнадцать минут пешком под дождем, но это не должно вас останавливать: идите. Лучше прийти пораньше, а то иногда у них кончается тесто — и тогда ваше сердце будет разбито. Примерно к часу дня улица у входа в пиццерию уже кишит неаполитанцами, которые пытаются пробиться внутрь, прокладывая себе путь локтями — точно хотят занять место на спасательной шлюпке. Меню отсутствует. Здесь подают всего два вида пиццы: обычную и с двойным сыром. О новомодной чепухе вроде калифорнийской с оливками и сушеными томатами здесь слыхом ни слыхивали. Тесто — я понимаю, это примерно на середине пиццы — больше похоже на нан — индийскую пресную лепешку, чем на ту пиццу, что мне доводилось пробовать прежде. Оно мягкое, пружинистое и упругое, но при этом на удивление тонкое. А я-то всегда думала, что тесто для пиццы может быть или тонким и хрустящим, или толстым и мягким. Откуда мне было знать, что в мире есть такое тесто, которое может быть и тонким и мягким одновременно? Святые небеса! Тонкое, мягкое, крутое, пружинистое, вкусное, рассыпчатое, соленое, райское тесто для пиццы. Сверху — сладкий томатный соус, превращающийся в пузырчатую кремообразную пену, смешиваясь с расплавленной свежей моцареллой из буйволиного молока, а в середине всего этого великолепия — одна-единственная веточка базилика, наполняющая всю пиццу пряным ароматом, словно кинозвезда в сверкающем платье в центре зала, рядом с которой все присутствующие ощущают себя звездами. На практике съесть это невозможно. Стоит откусить кусочек — и мягкое тесто падает, горячий сыр течет, как земля в оползень, и ты выглядишь как поросенок, а стол вокруг похож на свинарник. Но не надо обращать внимания — просто ешьте.

Ребята, творящие это чудо, швыряют пиццы в дровяную печь и больше всего напоминают истопников в недрах громадного корабля, бросающих уголь в огненную топку. Закатанные рукава оголяют потные бицепсы, лица раскраснелись от натуги, один глаз прищурен от жара, а изо рта свисает сигарета. Мы с Софи заказываем еще по одной — по второй целой пицце на каждого — и, как Софи ни пытается взять себя в руки, пицца настолько хороша, что тут уж не до приличий.

Пару слов о моей нынешней фигуре. Что уж говорить — толстею с каждым днем. В Италии я стала относиться к своей фигуре совершенно бесцеремонно, набивая живот сыром, пастой, хлебом, вином, шоколадом и тестом для пиццы в невообразимых количествах. (Кстати, мне сказали, что в другой пиццерии в Неаполе можно попробовать шоколадную пиццу. Ну что за бред? Я, конечно, пошла и попробовала, и пицца оказалась вкусной — но что это за пицца с шоколадом?) Я не занимаюсь спортом, ем мало клетчатки и не принимаю витамины. В прошлой жизни я ела на завтрак йогурт из экологически чистого козьего молока с зародышами пшеницы. Но та жизнь давно прошла. В Штатах Сьюзан говорит всем знакомым, что ее подруга сейчас занимается «углеводным туризмом». Но мой организм очень хорошо реагирует. Он словно не обращает внимания на мои злоупотребления и оплошности и говорит: «Ну ладно, так и быть, живи в свое удовольствие. Я-то понимаю, что это лишь временно. Дай знать, когда закончится твой маленький эксперимент с поиском чистого удовольствия, а там посмотрим, как восполнить ущерб».

И все же, глядя в зеркало лучшей пиццерии в Неаполе, я вижу счастливое, пышущее здоровьем лицо. Глаза блестят, кожа разгладилась... В последний раз я видела себя такой очень давно.

— Спасибо, — шепчу я.

Мы с Софи бежим под дождь — искать кондитерскую.

28

*П*ожалуй, именно мое нынешнее счастливое мироощущение (которому всего-то несколько месяцев от роду) наталкивает меня на мысль, что пора как-то разобраться с Дэвидом. Вернувшись в Рим, я начинаю думать, не настало ли время навсегда поставить точку в этой истории. Мы уже расстались официально, но все же еще была надежда, что однажды (возможно, после возвращения из странствий, через год раздельного существования) мы решим попробовать снова. Ведь мы любили друг друга. В этом никто никогда не сомневался. Просто мы так и не выяснили, как жить вместе, не причиняя друг другу невыносимую, острую, душераздирающую боль.

Прошлой весной Дэвид полушутя предложил совершенно дикое решение наших проблем: «Что, если нам смириться с тем, что отношения у нас плохие, и просто жить дальше? Достаточно признаться один раз и успокоиться: да, мы сводим друг друга с ума, постоянно ссоримся и почти не занимаемся сексом, но друг без друга не можем. Так и проживем до смерти — будем несчастны, зато рады, что вместе».

Последние десять месяцев я серьезно раздумывала над его предложением, что еще раз доказывает, как отчаянно я влюблена в этого парня.

Была и альтернатива, на которую каждый в глубине души надеялся: что кто-то из нас изменится. Я надеялась, что Дэвид станет более открытым и не будет отгораживаться от человека, который любит его, опасаясь, что тот залезет к нему в душу. Что касается меня, я могла бы научиться... не лезть людям в душу.

Как часто мне хотелось научиться вести себя с Дэвидом так, как моя мама с отцом, то есть стать независимой, сильной, самодостаточной. Перейти на полное самообеспечение, существовать без регулярных вливаний в виде романтических жестов и комплиментов от отца — фермера и волка-одиночки. Беззаботно сажать грядки с маргаритками, будучи окруженной каменными стенами необъяснимого молчания, которые папа порой возводит вокруг себя. Я папу люблю больше всего на свете, но он странноват, нельзя не заметить. Один из моих бывших вот что о нем сказал: «Твой отец как будто только одной ногой на земле стоит. А ноги у него длинные...»

По мере взросления мне постоянно приходилось видеть, как отец дарит маме любовь и нежность лишь тогда, когда ему взбредет в голову. В остальное же время, пока он пребывает в собственном мире, рассеянно игнорируя все вокруг, она не пристает к нему и занимается своими делами. По крайней мере, так мне казалось со стороны, ведь на самом деле никто (и тем более дети) не подозревает, что в действительности происходит между двумя женатыми людьми. По мере взросления я твердо убедилась в том, что моей матери ничего ни от кого не нужно. Такая у меня мама — в старших классах она сама научилась плавать, одна, в холодном озере в Миннесоте по книжке «Как научиться плавать», взятой в местной библиотеке. Так что долгое время я считала, что эта женщина способна на что угодно без посторонней помощи.

Но незадолго до отъезда в Рим у нас с мамой состоялся разговор, на многое открывший мне глаза. Она приехала в Нью-Йорк, чтобы пообедать со мной, и откровенно спросила, — нарушив все каноны общения в истории нашей семьи, — что случилось у нас с Дэвидом. В свою очередь наплевав на Свод Правил Стандартного Общения Семейства Гилберт, я все ей рассказала. Выложила как на духу. Как я люблю Дэвида, но как мне одиноко и тошно с этим парнем, которого вечно как будто нет в комнате, в кровати, на нашей планете — хотя на самом деле он есть.

— Прямо как твой отец, — сказала мама, сделав храброе и великодушное признание.

— Проблема в том, — ответила я, — что я не похожа на свою мать. Я не такая непробиваемая, как ты, мам. Я нуждаюсь в близости любимого человека постоянно. Жаль, что я не похожа на тебя, тогда бы у нас с Дэвидом, может, что и вышло. Но это просто ужасно — знать, что однажды мне может понадобиться его поддержка и я не смогу на нее рассчитывать.

И тут мама прямо-таки меня огорошила. Она сказала:

— Лиз, все то, чего ты хочешь от отношений, — я тоже всегда хотела.

Моя мать словно протянула руку, разжала кулак и наконец показала мне те пули, которые все эти десятилетия ей пришлось носить в себе, чтобы сохранять счастливый брак (а она действительно счастлива с отцом, невзирая ни на что). Никогда в жизни я не видела ее такой — никогда. И никогда не задумывалась о том, чего ей хотелось от отношений, чего ей не хватало и почему в конце концов она решила с этим смириться. Осознав все это, я почувствовала, что в моем мироощущении наметился радикальный сдвиг.

Если даже ей хочется иметь то же, что и мне, то?..

Продолжая нашу беспрецедентно откровенную беседу, мама заявила:

— Ты должна понять, что нас воспитывали ожидать гораздо меньшего от жизни, дорогая. Не забывай, я выросла совсем в другое время и в другом месте.

Я закрыла глаза и представила маму, десяти лет от роду, на семейной ферме в Миннесоте; она работала не меньше наемных батраков, растила младших братьев, носила платья старшей сестры и копила медяки, чтобы оттуда выбраться.

— И ты должна понять, как сильно я люблю твоего отца, — заключила она.

Моя мама сделала выбор, он всем нам предстоит, и смирилась с ним. Я вижу, что теперь она довольна. Ее не терзают сомнения. Преимущества ее выбора огромны: долгий, прочный брак с человеком, которого она до сих пор зовет лучшим другом; семья и внуки, которые ее обожают; уверенность в собственных силах. Пусть ей пришлось чем-то пожертвовать, да и папе тоже, — но разве кому-то из нас удается этого избежать?

И вот теперь я должна ответить на вопрос: какой выбор я сделаю? Чего я ожидаю от жизни? Чем могу пожертвовать, а чем нет? Мне тяжело представить жизнь без Дэвида. Невыносимо даже предполагать, что мы больше никогда не отправимся в путешествие с моим любимым попутчиком, что я никогда не припаркуюсь у его дома, опустив окна и включив Брюса Спрингстина, и что мы не укатим по шоссе в сторону океана, запасшись анекдотами и снедью на много лет вперед. Но могу ли я поддаться этому блаженству, зная, что у него всегда будет оборотная сторона — одиночество, причиняющее физическую боль, неуверенность в себе, разъедающая все твое существо, обида, отравляющая душу медленным ядом, и, разумеется, полная деградация личности, а она неизбежно случается, когда Дэвид отказывается отдавать и лишь берет, берет, берет. Я больше так не могу. Ощущение счастья, которое я испытала в Неаполе, вселило в меня уверенность, что я не только способна стать счастливой без Дэвида, но просто обязана это сделать. Как бы я его ни любила (а я люблю его вне всяких разумных границ), надо попрощаться с ним сейчас. И больше к этому не возвращаться.

Я пишу ему письмо.

На дворе ноябрь. Мы не общались с июля. Я попросила его не контактировать со мной, пока буду путешествовать, так как знала: моя привязанность к Дэвиду столь сильна, что не позволит мне сосредоточиться на главном — путешествии, если я при этом буду думать о том, где он сейчас. Но вот сама делаю первый шаг и пишу письмо.

Я спрашиваю, как у него дела, и сообщаю, что у меня все в порядке. Шучу — это мы с Дэвидом всегда умели. Потом объясняю, что мы должны покончить с нашими отношениями раз и навсегда. Что, наверное, настало время признать, что ничего у нас не получится и не нужно стараться. Никакого чрезмерного драматизма в моем письме нет. Этого в нашей жизни и без того хватало. Я пишу кратко и ясно. Но надо добавить еще кое-что, и, затаив дыхание, я печатаю: «Если ты решишь продолжить поиски своей половинки, искренне желаю удачи». Руки трясутся. Подписываюсь «с любовью, Лиз», стараясь казаться повеселее.

Но чувствую себя так, будто получила удар в грудь палкой.

В ту ночь я почти не сплю и все думаю, как Дэвид прочтет мое письмо. В течение следующего дня несколько раз бегаю в интернет-кафе и проверяю, нет ли ответа. Пытаюсь игнорировать внутренний голос, который отчаянно надеется, что Дэвид ответит: ВЕРНИСЬ! НЕ УХОДИ! Я ОБЕЩАЮ ИЗМЕНИТЬСЯ! Стараюсь задавить в себе ту Лиз, которая с радостью готова бросить великую затею с путешествиями по свету ради ключей от его квартиры. Но около десяти вечера в тот день я наконец получаю ответ. Это прекрасное письмо: Дэвид всегда писал чудесные письма. Он пишет, что согласен со мной: нам пора попрощаться навсегда. Он и сам об этом думал. Его ответ очень деликатен, а чувства утраты и сожаления переданы с глубокой нежностью, которая иногда все же была ему свойственна. Дэвид пишет, что обожает меня, да так, что не передать словами, и надеется, что я это понимаю. «Но мы не подходим друг другу», — заключает он. Дэвид уверяет меня, что однажды я встречу настоящую любовь. Он не сомневается. Ведь, по его словам, «красота притягивает красоту».

Очень приятные слова. Пожалуй, это самое приятное, что можно услышать от мужчины твоей мечты, кроме разве что ВЕРНИСЬ! НЕ УХОДИ! Я ОБЕЩАЮ ИЗМЕНИТЬСЯ!

Я долго и уныло смотрю на экран. Я понимаю, что все это к лучшему, что я предпочла счастье страданиям, освободила в душе место для пока еще неизвестного будущего, которое наполнит мою жизнь удивительными событиями. Я все это понимаю. И все же...

Дэвида больше в моей жизни нет.

Я закрываю лицо руками и сижу так, еще глубже погружаясь в уныние. Наконец поднимаю голову и вижу, что одна из албанок, работавших в интернет-кафе, перестала мыть пол, прислонилась к стене и с интересом меня разглядывает. На мгновение наши усталые глаза встречаются. Я мрачно качаю головой и говорю вслух: «Я в полном дерьме». Она понимающе кивает. Она не знает английского, но, естественно, понимает все и без слов.

И тут звонит мобильник.

Это Джованни — в полной растерянности. Оказывается, он ждет меня на пьяцца Фьюме вот уже больше часа — вечером по четвергам мы всегда встречаемся там для занятий. Джованни весьма озадачен — ведь обычно это он опаздывает на встречи или вовсе забывает о них, а сегодня в кои-то веки пришел вовремя и был уверен, что мы договаривались встретиться... разве нет?

Я забыла об этой встрече напрочь. Сообщаю Джованни свое местонахождение. Он обещает заехать за мной на машине. Мне сейчас не хочется никого видеть, но по телефону это трудно объяснить с учетом наших ограниченных языковых познаний. Выхожу на улицу и жду его на холоде. Через несколько минут подъезжает маленький красный автомобиль, и я сажусь. Джованни на сленге спрашивает, что случилось. Но стоит мне раскрыть рот, как я начинаю реветь. Со мной случается настоящая истерика. Ужасный, сопливый рев — как говорит моя подруга Салли, «двойная закачка»: с каждым всхлипом два раза глотаешь воздух носом. Истерика начинается совершенно неожиданно — как удар под дых.

Бедняга Джованни! На спотыкающемся английском он расспрашивает, что стряслось. Неужто я на него разозлилась? Он меня чем-то обидел? Я не могу ответить, лишь качаю головой и продолжаю реветь. Мне так стыдно за себя и жалко бедного Джованни, вынужденного сидеть в машине, как в ловушке, наедине с ревущей лопочущей теткой, которая буквально разваливается на кусочки — *a pezzi*, как говорят итальянцы.

Наконец мне удается связно объяснить, что расстроена я вовсе не из-за Джованни. Как могу, приношу извинения. А Джованни поступает по-взрослому и берет ситуацию в свои руки.

Он говорит: «Не надо извиняться за слезы. Без эмоций мы были бы всего лишь роботами». Он протягивает мне салфетки из коробочки на заднем сиденье. «Давай покатаемся», — предлагает он.

Джованни прав: интернет-кафе — слишком людное и ярко освещенное место для истерик. Мы отъезжаем чуть дальше и останавливаемся в центре пьяцца делла Република — одной из самых аристократичных площадей Рима. Джованни паркуется у великолепного фонтана с обнаженными нимфами в весьма откровенных позах, резвящимися со стаей огромных лебедей, чьи вытянутые шеи определенно похожи на фаллические символы, а вся эта картинка — на откровенную порнографию. По римским понятиям фонтан относительно новый. Как говорится в моем путеводителе, для него позировали две сестры, в свое время известные танцовщицы кабаре. Когда фонтан был построен, им выпала скандальная слава — церковь несколько месяцев пыталась запретить его открытие, посчитав слишком эротичным. Сестры прожили долгую жизнь, и в двадцатых годах этих почтенных пожилых дам по-прежнему можно было увидеть на площади: они ежедневно приходили полюбоваться на «свой» фонтан. А французский скульптор, запечатлевший их юную красоту в мраморе, каждый год до самой смерти приезжал в Рим и угощал сестер обедом. Они вместе вспоминали старые добрые времена, когда все трое были молоды, красивы и безрассудны.

Припарковавшись, Джованни ждет, пока я не приду в себя. Я крепко прижимаю ладони к глазам, пытаясь затолкнуть слезы обратно. Мы с Джованни никогда еще не говорили на личные темы. Знакомы несколько месяцев, уже раз сто вместе поужинали — а говорили все о философии, искусстве, культуре, политике и еде. А вот что происходит у каждого в личной жизни, совсем не догадываемся. Джованни даже не знает, что я в разводе, а в Америке у меня остался любимый. А мне о нем известно только то, что родился он в Неаполе и хочет стать писателем. Но после того как я расплакалась, у нас неизбежно должен состояться разговор совсем другого толка. Я этому совсем не рада. Во всяком случае, не при таких позорных обстоятельствах.

Джованни говорит:

— Извини, я ничего не понимаю! Ты сегодня что-то потеряла?

Мне все еще трудно говорить. Джованни улыбается и подбадривает меня:

— *Parla come magni.* — Он знает, это одно из моих любимых выражений на римском диалекте. Дословно оно означает «говори, как ешь», а в моем собственном переводе — «будь проще». Это такое напоминание — когда слишком усердно пытаешься что-то объяснить, не можешь подобрать нужные слова, лучше всегда говорить простым и незатейливым языком — таким же простым, как римская еда. Ни к чему драматизировать. Просто расскажи все как есть.

Я делаю глубокий вдох и излагаю сильно сокращенную (но вместе с тем абсолютно точную) версию своей истории на итальянском:

— Любовные дела, Джованни. Сегодня мне пришлось расстаться с одним человеком.

Тут мне снова приходится закрыть глаза руками — слезы так и брызжут сквозь стиснутые пальцы. Слава Богу, Джованни не пытается меня обнять, и, кажется, его ничуть не смущают проявления моих чувств. Он лишь молча сидит рядом со мной, пока я плачу, и ждет, пока я успокоюсь. А потом с искренним участием, осторожно выбирая слова, медленно, четко и добродушно говорит (поскольку английскому его учила я, в тот вечер я так им гордилась!):

— Я понимаю, Лиз. И я там был.

29

Через несколько дней в Рим приехала моя сестра, и это развеяло остатки моей грусти. Жизнь снова закрутилась. Сестра все делает быстро, производя вокруг себя энергетические мини-циклоны. Она на три года меня старше и на семь сантиметров выше. Она занимается спортом, наукой, воспитывает детей и пишет книги. В Риме сестра готовилась к марафону — вставала на рассвете и пробегала восемнадцать миль, а я за это время успевала лишь прочитать одну статью в газете и выпить две чашки капучино. Когда она бегает, то похожа на оленя. Во время беременности первенцем она переплыла озеро — ночью, в темноте. Я не рискнула к ней присоединиться, хоть и не была беременна. Я просто побоялась. А моя сестра ничего не боится. Когда она была беременна вторым ребенком, акушерка спросила ее, нет ли у нее потаенных страхов, что с малышом что-то будет не так — генетический недостаток или осложнения при родах. Кэтрин ответила: «У меня только один страх: что он вырастет и станет республиканцем».

Мою сестру зовут Кэтрин. В семье нас только двое. Мы выросли в деревне, в Коннектикуте, и, кроме нас и родителей, на нашей ферме больше никого не было. Мы были единственными детьми в округе. Кэтрин любила хозяйничать и повелевать и вечно мною командовала. Я же питала к ней страх и трепет, меня интересовало только ее мнение. Когда мы играли в карты, я жульничала, чтобы проиграть, — а то не дай бог Кэтрин рассердится. Мы не всегда были друзьями. Она считала меня докучливой, а я ее боялась, кажется, лет до двадцати восьми — пока мне не надоело. В тот год я наконец нашла силы ей возразить — а она только удивилась, как я раньше на это не решилась.

Только наши отношения вошли в новое русло, как началась катавасия с моим бывшим мужем. Кэтрин легко могла бы посмеяться над моей неудачей. Ведь я всегда была самой везучей и обожаемой, любимицей семьи и баловнем судьбы. Жизнь всегда относилась ко мне более приветливо, на мою долю выпало меньше тягостей, чем на долю сестры, которая была не в ладах с окружающим миром и не раз получала сдачи. Узнав о моем разводе и депрессии, Кэтрин вполне могла бы ответить: «Ха! Ну и посмотрите теперь на нашу мисс Совершенство!» Но вместо этого она поддержала меня, как настоящий друг. Когда я в расстройстве звонила ей посреди ночи, она всегда отвечала и участливо поддакивала в трубку. Когда я стала искать причины своей депрессии, она все время была рядом. Можно сказать, мы с ней вместе ходили к психотерапевту: в течение очень долгого времени я звонила ей после каждого сеанса и вкратце описывала все, что узнала во время сегодняшнего приема, а Кэтрин откладывала все свои дела и говорила: «Ага... это многое объясняет». Это многое объяснило нам обеим.

Теперь мы созваниваемся почти каждый день — по крайней мере, так было до того, как я переехала в Рим. Если кому-то из нас предстоит авиаперелет, мы всегда звоним друг другу и говорим: «Не хочу наводить панику, но... хочу просто сказать, что люблю тебя. Знаешь, мало ли что...» А другая отвечает: «Знаю. Мало ли что».

Кэтрин приехала в Рим подготовленной — впрочем, как всегда. Она взяла пять путеводителей, прочитала их все и заранее выучила карту города. Она научилась ориентироваться в Риме, еще будучи в Филадельфии. Вот классический пример того, какие мы разные. Я первые недели бродила по городу без цели, в девяноста процентов случаев не зная дорогу, зато в восторге на все сто — все вокруг казалось непостижимой, но прекрасной тайной. И мне мир кажется таким всегда. Однако для моей сестры нет ничего необъяснимого, если под рукой подходящий справочный материал. Не забывайте: мы имеем дело с человеком, который хранит на кухне «Энциклопецию Колумбийского университета» — рядом со сборниками рецептов — и читает ее чисто для удовольствия.

У меня даже есть одна игра, в которую я обожаю играть с друзьями. Она называется «Следите за мной!» Стоит кому-то упомянуть какой-либо малоизвестный факт (скажем, «Святой Людовик... это еще кто?»), как я кричу: «Следите за мной!» — а затем беру трубку и набираю номер Кэтрин. Бывает, я застаю ее за рулем «вольво», когда она забирает детишек из школы, и тогда она отвечает не сразу: «Святой Людовик... ну это король Франции, который носил власяницу, что очень любопытно, потому что...»

И вот сестра является в Рим — в город, где я теперь живу, — и для меня же проводит экскурсию. Это Рим, каким его видит Кэтрин. Он состоит из фактов, дат и архитектурных зданий, которых я никогда не замечала, потому что моя голова работает по-другому. Что касается мест и людей, меня всегда интересуют только связанные с ними истории — это единственное, на что я обращаю внимание, а архитектурные детали побоку. (Через месяц после того как я поселилась в римской квартире, Софи зашла в гости и заметила: «Какая у тебя красивая розовая ванная!» Тогда я впервые обратила внимание, что она действительно розовая. Поросяче-розовая от пола до потолка, вся в розовой плитке, — честное слово, то был первый раз, когда я это увидела.) Но натренированный взгляд сестры тут же отмечает, построено ли здание в готическом, романском или византийском стиле; каким орнаментом выложен храмовый пол; что за незаконченная фреска незаметно приютилась в тусклой нише за алтарем. Она мерит римские улицы длинными шагами (в детстве мы говорили: «А у Кэтрин ноги из шеи растут»), а я семеню ей вслед, как семенила всегда, с самого младенчества, — каждый ее шаг — как два моих.

— Ты только посмотри, Лиз, — восхищается она, — как они приделали фасад девятнадцатого века поверх кирпичной кладки! Спорим, стоит завернуть за угол, и... ну что я тебе говорила? Они действительно оставили исходные римские монолиты в качестве балок! Наверняка потому, что человеческих сил недостаточно, чтобы сдвинуть их с места. Не базилика, а сборная солянка какая-то...

Кэтрин несет карту и путеводитель «Мишлен Грин», а я — еду́ для пикника (две огромные булки величиной с софтбольный мяч, острая колбаса и маринованные сардины, фаршированные мясистыми зелеными оливками; грибной паштет со вкусом леса, комочки копченой моцареллы, аругула, присыпанная перцем и поджаренная на гриле, виноградные помидорчики, сыр пекорино, минеральная вода и охлажденное белое вино). Я все думаю, когда же мы наконец будем есть, а Кэтрин размышляет вслух: «Ну почему о Трентском соборе вечно так мало информации?»

Вместе мы осматриваем с добрый десяток церквей, и все они смешиваются у меня в голове — святой тот и этот и прочие святые Некто, Босые Мученики Праведного Самоограничения. Я не помню названий и не знаю подробностей о нескончаемых контрфорсах и свесах, но это вовсе не значит, что мне не нравится заходить в эти церкви вместе с сестрой. От ее васильковых глаз ничто не ускользает. Уж не помню, в какой именно церкви фрески показались мне слишком похожими на героическую роспись нашего Управления общественных работ*, зато помню, как Кэтрин показала их мне и заметила: «Тебе должны понравиться эти папы в стиле Франклина Рузвельта...» Еще помню утро, когда мы пораньше встали и пошли на службу в церковь Святой Сусанны и держались за руки, слушая, как монахини распевают предрассветные грегорианские гимны, — и у обеих слезы стояли в глазах от их пения, разносящегося незамолкающим эхом. Моя сестра не слишком религиозна, как и все в нашей семье (я считаю себя белой вороной). Мои духовные искания вызывают у нее чисто интеллектуальное любопытство. И в той церкви она шепчет мне:

— Какая у них прекрасная вера... Но я все равно бы не смогла, никогда не смогла бы...

---

* Федеральное независимое ведомство, созданное в 1935 году по инициативе президента Ф. Д. Рузвельта и ставшее основным в системе трудоустройства безработных в ходе осуществления Нового курса. Просуществовало до 1943 года.

Вот еще один пример различий в наших взглядах. Недавно одну семью, что живет с сестрой по соседству, постигла двойная трагедия: молодой маме и ее трехлетнему малышу поставили диагноз — рак. Когда Кэтрин мне об этом рассказала, я могла лишь потрясенно ответить: «О Господи! Теперь им только милость Божья поможет». Кэтрин же категорично парировала: «А кто поможет им обеды варить?» После чего собрала всех соседей и организовала посменное обеспечение бедного семейства горячими ужинами — каждый вечер, в течение целого года. Не знаю, понимает ли сестра, что *это и есть* Божья милость.

Мы выходим из церкви Святой Сусанны, и Кэтрин говорит:

— Знаешь, почему папы должны были заниматься городским планированием в Средние века? Потому что каждый год со всего западного мира съезжались два миллиона католических паломников, чтобы преодолеть путь от Ватикана до базилики Святого Иоанна на Латеране, — бывало, что и на коленях. И всех этих людей нужно было как-то разместить.

У моей сестры есть одна религия — наука. Ее священная книга — Оксфордский словарь. Склоняя голову над книгой, она водит пальцем по странице, и это — ее Бог. Позднее тем же днем я вижу ее за молитвой: она падает на колени посреди римского форума, расчищает мусор на земле (как будто с доски вытирает), берет маленький камушек и рисует для меня очертания классической романской базилики. Потом указывает на руины перед нами и снова на свой рисунок, и в конце концов я понимаю (даже я, у которой визуальное восприятие явно хромает), как выглядело это здание восемнадцать веков назад. Кэтрин рисует в воздухе несуществующие своды, неф и окна, которых давно нет. Она — как Гарольд из сказки про волшебный карандаш*: чего нет — дополнит с помощью воображения, что давно разрушено — снова сделает целым.

В итальянском языке есть временна́я форма, используемая очень редко: *passato remoto*, давнопрошедшее время. Оно используется, когда речь идет об очень далеком прошлом, о событиях, которые случились так давно, что они уже не имеют влияния на

---

* «Гарольд и фиолетовый карандаш» — ставшее классикой произведение для детей американского писателя и карикатуриста Крокетта Джонсона (настоящее имя Дэвид Джонсон Лиск, 1906—1975). При помощи волшебного карандаша Гарольда оживает все, что он рисует, в том числе дорожка на Луну.

говорящего, — к примеру, об античной истории. Но, если бы моя сестра говорила по-итальянски, для разговоров об античной истории *passato remoto* ей было бы ни к чему. Ведь, по ее понятиям, римский форум — никакое не давнопрошедшее, и даже не прошедшее время. Он такой же настоящий и реальный, как и я.

Кэтрин уезжает завтра.

— Послушай, — говорю я, — позвони, когда самолет приземлится, ладно? Не хочу наводить панику...

— Знаю, сестренка, — отвечает она. — Я тоже тебя люблю.

## 30

*П*росто удивительно иногда ловить себя на мысли, что у Кэтрин есть муж и дети, а у меня нет. Мне почему-то всегда казалось, что все выйдет наоборот. И это у меня будет полон дом грязных ботинок и орущих деток, а Кэтрин будет жить одна, сама по себе, и читать на ночь в кровати. Но мы выросли и стали такими, как есть, опровергнув все детские прогнозы. Хотя, пожалуй, так даже лучше. Несмотря на все ожидания, каждый создал себе ту жизнь, что больше всего ему подходит. Кэтрин по природе одиночка, и, значит, ей нужна семья, чтобы не страдать от одиночества; я же веселушка, и, значит, мне никогда не придется беспокоиться о том, что я останусь одна — пусть даже у меня никого нет. Я рада, что Кэтрин едет домой, к родным, и счастлива, что у меня впереди еще девять месяцев путешествий — и все это время мне не придется заниматься ничем другим, кроме как есть, читать, молиться и писать.

Я так и не поняла, хочу ли вообще детей. Осознав в тридцать лет, что не хочу ребенка, я сама себе удивилась; как вспомню тот шок, так сразу зарекаюсь давать обещания насчет того, что будет со мной в сорок. Могу только сказать, что чувствую в данный момент: я очень рада своему одиночеству. Я также уверена, что не стану торопиться и заводить детей лишь потому, что потом могу и пожалеть, что их у меня не было; эта мотивация не кажется мне слишком убедительной, чтобы подарить нашему миру очередного младенца. Хотя порой люди решают продолжить род именно по этой причине: чтобы застраховать себя от разочарований.

Пожалуй, люди заводят детей по разным причинам: иногда потому, что им хочется о ком-то заботиться и наблюдать за развитием новой жизни; иногда потому, что у них нет выбора; бывает, что таким образом пытаются удержать партнера или произвести наследника; а некоторые вообще рожают безо всяких рассуждений. Не все эти причины равноценны, и не все альтруистичны. Впрочем, то же самое можно сказать о причинах *не иметь* детей. Но вместе с тем не все они свидетельствуют об эгоизме.

Я заговорила об этом, потому что никак не могу смириться с обвинением, которое не раз предъявлял мне муж, по мере того как наш брак разваливался, — с обвинением в эгоизме. Когда он называл меня эгоисткой, я всегда безропотно соглашалась и принимала его обвинения, все до последнего. Ну надо же — еще даже не родила детей, а уже пренебрегаю ими, заранее ставлю себя на первое место! Не успев стать матерью, я стала плохой матерью. Эти дети — несуществующие дети — не раз всплывали в наших ссорах. А кто о детях заботиться будет? Кто будет сидеть с ними дома? Кто станет деньги зарабатывать? Кто будет кормить детей среди ночи? Помню, когда жить с мужем стало совсем невыносимо, я сказала Сьюзан: «Мои дети в такой семье расти не будут!» И Сьюзан ответила: «Может, хватит разговоров о каких-то непонятных детях? Этих детей нет, Лиз. Почему бы тебе не признать, что это ты не хочешь жить несчастливо? И твой муж тоже. Лучше бы вам сейчас это понять, а не в родовой, когда матка раскроется на пять сантиметров!»

Помню, как раз тогда меня пригласили на вечеринку в Нью-Йорке. У одной пары — оба были известными художниками — только что родился малыш, а мама к тому же праздновала и открытие новой галереи, где проходила выставка ее картин. Помню, я смотрела на эту женщину, маму новорожденного, мою подругу, художницу, которая пыталась одновременно быть хозяйкой на приеме (он проходил в ее квартире-студии), баюкать малыша и общаться на профессиональные темы. Признаюсь, прежде мне не приходилось видеть людей, столь явно страдавших от недосыпа. В жизни не забуду, как она стояла на кухне после полуночи перед грудой грязной посуды в раковине и пыталась прибрать после гостей. Ее муж (мне неприятно говорить об этом, и я, разумеется, понимаю, что не все мужья ведут себя так) сидел в соседней комнате, закинув ноги на кофейный столик, и смотрел телевизор. В конце концов она попросила его помочь на кухне, на что он крикнул: «Да брось ты все — утром уберем». Ребенок проснулся и заплакал. Грудь у моей подруги потекла, угробив ее коктейльное платье.

Но я ничуть не сомневаюсь, что другие гости на той вечеринке ушли с совсем другими впечатлениями. Кто-то наверняка позавидовал этой красивой женщине, у которой и здоровый малыш, и успешная творческая карьера, и замечательный муж, и чудесная квартира, и такое модное коктейльное платье. На вечеринке были люди, готовые, ни секунды не раздумывая, поменяться с ней местами — будь у них такая возможность. Да и сама хозяйка — случись ей подумать о тех временах — наверняка вспоминает тот праздник как утомительный, но стоящий затрат времени и сил вечер, один из многих в ее в общем-то неплохой жизни, где есть и материнство, и брак, и карьера. Но лично я провела весь вечер, дрожа от паники, с одной-единственной мыслью: «Надо быть идиоткой, чтобы не понимать: вот оно, твое будущее, Лиз. И ты ни в коем случае не должна этого допустить».

Достаточно ли я ответственна, чтобы заводить семью? Ну вот, опять это слово — ответственность. Оно давило на меня до тех пор, пока я не решила задуматься и тщательно его осмыслить, разбив на составляющие, которые, собственно, и отражают его истинное значение: способность давать *ответ*. А в данный момент ответа требовала реальность, где каждая клеточка моего существа рвалась покончить с замужней жизнью. Внутренняя система раннего оповещения давала сигнал о том, что если я и дальше буду продолжать прокладывать дорогу локтями в этом болоте, то доведу себя до раковой опухоли. И что рожать детей лишь потому, что мне трудно и стыдно выяснять неприглядную правду о себе, будет как раз проявлением кошмарной безответственности, а не наоборот.

В конце концов мне больше всего помогли слова моей подруги Шерил, которая в тот вечер обнаружила меня в ванной роскошной студии нашей общей знакомой, где я пряталась, дрожа от страха и опрыскивая лицо водой. Шерил тогда не знала, что мой брак разваливается. Этого не знал никто. И я ей ни в чем не призналась. Сказала лишь: «Я не знаю, что делать». А Шерил взяла меня за плечи, со спокойной улыбкой посмотрела в глаза и ответила: «Говори правду, только правду и ничего, кроме правды».

Именно так я и попробовала поступить.

Однако развод — это тяжело, и не только с финансово-юридической точки зрения или потому, что вся жизнь встает с ног на голову. (Подруга Дебора однажды дала мудрый совет: «Никто еще не умирал от того, что приходилось делить мебель».) Убийственнее всего эмоциональная реакция, то потрясение, которое испытываешь, соскочив с накатанной колеи привычного образа жизни и потеряв все те многочисленные удобства, из-за которых многие так и катят по одной дорожке до конца жизни. Найти партнера и создать семью — основной путь продолжения рода и обретения социальной значимости в американском (да и любом другом) обществе. Я убеждаюсь в этом каждый раз — стоит мне побывать на семейном торжестве у маминых родственников в Миннесоте и увидеть, как счастливы эти люди занимать определенную ячейку в определенный отрезок времени. Сначала они были детьми, потом стали подростками, молодоженами, родителями, пенсионерами, бабушками и дедушками — и на каждом этапе точно известно, кто ты такой и какие обязанности это подразумевает. Это также определяет место, где надлежит садиться во время семейных торжеств. В детстве надо сидеть с другими детьми, в старшей школе — с подростками, потом с молодыми родителями, дальше — с пенсионерами. Пока наконец не окажешься в тенечке в компании девяностолетних стариков, довольно взирающих на отпрысков. И кто ты тогда? Ясное дело — тот, кто все это создал. Удовлетворение возникает немедленно и более того — считается чем-то общепринятым. Сколько раз мне приходилось слышать, как люди называли своих детей величайшим жизненным достижением и отрадой! В период метафизического кризиса, в размышлениях о том, не зря ли проходит жизнь, их именно это и успокаивает — *пусть в других отношениях моя жизнь и была никчемной, по крайней мере, я как следует воспитал детей.*

Но что, если ты выпала из накатанного цикла «семья — продолжение рода», будь то по собственному выбору или против него, по стечению обстоятельств? Что, если ты оказалась в стороне? Где тогда тебе садиться на семейных праздниках? И как отмечать временны́е вехи, не опасаясь, что бессмысленно просвистела отпущенное тебе время? Тогда нужно искать другую цель, другую систему мер для человеческого успеха. Я люблю детей, но что, если у меня их не будет? Что я тогда за человек?

Вирджиния Вульф писала: «Жизнь женщины — это широкий континент, поперек которого лежит тень от меча». Один конец этого меча — условности, традиции и порядок, где «все идет своим чередом». Но есть и другой конец, и, если вам хватит безрассудства перейти черту и выбрать жизнь, не поддающуюся условностям, «все смешается. Все пойдет непредсказуемо». Вирджиния Вульф считала, что, выбравшись за границу тени меча, женщина обретет более полноценное существование, но нет сомнений — оно будет и более опасным.

Я рада, что у меня есть мои книги. Эту отговорку люди способны понять. «Она ушла от мужа, чтобы ничто не мешало ее творческой карьере». И отчасти это правда — но только отчасти. Ведь у многих писателей есть семьи. К примеру, Тони Моррисон наличие сына не помешало стать обладательницей такого пустячка, как Нобелевская премия. Но у Тони Моррисон свой путь, а у меня — свой. Бхагавадгита, древнеиндийский текст, утверждает, что лучше небезупречно прожить свою судьбу, чем жить, подражая другим, и достичь в этом деле совершенства. Так что я теперь живу своей жизнью. И пусть это выходит неидеально и неуклюже, моя жизнь отражает мою внутреннюю сущность — во всем.

Короче говоря, я все это рассказываю, чтобы признать: по сравнению с сестрой, у которой и дом, и счастливый брак, и дети, я выгляжу не слишком-то устроенной. У меня даже нет адреса — а это прямо-таки преступление против нормальности для моих тридцати четырех лет. В данный момент все мои пожитки хранятся в доме у Кэтрин, а на верхнем этаже она выделила мне временную спальню (мы зовем ее «домом незамужней кумушки»: там есть даже мансардное окошко, сквозь которое можно любоваться вересковыми пустошами, нарядившись в старое свадебное платье и оплакивая ушедшую юность). Кэтрин это полностью устраивает, а меня — тем более, но я осознаю риск: ведь если слишком задержаться в этом состоянии, недолго превратиться в посмешище для всей семьи. А может, я им уже стала? Летом прошлого года пятилетняя племяшка пригласила друга в гости, и я спросила малыша, когда у него день рождения. Оказалось, двадцать пятого января.

— Ого-го! — воскликнула я. — Ты — Водолей! У меня столько Водолеев было, что я уж знаю — от них только беды и жди!

Пятилетки с непониманием и даже, я бы сказала, пугливым недоверием, воззрились на меня. И тут в голове промелькнула ужасная картина: в кого я могу превратиться, если не буду достаточно осторожна. Сумасшедшая тетка Лиз. Разведенка в балахоне с крашенными в оранжевый волосами, которая не ест молочные продукты, но курит ментоловые сигареты и вечно то приезжает с очередного «астрологического круиза», то ссорится с бойфрендом-ароматерапевтом. Она гадает дошколятам по картам Таро и выдает фразочки типа: «Принеси тетушке Лиз еще винца, малыш, и она даст тебе свой магический кристалл...»

Рано или поздно мне придется стать более адекватной гражданкой, и я это прекрасно понимаю.

Но не сейчас... умоляю. Только не сейчас.

## 31

*З*а следующие несколько недель я побывала в Болонье, Флоренции, Венеции, на Сицилии и Сардинии, еще раз съездила в Неаполь, после чего отправилась в Калабрию. По большей части то были короткие путешествия — на неделю или выходные, просто чтобы успеть прочувствовать местную атмосферу, осмотреться, поспрашивать людей на улице, где тут вкусно кормят, а потом наесться до отвала. Я бросила занятия в академии — мне стало казаться, что они мешают мне учить итальянский, ведь я вынуждена торчать в классе, вместо того чтобы мотаться по всей Италии, где можно разговаривать непосредственно с людьми.

Эти несколько недель спонтанных передвижений — просто восхитительный период времени, отрезок моей жизни, когда я, как никогда, ощущала себя свободной, то и дело бегала на вокзал, покупала билеты и наконец научилась по-настоящему наслаждаться своей свободой — ведь до меня дошло, что я могу поехать куда угодно. С римскими друзьями мы все это время не виделись. Джованни позвонил и назвал меня *sei una trottola* (волчком). Однажды ночью где-то на Средиземноморском побережье я просыпаюсь от глубокого сна в своем номере в отеле, разбуженная собственным смехом. Удивленно оглядываюсь —

кто это смеется в моей кровати? Поняв, что это за смех, начинаю смеяться еще больше. Теперь уже не вспомнить, что мне снилось. Но кажется, что-то, связанное с лодками.

## 32

Во Флоренции провожу всего лишь одни выходные: сажусь в поезд в пятницу утром, и он быстро доставляет меня на встречу с дядей Терри и тетей Деб, которые прилетели из Коннектикута — впервые в жизни увидеть Италию и повидаться с племянницей, конечно. Они приезжают вечером, и я веду их смотреть кафедральный собор, который производит впечатление на всех. Мой дядя не исключение:

— Ой-вей! — охает он, но сразу замолкает и добавляет: — Наверное, не слишком подходящий комплимент для католического храма.

Мы глядим, как прямо посреди сада скульптур истязают сабинянок, и никто ни черта не делает, чтобы это прекратить; отдаем должное Микеланджело, Музею наук и панорамам с опоясывающих город холмов. После чего предоставляю дядю и тетю самим себе и одна еду в Лукку, городок в Тоскане, где царит богатство и изобилие. Это родина знаменитых мясных лавок, где витринах призывно выставлены лучшие из виденных мною в Италии куски мяса, которые как будто манят: «Мы знаем, вы хотите нас съесть». Под потолком раскачиваются колбасы всевозможных размеров, цветов и составов, затянутые в облегающие «чулочки», точно дамские ножки. В витринах висят похотливые ветчинные ляжки, заманивающие прохожих, как дорогие амстердамские проститутки. Цыплята даже после смерти выглядят столь упитанными и довольными, что начинает казаться, будто они сами гордо взошли на жертвенный алтарь, победив в прижизненном соревновании за титул самого сочненького и жирненького. Но Лукка славится не только мясом; чего стоят каштаны, персики, аппетитные горы инжира... М-м-м, инжир...

Разумеется, город знаменит еще и тем, что здесь родился Пуччини. Я понимаю, что теоретически это должно быть мне интересно, но почему-то гораздо большее любопытство у меня вызывает секрет, открытый местным бакалейщиком: лучшие в городе грибы подают в ресторане как раз напротив дома, где родился Пуччини. И вот я блуждаю по Лукке, спрашивая дорогу по-итальянски: «Не подскажете, где дом Пуччини?» Наконец один дружелюбный горожанин приводит меня прямо к этому дому. Но тут, — несомненно, к его огромному удивлению, — я говорю *grazie*, разворачиваюсь на сто восемьдесят градусов и иду в сторону, прямо противоположную музею, вхожу в ресторан и пережидаю дождь за порцией *risotto ai funghi**.

Не помню, ездила ли я в Болонью до или после Лукки. Помню лишь, что город был так прекрасен, что я все время напевала: «У моей Болоньи есть второе имя! Кра-са-ви-ца!» А вообще-то, у Болоньи, с ее прелестными домами из кирпича и баснословным изобилием, есть и традиционное прозвище — Красная, Толстая, Прекрасная. (Кстати, это был один из вариантов названия этой книги.) Местная кухня, бесспорно, лучше, чем в Риме, — а может, болонские повара просто кладут больше сливочного масла? Даже болонское мороженое вкуснее (пишу это и чувствую себя предательницей, но так и есть). Здешние грибы похожи на большие толстые похотливые языки, а ломтики прошутто**, выложенные на пиццу — точь-в-точь как тончайшая кружевная вуаль поверх роскошной дамской шляпки. Ну и, безусловно, соус *bolognese***, рядом с которым любое рагу кажется жалкой насмешкой.

Именно в Болонье я вдруг понимаю, что в английском нет эквивалента выражению *buon appetite****. Как жалко — и как символично. Я также вижу, что даже остановки на итальянской железной дороге — словно экскурсия в мир знаменитой гастрономии и вин: Парма*****... следующая остановка — Болонья... следующая — Монтепульчиано******... В поезде без еды тоже никак: здесь продают крошечные бутерброды и настоящий горячий шоколад. На ули-

---

* Ризотто с грибами.
** Пармская ветчина.
*** Мясной соус для пасты.
**** Приятного аппетита.
***** Родина прошутто, или пармской ветчины (prosciutto di Parma).
****** Montepulciano d'Abruzzo — знаменитый сорт винограда и красное вино.

це дождь, и оттого еще приятнее обедать и нестись вперед. В этом долгом путешествии мой попутчик по купе, симпатичный молодой итальянец, спит всю дорогу, пока на улице льет дождь, а я уминаю свой салат с осьминогами. Незадолго до Венеции он просыпается, трет глаза, внимательно оглядывает меня с ног до головы и заспанным голосом говорит:

— *Carina*. (Хорошенькая.)

— *Grazie mille*, — преувеличенно любезно отвечаю я. (Тысяча благодарностей.)

Парень удивлен. Не думал, что я говорю по-итальянски. По правде, я тоже не думала, но вот мы болтаем уже двадцать минут, и я вдруг понимаю — действительно говорю! Я словно перешла черту и вдруг заговорила по-итальянски. Не перевожу каждое слово, а именно разговариваю. Пусть в каждом предложении ошибки, и я знаю всего три времени, но все же легко и без усилий общаюсь со своим соседом. Итальянцы говорят *me la cavo*, то есть «как-нибудь разберусь». В этом выражении используется глагол «откупорить» — в смысле откупорить бутылку вина, — и дословно оно обозначает примерно вот что: «Я могу говорить на этом языке, чтобы выбраться из сложной ситуации».

А юнец тем временем со мной заигрывает. И мне это отнюдь не претит. Ведь парень очень даже ничего. Но вместе с тем наглости ему не занимать. К примеру, решив сделать мне комплимент, он заявляет по-итальянски:

— Для американки ты не очень жирная.

Отвечаю по-английски:

— А ты для итальяшки не слишком масленый!

— *Come?*

— Ты очень любезен, как и все итальянские мужчины, — отвечаю я по-итальянски, слегка изменив смысл фразы.

Я умею говорить! Мальчишка думает, что я на него запала, но на самом деле я кокетничаю со словами. Меня словно прорвало! Язык развязался, и итальянские фразы льются — не остановить! Парень предлагает встретиться в Венеции, но меня он ни капли не интересует. Я влюблена в итальянский, так что пусть идет на все четыре стороны. К тому же в Венеции у меня уже назначено свидание. Я должна встретиться со своей подругой Линдой.

Чокнутая Линда (мне нравится ее так называть, хотя никакая она не чокнутая) приехала в Венецию из Сиэтла — мокрого и серого городишки вроде Нью-Йорка. Линда захотела навестить меня в Италии, и я пригласила ее именно на этом этапе путешествия, потому что отказываюсь, то есть не желаю категорически, отправляться в самый романтический город на планете Земля в полном одиночестве — только не сейчас, не в этом году. Так и представляю: одна, как пень на корме гондолы, тащусь сквозь туман под песнь гондольера и... читаю журнал? Печальная картина. Все равно что одной карабкаться на гору на тандемном велике. Вот Линда и составит мне компанию — а спутница из нее что надо.

Наша встреча с Линдой, а также ее дредами и пирсингом произошла на Бали почти два года назад, во время того самого йога-семинара. С тех пор мы успели вместе съездить в Коста-Рику. Лучше попутчицы, чем она, и не придумаешь. Линда — невозмутимый, смешной и на удивление организованный человечек в узких штанах из мятого алого бархата. Она обладает самой крепкой психикой в мире: слово «депрессия» ей вообще неизвестно, а что самооценка бывает еще и низкая, она даже никогда и не слыхала. Как-то раз, глядя на себя в зеркало, Линда сказала: «Нет, я конечно идеальна не во всем, но ничего не могу поделать — люблю себя, и все тут». У нее есть способность затыкать меня всякий раз, когда я начинаю занудствовать на темы вечности, как-то: «В чем природа Вселенной?» (На это она отвечает: «Один только вопрос: зачем тебе знать?») Линда мечтает в один прекрасный день отрастить свои дреды до такой длины, чтобы можно было соорудить из них башню на проволочном каркасе на макушке, что-то вроде фигурно подстриженного деревца, и, может, даже, поселить там птичку. Балинезийцы в ней души не чаяли. И костариканцы тоже. В Сиэтле Линда держит ручных ящериц и хорьков, а в свободное время возглавляет отдел разработки программного обеспечения и зарабатывает в сто раз больше, чем любой из нас.

И вот мы в Венеции. Линда разглядывает карту города, нахмурив брови, потом переворачивает ее вверх ногами и находит наш отель, а сориентировавшись, объявляет со свойственной ей скромностью: «Этот городишко у нас в кармане!»

Ее жизнерадостность и оптимизм — полная противоположность этому зловонному, заторможенному, уходящему под воду, загадочному, молчаливому и странному городу. Мне кажется, Венеция — самое подходящее место, чтобы умереть медленной смертью от алкогольного отравления, или потерять любимого, или избавиться от орудия убийства, из-за которого кто-то потерял любимого. Побывав в Венеции, я порадовалась, что выбрала в качестве места проживания Рим. Тут мне с антидепрессантов так быстро было бы не сняться. Венеция прекрасна, как прекрасны фильмы Бергмана: ею можно восхищаться, но жить здесь как-то не хочется.

Весь город разваливается и линяет, как те многометровые покои, что некогда состоятельные семейства накапливают в своих особняках, когда ухаживать за домом становится уже не по карману и гораздо проще попросту заколотить двери и забыть об увядающей роскоши, что за ними осталась, — вот это и есть Венеция. Задворки Адриатики, чьи подернутые масляной пленкой воды подтачивают многострадальный фундамент домов, испытывая на прочность дилетантский научный эксперимент четырнадцатого века: *а что, если построить город прямо на воде?*

Венеция под мутно-серым ноябрьским небом — зрелище жутковатое. Город скрипит и раскачивается, как рыболовный настил. Вопреки первоначальной самонадеянности Линды, что город у нас в кармане, мы теряем дорогу каждый день, особенно по вечерам, сворачивая в темные и опасные закоулки, выводящие прямиком к каналу. Однажды туманным вечером наш путь лежит мимо древнего здания, которое словно стонет от боли. «Не бойся, — щебечет Линда. — Это у Сатаны в брюхе урчит». Я учу ее своему любимому слову — *attraversiamo* («давай перейдем улицу»), и мы нервно пятимся прочь.

У прекрасной молодой венецианки, которой принадлежит ресторан поблизости нашего отеля, несчастная судьба. Венецию она ненавидит. Клянется, что все местные жители считают это место могилой. Однажды она влюбилась в художника с Сардинии, и он обещал отвезти ее в другой мир — где свет и солнце. Но вместо этого бросил с тремя детьми, не оставив другого выбора, как вернуться в Венецию и взять в свои руки управление семейным рестораном. Мы с ней одного возраста, но она выглядит даже старше: трудно представить мужчину, способного сотворить подобное с женщиной такой красоты. («Он был могущественным человеком, — говорит она, — а я умерла от любви в его тени».) Венеция — консервативный город. У хозяйки ресторана было несколько романов, даже с женатыми, но все кончались плохо. Соседи о ней судачат. Мать умоляет носить обручальное кольцо хотя бы для вида: «Дорогая, это не Рим, где можно вести распутную жизнь, если тебе захочется». Утром, когда мы с Линдой спускаемся к завтраку и спрашиваем печальную молодую (старую?) хозяйку, какой прогноз погоды, она приставляет палец правой руки к виску на манер пистолета и говорит: «Опять дождь».

Но все же депрессия обходит меня стороной. Меланхолия тонущей Венеции не заразна и в некоторой степени даже прекрасна, если пробыть здесь всего несколько дней. Сердцем я понимаю, что эта меланхолия не имеет никакого отношения ко мне, это собственное свойство города, а я достаточно хорошо себя чувствую, чтобы увидеть разницу между Венецией и мною. Это признак выздоровления, невольно думаю я, залечивания моих душевных ран. Прежде, в течение нескольких лет безграничного отчаяния, я действительно переживала все страдания мира как собственные. Грусть просачивалась сквозь меня, оставляя за собой мокрые следы.

К тому же нелегко впасть в депрессию, когда рядом не умолкает Линда: то пытается уговорить меня купить огромную фиолетовую меховую шапку, то возмущается по поводу жутко невкусного ужина, который нам как-то подали. «Это были подогретые рыбные палочки?» Линда — как светлячок. В Средние века в Венеции была такая профессия — *codega*: человек с зажженным фонариком шел впереди по ночам и показывал путь, отпугивая воров и демонов и вселяя чувство уверенности и защищенности на темных улицах. Вот это и есть Линда — мой временный маленький *codega*, доставленный по спецзаказу.

33

Несколько дней спустя выхожу из поезда в Риме и попадаю в атмосферу душной, солнечной, вечной неразберихи. Стоит ступить на улицу — как становятся слышны завывания проходящей неподалеку *manifestazione*, очередной демонстрации рабочих, — как крики фанатов на футбольном поле. Таксист не говорит, чем вызвана забастовка на этот раз, главным образом потому, что ему нет дела. «'Sti cazzi», — шипит он бастующим вслед. (Дословный пере-

115

вод: «Долдоны эти», то есть, по-нашему, козлы.) Приятно вернуться в Рим. После степенной, чопорной Венеции приятно вернуться туда, где мимо подростков, развлекающихся прямо посреди улицы, ходят мужчины в куртках под леопарда. Этот город не спит, он живой, нарядный, сексуальный, и здесь все время солнце.

Помню, что сказал мне как-то раз муж Марии Джулио. Мы сидели в открытом кафе и болтали по-итальянски, и он спросил, каковы мои впечатления о Риме. Я ответила, что мне здесь очень нравится, но в глубине души я понимаю, что это не мой город, не то место, где я хотела бы прожить остаток дней. В Риме есть что-то такое, что не совсем согласуется с моей натурой, только вот никак не пойму, что именно. И тут, прямо во время нашего разговора, наглядный ответ на мой вопрос сам прошел мимо. Это была типичная римлянка — фантастически ухоженная, обвешанная драгоценностями дама сорока с небольшим на десятисантиметровых шпильках, в обтягивающей юбке с разрезом «по самое не хочу» и темных очках, сверкающих, как гоночный автомобиль (и стоящих наверняка не меньше). Она прогуливала крошечного модного песика на усыпанном брильянтами поводке, а меховой воротник ее облегающей куртки выглядел так, словно был сделан из шкурки второго такого же модного песика. Весь ее вид источал ауру нечеловеческого гламура и говорил без слов: «Можете меня разглядывать, но я на вас и не подумаю взглянуть». Если бы мне сказали, что эта женщина в жизни хоть раз, хоть десять минут, ходила с ненакрашенными ресницами, ни за что бы не поверила. Она была полной противоположностью мне: ее стиль в одежде моя сестра характеризует как «Стиви Никс* идет в йога-студию в бархатном спортивном костюме».

Я показала ее Джулио и сказала:

— Гляди, Джулио, вот это римлянка. Мы с ней в одном городе не уживемся. Здесь место лишь одной из нас. И кажется, мы оба знаем, кому именно.

На что Джулио ответил:

— Может, у вас с Римом просто разные слова.

— Как это?

И тут Джулио объяснил — на смеси английского, итальянского и языка жестов, — что каждому городу соответствует девиз,

_____
* Солистка группы «Флитвуд Мэк».

116

определенное слово, которое характеризует место и людей, в нем живущих. Если бы можно было прочесть мысли людей, идущих по улице в одном и том же городе, оказалось бы, что большинство из них думают об одном и том же. Это и есть слово, соответствующее месту. И если то слово, что ты считаешь главным, не вяжется с девизом города, тебе там делать нечего.

— И какое же слово у Рима? — спрашиваю я.

— СЕКС, — отвечает Джулио.

— Это же римский стереотип!

— Вовсе нет.

— Но должны же быть в Риме люди, которые не думают о сексе!

— Нет. В Риме все без исключения думают об этом целыми днями.

— Даже в Ватикане?

— В Ватикане все иначе. Это не часть Рима. У них там другой девиз. ВЛАСТЬ.

— А я думала — РЕЛИГИЯ...

— ВЛАСТЬ, — повторил Джулио. — Поверь мне. Но у Рима — СЕКС.

Так вот, если верить Джулио, этим маленьким словом — СЕКС — в Риме вымощены все тротуары под ногами. Оно струится в фонтанах и гудит в воздухе, как уличный шум. Все только тем и занимаются, что думают о нем, одеваются ради него, ищут его, размышляют о нем, отказываются от него, превращают его в спорт и игру. Теперь мне понятно, почему Рим, вопреки своему очарованию, не представляется мне городом, где я могла бы поселиться. По крайней мере, сейчас. Ведь СЕКС — не мое слово. Были времена, когда оно было моим, но не сейчас. Поэтому главный посыл Рима, кружась по улицам, натыкается на меня и отскакивает в сторону, не производя никакого эффекта. Главное слово меня не касается, поэтому я вроде как живу здесь неполноценной жизнью. Дурацкая теория, которую невозможно доказать, но мне она нравится.

Джулио спрашивает:

— А у Нью-Йорка какое слово?

Я недолго думаю и отвечаю:

— Это глагол, иначе и быть не может. Мне кажется, ДОСТИГАТЬ.

(Что касается слова для Лос-Анджелеса, здесь есть одно тонкое, но значительное отличие, хотя это тоже глагол — ДОСТИЧЬ. Я рассказываю об этой теории моей шведке Софи, и она решает, что девиз Стокгольма в таком случае — ЕДИНООБРАЗИЕ, а это нагоняет тоску на нас обеих.)

Я спрашиваю Джулио:

— А у Неаполя какой девиз?

Он хорошо знаком с югом Италии.

— БОРОТЬСЯ, — отвечает он. — А каким словом ты бы охарактеризовала свою семью?

Вопросик на засыпку. Вот бы придумать слово, сочетающее в себе понятия БЕРЕЖЛИВОСТЬ и ОТСУТСТВИЕ ПОЧТЕНИЯ К КОМУ БЫ ТО НИ БЫЛО. Но Джулио не дожидается ответа и переходит к следующему очевидному вопросу: а твое слово?

На этот вопрос у меня точно нет ответа.

Правда, теперь, поразмыслив над этим несколько недель, я могу дать кое-какие наметки. Во-первых, я знаю, какие слова стопроцентно мне не соответствуют. БРАК — и слепому ясно. СЕМЬЯ (хотя за те несколько лет, что мы прожили с мужем, это слово стало просто вездесущим, оно совершенно не мое: оттого и причина всех мучений.) ДЕПРЕССИЯ — теперь уже нет, и слава Богу. Не думаю, что мне подходит стокгольмское ЕДИНООБРАЗИЕ; но и нью-йоркское ДОСТИГАТЬ тоже уже не мое, хотя до тридцати лет это, безусловно, был мой девиз. Возможно, мое слово — ИСКАТЬ? (Но, если честно, ПРЯТАТЬСЯ мне подходит не меньше.) В последние несколько месяцев в Италии моим девизом было УДОВОЛЬСТВИЕ, но это слово не совсем гармонирует с моей сущностью — иначе хотелось бы мне уехать в Индию? ПРЕДАННОСТЬ — еще один возможный вариант, но, услышав это слово, можно вообразить меня святошей, и оно никак не отражает литры выпитого мною вина.

Так что ответа у меня нет, но ведь я отправилась в путешествие на год именно за тем, чтобы его найти. Найти свое слово. Одно знаю точно — это не СЕКС.

По крайней мере, так я утверждаю. Но почему тогда сегодня ноги сами привели меня в секретный бутик на виа Кондотти, где под опытным руководством томной итальянской продавщицы я провела несколько сказочных часов (и потратила сумму, равную билету до Штатов) и накупила столько белья, что наложнице султана хватило бы на тысячу и одну ночь? Лифчиков всех форм и силуэтов. Прозрачных коротеньких комбинашек и развратных трусов, окрашенных во все цвета радуги, как яйца в пасхальной корзинке. Из кремового атласа и нежнейшего, как кожа новорожденного, шелка с завязочками ручной работы — сплошное бархатно-кружевное безобразие.

Никогда в жизни у меня не было такого белья. Так почему именно сейчас купила? Выпорхнув из магазина с грудой завернутых в красивую бумажку финтифлюшек, я вдруг вспомнила возмущенный возглас римского фаната «Лацио», что слышала на днях во время матча, когда звезда команды Альбертини в критический момент передал мяч непонятно кому, по неясной причине разом завалив игру.

— *Per chi???* — полубезумно заорал фанат. — *Per chi???*

Кому? Кому ты передаешь мяч, Альбертини? Никого же нет!

И вот, выйдя на улицу после многочасового забытья в бельевом бутике, я вспомнила эти слова и повторила шепотом: *«Per chi?»*

Кому, Лиз? Кому предназначен этот образ гламурной совратительницы? Ведь никого же нет. Мне осталось жить в Италии всего пару недель, а желания с кем-либо спать не возникало совершенно. Или возникало? Неужели римский девиз, витающий на улицах, добрался и до меня? И это моя последняя попытка стать итальянкой? Подарок самой себе — или несуществующему даже в моем воображении любовнику? Попытка вылечить раны, нанесенные моему либидо катастрофическим для сексуальной самооценки прошлым романом?

И я спросила себя: неужели ты потащишь все это хозяйство в Индию?

34

И в этом году день рождения Луки Спагетти выпадает на День благодарения, и он хочет устроить праздник с индейкой. Он никогда не ел большую, жирную запеченную американскую индейку, каких мы зажариваем в День благодарения, — хотя на картинке видел. Лука считает, что скопировать праздник будет легко, учитывая, что я, настоящая американка, буду ему помогать. Он говорит, что его друзья, Марио и Симона, разрешили воспользоваться их кухней — у них большой красивый дом в горах, в пригороде Рима, и Лука всегда отмечает там свои дни рождения.

Лука составил такой план: заскочить за мной примерно в семь вечера, после работы, после чего выехать из Рима в направлении севера — дорога до дома друзей занимает около часу, а там нас уже будут ждать другие гости вечеринки. Мы выпьем вина, я познакомлюсь с приятелями Луки, а потом, часов в девять, можно будет и десятикилограммовую индеечку зажарить.

Пришлось объяснить Луке, сколько времени нужно, чтобы зажарить десятикилограммовую индейку. Если следовать его плану, гости смогут полакомиться угощением лишь к рассвету следующего дня. Лука был просто уничтожен.

— А что, если купить маленькую индеечку? Новорожденную? — предложил он.

На что я отвечала:

— Лука, давай сделаем проще и закажем пиццу, как и все нормальные американские семьи в День благодарения.

Но Лука все равно расстроился. Вообще-то, в Риме в последнее время невесело. Похолодало. Санитарная служба и железнодорожники забастовали в один и тот же день. Вышло исследование, согласно которому у тридцати шести процентов детей в Италии аллергия на глютен, содержащийся в пасте, пицце и хлебе, — кирдык итальянской гастрономической культуре. Того хуже: недавно в газете была статья под шокирующим заголовком *«Insoddisfatte 6 Donne su 10!»* То есть шесть из десяти итальянок сексуально неудовлетворены. Мало того, тридцать пять процентов итальянцев признаются, что у них трудности с *un'erezione*, что весьма озадачивает ученых, а меня заставляет задуматься, не пора ли слову СЕКС перестать быть девизом Рима.

Что касается более серьезных плохих новостей, девятнадцать итальянских солдат недавно погибли в американской войне (так ее здесь называют) в Ираке. В Италии такого числа жертв не было со времен Второй мировой. Смерть ребят потрясла римлян, в день их похорон в городе все было закрыто. Большинство итальянцев не желают ввязываться в войну Джорджа Буша. Решение об этом принял премьер-министр Италии Сильвио Берлускони, больше известный в этих краях как *l'idiota*. Этот тупой владелец футбольного клуба, разжиревший от взяток и аморального образа жизни, регулярно позорит своих сограждан, похотливо жестикулируя в Европейском парламенте. Он в совершенстве овладел искусством *l'aria fritta* (накалять воздух), искусно манипулировать СМИ (что нетрудно, когда являешься их владельцем), и в общем и целом ведет себя как пристало не уважающему себя главе государства, а, скорее, мэру Уотербери (шутка, которую поймут лишь те, кто живет в Коннектикуте*, уж извините). И вот теперь он ввязал итальянцев в войну, которая их не касается совершенно.

«Они погибли за свободу», — заявил Берлускони на похоронах девятнадцати итальянских солдат. Но бо́льшая часть римлян придерживаются иного мнения: эти ребята умерли из-за личной вендетты Джорджа Буша. В нынешнем политическом климате следовало ожидать, что американским туристам в Италии придется несладко. Не стану отрицать, приехав сюда, я рассчитывала встретить определенную долю негатива, но большинство итальянцев отнеслись ко мне с пониманием. Стоит всплыть имени Буша, как они кивают в сторону Берлускони и говорят: «Мы все понимаем — и у нас есть свой Буш».

*И мы там были.*

Странно, что в данных обстоятельствах Лука хочет совместить свой день рождения с американским Днем благодарения, хотя идея мне нравится. День благодарения — замечательный праздник, американцы могут смело им гордиться — это единственное наше национальное торжество, оставшееся относительно некоммерциализированным. День милосердия, благодарности, объединения... да и удовольствия тоже. Это то, что всем нам сейчас так необходимо.

Моя подруга Дебора приехала из Филадельфии на выходные, чтобы отпраздновать со мной День благодарения. Она всемирно признанный психолог, писательница и теоретик феминизма, но для меня навсегда останется любимой постоянной клиенткой — с тех дней, когда я работала официанткой в филадельфийской забегаловке, а Дебора приходила на ланчи, заказывала диетическую колу безо льда и глубокомысленно вещала через барную

---

* Два мэра Уотербери, Джозеф Сантопьетро и Филип Джордано, отсидели тюремный срок за финансовые преступления, совершенные во время пребывания на посту.

стойку. Она была единственным приличным человеком в той дыре. Мы дружим уже больше пятнадцати лет. Софи тоже приглашена к Луке на вечеринку. Мы с ней дружим уже почти пятнадцать недель. Вообще, в День благодарения любому гостю рады. Особенно, если праздник совпадает с днем рождения Луки Спагетти.

Поздно вечером покидаем усталый, замученный стрессами Рим и едем в горы. Лука обожает американскую музыку, и мы ставим *Eagles* на полную громкость и вместе поем: «Давай оттянемся е-ще ра-зок!» Хотя калифорнийский саундтрек и странноват для путешествия сквозь оливковые рощи и старинные акведуки. И вот мы в доме Марио и Симоны, приятелей Луки и родителей двенадцатилетних близняшек Джулии и Сары. Паоло — друг Луки, которого я уже знаю по футбольным матчам, — тоже там, со своей подружкой. И конечно, Джулиана, девушка Луки — она приехала пораньше. Дом просто шикарный, он укрыт в роще оливковых, апельсиновых и лимонных деревьев. Горит камин. Оливковое масло — домашнее.

Разумеется, на десятикилограммовую индейку не осталось времени, и взамен Лука тушит кусочки грудки индейки, а я руковожу стихийной группой по приготовлению традиционной начинки, стараясь как можно точнее припомнить рецепт. Начинка сделана из хлебных крошек (какого-то крутого итальянского хлеба), в нее внесены необходимые региональные преобразования (финики вместо абрикосов, фенхель вместо сельдерея). И получается, как ни странно, отлично. Лука волновался, как мы будем общаться, ведь половина гостей не знает английского, а другая половина — итальянского (а шведским и вовсе владеет одна Софи), но, кажется, мы имеем дело с одним из тех волшебных вечеров, когда все идеально понимают друг друга, а если слово и забудется, сосед поможет перевести.

Уж не помню, сколько бутылок сардинского вина мы выпили, прежде чем Дебора предложила последовать славному американскому обычаю взяться за руки и по очереди сказать, за что мы больше всего благодарны. И вот мы изливаем нашу благодарность на трех языках — один за другим.

Начинает Дебора: она благодарна за то, что у Америки в скором времени появится шанс переизбрать президента. Софи (сперва на шведском, затем на итальянском и в заключение на английском) благодарит итальянцев за их добрые сердца и четыре месяца сплошного удовольствия в этой стране. Мы пускаем слезу, когда Марио, хозяин дома, сам со слезами на глазах выражает признательность Богу за работу, благодаря которой он смог купить этот дом для семьи и друзей. Смеемся, когда Паоло в свою очередь говорит спасибо за то, что у Америки вскоре появится шанс переизбрать президента. И дружно и почтительно замолкаем, когда Сара, одна из хозяйских двенадцатилетних дочек, храбро делится своими чувствами и благодарит Господа за то, что сегодня она здесь с такими замечательными людьми. В последнее время в школе ей приходится несладко, другие ученики над ней издеваются, — «поэтому спасибо вам за то, что вы такие добрые, и не злые, как они». Девушка Луки благодарна за то, что все эти годы он был предан ей и заботился о ее родных в тяжелые времена. Симона, хозяйка, прослезившись пуще мужа, говорит спасибо за новую традицию праздновать и воздавать благодарности, принесенную в их дом чужими девушками из Америки, которые на самом деле вовсе не чужие, а друзья Луки, а значит, и их друзья.

Когда приходит моя очередь говорить, я произношу: «*Sono grata...*» — но потом понимаю, что не могу высказать свои истинные мысли вслух. Ведь на самом деле мне хочется сказать спасибо за то, что я освободилась от депрессии, которая годами глодала меня, как крыса, и проделала такие дыры в моей душе, что еще недавно я не смогла бы получить удовольствие от такого вот чудесного вечера. Об этом я молчу — не хочу пугать детей. Вместо этого отвечаю просто и честно: благодарна за новых и старых друзей, рада, особенно сегодня, что у меня есть Лука Спагетти. И надеюсь, что его тридцать третий день рождения будет счастливым и он проживет долгую жизнь и станет примером для других людей — примером того, как быть щедрым, преданным и добрым. Глаза у меня на мокром месте, но, кажется, никто не против — они все тоже плачут.

Лука так расчувствовался, что не может найти слов и в конце концов говорит всем нам:

— Ваши слезы в моих молитвах.

Вино с Сардинии льется рекой. И пока Паоло моет посуду, Марио укладывает сонных дочерей в постель, Лука играет на гитаре, а остальные хором поют пьяные песни Нила Янга с разномастными акцентами, Дебора, моя подруга-феминистка-психолог, тихо говорит мне:

— Ты только посмотри на этих славных итальянских мужчин. Видишь, как они не стесняются выражать свои чувства, как искренне заботятся о своих родных? С каким вниманием и уважением относятся к женщинам и детям. Не верь тому, что пишут в газетах, Лиз. В этой стране все в порядке.

Вечеринка заканчивается лишь на рассвете. Выходит, мы вполне успели бы зажарить десятикилограммовую индейку и съесть ее на завтрак. Лука Спагетти довозит нас с Деборой и Софи до самого Рима. Солнце всходит, и мы помогаем ему не уснуть, распевая рождественские гимны. Тихая ночь, священная ночь, волшебная ночь... Мы поем эти строки на всех языках и вместе едем в Рим.

## 35

В войне с итальянской кухней я проиграла. После четырех месяцев в Италии ни одни штаны на меня не налезают. Не лезет даже одежда, купленная месяц назад (после того как я не влезла в джинсы «второго месяца в Италии»). Менять гардероб каждые несколько недель мне не по карману, к тому же я знаю, что скоро поеду в Индию, где лишние килограммы растают сами собой, но все же... В этих штанах я шагу ступить не могу. И это невыносимо.

Впрочем, это и понятно, учитывая, что недавно я взвесилась в одном шикарном итальянском отеле и выяснила, что за четыре месяца в Италии поправилась на одиннадцать килограммов — поистине выдающаяся статистика. Примерно семь из них мне и не мешало набрать, так как за тяжелые годы развода и депрессии я превратилась в скелет. А еще парочку прибавила так, для удовольствия. Что до последних двух — это уж чисто чтобы отполировать.

Вот почему сегодня я иду покупать предмет гардероба, который буду хранить вечно, как милый сердцу сувенир: джинсы «последнего месяца в Италии». Юная продавщица вежливо приносит мне все новые и новые размеры, передавая их через занавесочку без лишних комментариев и лишь заботливо спрашивая время от времени, не подошли ли те или эти. А я то и дело выглядываю из-за шторки и говорю: «А нет у вас вот таких чуть-чуть побольше?» Наконец милая девушка приносит штаны с такой талией, что больно смотреть. Я выхожу из примерочной и показываюсь ей.

Она смотрит на меня не мигая, как куратор галереи, оценивающий старинную вазу. Очень большую вазу.

— Carina, — наконец выдает она. (Симпатичная.)

Говоря по-итальянски, прошу ее честно ответить, не похожа ли я в этих джинсах на корову.

— Нет, signorina, — отвечает девушка. — Вы не похожи на корову.

— А на кабана?

— Нет, — на полном серьезе отвечает она. — Вы ни капли не кабан.

— А на буйвола?

Это отличный способ потренировать словарный запас. К тому же мне хочется, чтобы девушка улыбнулась, но она, похоже, намерена хранить профессиональную невозмутимость.

И тут я пробую последнее средство:

— Может, я похожа на шарик буйволиной моцареллы?

Девушка улыбается краем рта и соглашается:

— Да, может быть. Может, чуть-чуть похожа на шарик моцареллы...

## 36

Осталась всего неделя. На Рождество, прежде чем отправиться в Индию, я планирую вернуться в Штаты — и не только потому, что ненавижу праздновать Рождество вдали от родных, но и затем, что для следующих восьми месяцев путешествия — по Индии и Индонезии — мне потребуется полная переукомплектация багажа. Многие из вещей, без которых в Риме не прожить, совершенно бесполезны в странствиях по Индии.

Отчасти для того чтобы подготовиться к путешествию в Индию, решаю провести последнюю неделю на Сицилии. Это самый «неевропейский» регион Италии, и потому — весьма подходящее место для тех, кто хочет подготовиться к встрече с крайней нищетой. А может, я еду туда потому, что Гёте как-то сказал: «Не увидев Сицилии, нельзя составить ясное представление об Италии».

Но добраться до Сицилии и передвигаться по самому острову оказывается не так уж просто. Приходится призвать на помощь все свои разведывательные способности, чтобы найти поезд, отправляющийся в воскресенье и идущий вдоль побережья, а потом разыскать нужный паром до Мессины (зловещего и подозрительного сицилийского портового городишки, из-за глухих ворот которого словно слышен вой: «Не по своей вине я стал таким уродцем! Пришлось вынести и землетрясения, и бомбежки, и надругательства мафии!»). Прибыв в Мессину, искать автобусную остановку (закопченную, как легкие курильщика) и дядьку, чья работа — сидеть в кассе и жаловаться на судьбу, а потом еще умолять его, не соблаговолит ли он продать мне билет до прибрежной Таормины. До самой Таормины трястись в автобусе, колесящем вдоль скал и отмелей длинного и рваного сицилийского побережья, и там искать такси и гостиницу. А потом высматривать подходящего человека, которому можно было бы задать мой любимый вопрос, по-итальянски, разумеется: «Где тут лучше всего кормят?» В Таормине таким человеком оказывается сонный полицейский. И именно он дарит мне один из самых чудесных в жизни подарков — бумажку с названием какого-то непонятного ресторана и нарисованную от руки карту, как туда пройти.

Ресторан оказывается маленькой тратторией. Добродушная пожилая хозяйка готовится к наплыву вечерних клиентов: стоит на столе в одних чулках и протирает окна, грозясь опрокинуть рождественские ясли. Я сразу заявляю, что меню смотреть не буду: пусть лучше принесет мне самое вкусное блюдо, потому что я первый день на Сицилии. Хозяйка довольно потирает руки и кричит что-то на сицилийском диалекте своей маме, еще более старенькой, которая хозяйничает на кухне, — и не проходит и двадцати минут, как я за обе щеки уплетаю самый потрясающий обед за все четыре месяца в Италии. Это паста, но пасту такой формы мне еще видеть не приходилось: большие свежие листы, свернутые на манер равиоли и по форме (но не по размеру) напоминающие шапочку Папы Римского; внутри — ароматное пюре из моллюсков, осьминогов и кальмаров, и все это перемешано, как горячий салат, со свежими ракушками и мелко порезанной соломкой из овощей, и все плавает в бульоне из морепродуктов, заправленном оливковым маслом. На второе — тушеный с тимьяном кролик.

Но в Сиракузах, куда я отправляюсь на следующий день, оказывается еще лучше. Пыхтящий автобус высаживает меня на углу под холодным дождем уже почти вечером. Город влюбляет меня сразу. В Сиракузах под ногами трехтысячелетняя история. Это родина цивилизации столь древней, что Рим в сравнении выглядит Далласом. Легенда повествует, что Дедал прилетел в Сиракузы с Крита, а Геракл здесь как-то ночевал. Сиракузы были греческой колонией, и, по словам Фукидида*, городом, «ни в чем не уступавшим самим Афинам». Этот город был звеном, связывавшим Древнюю Грецию и Древний Рим. Здесь жили многие античные драматурги и ученые. Платон считал Сиракузы идеальным местом для проведения утопического эксперимента, в ходе которого «божественным распоряжением судьбы» правители стали бы философами, а философы — правителями. По мнению историков, именно здесь, помимо всего прочего, были изобретены риторика и сюжет литературного произведения.

Когда я гуляю по рынкам этого ветхого городка и вижу старика в черной шерстяной шапке, который потрошит рыбу для покупательницы (воткнув сигарету в зубы для сохранности, как швея держит булавки во рту, прокладывая шов; нож отделяет филе с рачительным перфекционизмом), сердце бурлит от любви, ее не объяснить, не описать. Я робко любопытствую у рыбака, где он посоветует поужинать, и ухожу от него, зажав в кулаке еще одну бумажку, ведущую меня в маленький безымянный ресторан. Там, стоит лишь сесть за столик — как официант приносит воздушные облачка рикотты, присыпанные фисташками, ломти хлеба, плавающие в ароматном масле, крошечные блюдца с нарезанными колбасами и оливками, салат из охлажденных апельсинов с соусом из сырого лука и петрушки. Все это еще до того, как мне сообщают о фирменном блюде из кальмара.

«Вне зависимости от законов, ни один город не может жить мирно, — писал Платон, — пока там царит праздность и люди лишь едят, пьют и утомляют себя любовными утехами».

Но так ли плохо пожить в таком стиле недолго? Так ли ужасно посвятить несколько месяцев жизни путешествию с единственной целью — искать очередное место, где бы вкусно накор-

---

* Фукидид (около 460—400 до н. э.) — древнегреческий историк из знатной афинской семьи, автор «Истории Пелопоннесской войны».

мили? Или выучить язык безо всякого серьезного повода, а лишь потому, что он приятен на слух? Или прикорнуть в саду в лужице солнечного света посреди дня, рядом с любимым фонтаном? А назавтра проделать то же самое?

Конечно, всю жизнь так нельзя. Реальность, войны, трагедии и смерть рано или поздно вмешаются в эту идиллию. Здесь, на Сицилии, с ее ужасающей бедностью, реальность неотступно в мыслях людей. Который век подряд единственный успешный бизнес на острове ведут мафиози (бизнес заключается в том, чтобы оберегать граждан от самих себя); они и по сей день контролируют всех и вся. Палермо — Гёте окрестил его городом невыразимой красоты — теперь превратился, пожалуй, в единственное место в Западной Европе, где под ногами до сих пор валяются обломки времен Второй мировой, что дает ясное представление о его развитии. Безобразные и небезопасные для жизни многоквартирные дома, в огромном количестве построенные мафией в восьмидесятых для отмывания денег, изуродовали его до неописуемой степени. Когда я спросила одного из местных жителей, сделаны ли эти здания из дешевого бетона, он ответил: «Нет, что вы, это очень дорогой бетон. В каждом из блоков замурованы тела людей, убитых мафией, а это стоит денег. Зато кости и зубы хорошо укрепляют бетонную конструкцию».

Не легкомысленно ли думать о вкусной еде в такой обстановке? Или перед лицом жестокой реальности это лучшее, что можно сделать? В своем шедевральном произведении тысяча девятьсот шестьдесят четвертого года «Итальянцы» (появившемся потому, что автор устал от книг об Италии, написанных иностранцами, где те либо перехваливали ее, либо, наоборот, смешивали с грязью) Луиджи Барзини попытался докопаться до правды о своей стране. Он попытался ответить на вопрос: почему Италия, во все века порождавшая величайшие культурные, политические и научные умы, так и не стала великой мировой державой? Почему мастера словесной дипломатии, которым нет равных на планете, оказываются совершенно непригодными, когда дело доходит до внутренней политики? Почему поодиночке они отважны, но, объединившись в армию, терпят поражение? Как можно быть дальновидным торговцем в собственной лавке и при этом иметь абсолютно неэффективную национальную экономику?

Его ответы на вопросы так сложны, что трудно будет пересказать их вкратце, но в качестве основной причины он называет печальную итальянскую традицию взяточничества на местном уровне и эксплуатацию иностранными доминаторами. Все это в конце концов привело итальянцев к выводу, что никому и ничему в мире нельзя доверять — на первый взгляд вывод верный. Поскольку мир продажен, лжив, нестабилен, сложен и несправедлив, следует доверять лишь тому, что можно испытать при помощи чувств, — и именно поэтому по части чувств итальянцам нет равных в Европе. Именно поэтому, утверждает Барзини, итальянцы готовы терпеть ужасающе некомпетентных генералов, президентов, тиранов, профессоров, бюрократов, журналистов и промышленных магнатов, но в жизни не потерпят некомпетентных «оперных певцов, дирижеров, балерин, куртизанок, актеров, режиссеров, поваров и портных». В мире хаоса, катастроф и обмана порой можно верить лишь красоте. Художественное совершенство непродажно. Удовольствие нельзя выторговать. И иногда еда становится единственной твердой валютой.

Вдохновенно творить красоту и наслаждаться ею — дело серьезное, и не всегда это способ сбежать от действительности, наоборот: порой это — средство остаться в реальном мире, когда все остальное рассыпается на сплошную риторику и сюжетные интриги. Не так давно сицилийские власти арестовали объединившихся в братство католических монахов, глубоко погрязших в заговоре с мафией. Так кому же теперь доверять? Во что верить? Мир недобр и несправедлив. Достаточно высказаться против этой несправедливости — и, по крайней мере на Сицилии, закончишь жизнь в фундаменте безобразной новостройки. Как сохранить чувство собственного человеческого достоинства, обитая в такой среде? Может статься, что и никак. А может, единственный выход — гордиться тем, что всегда безукоризненно отделяешь рыбное филе от костей и делаешь самую воздушную рикотту в городе?

Не хочу никого оскорблять, проводя слишком уж явную параллель между собой и многострадальным сицилийским народом. Мои жизненные трагедии носили личный и в большинстве своем надуманный характер, не имея ничего общего с эпической картиной притеснения. Развод и депрессия — это вам не несколько веков убийственной тирании. У меня был личностный кризис, но были и возможности (финансовые, творческие, эмоциональные) этот кризис преодолеть. Но все же не могу не заметить, что поколения сицилийцев, сохранившие чувство собственного достоинства, и я, заново обретшая самоуважение, сделали это благодаря одной и той же идее, а именно: убежденности, что умение ценить жизненные удовольствия и есть то самое, что удерживает на плаву человеческую сущность. Кажется, именно это имел в виду Гёте, говоря, что надо побывать на Сицилии, чтобы понять Италию. Именно это я чувствовала инстинктивно, когда решила приехать сюда, в Италию, чтобы разобраться в себе.

Ведь в те минуты, когда я лежала в ванне в Нью-Йорке и читала вслух слова из итальянского словаря, мои душевные раны и начали затягиваться. Моя жизнь рассыпалась на кусочки, я изменилась до такой степени, что не узнала бы саму себя — поставь меня в шеренгу с другими подозреваемыми в полицейском участке. Но, начав учить итальянский, я ощутила проблеск счастливой жизни, а когда после черной полосы начинаешь видеть свет в конце тоннеля, надо хвататься за него всеми руками и ногами и не отпускать до тех пор, пока он не вытянет тебя лицом вверх из болота. И это не эгоизм, а необходимость. Тебе подарили жизнь, и твой долг (и человеческое право) искать в жизни красоту, пусть даже это всего лишь проблеск.

Я явилась в Италию нервной и тощей. Тогда я еще не знала, чего заслуживаю в жизни. И может, до сих пор до конца не осознала это. Но ясно одно: за этот период я собрала себя по кусочкам и с помощью невинных удовольствий превратилась в гораздо более целостное существо. Одним словом, я *набрала вес* — эта фраза по-человечески, проще и точнее всего выражает мою трансформацию. Теперь я ощущаю свое присутствие в мире гораздо отчетливее, чем четыре месяца назад. Я уезжаю из Италии, став намного *больше*, чем до своего приезда. Уезжаю с надеждой, что рост одного человека — расширение его жизненных горизонтов — само по себе примечательное событие. Пусть даже человек, которому повезло на этот раз, — не кто иной, как я.

# КНИГА ВТОРАЯ

## *Индия,*

или

«Карашо пожаловать!»,

или

36 историй о поиске веры

## 37

В детстве у нас были цыплята. Их всегда было не меньше десятка, и, когда один умирал — их и ястреба таскали, и лисицы, не говоря уж о загадочных цыплячьих болезнях, — папа тут же заменял его на нового. Ехал на соседнюю птицеферму и возвращался с новым цыпленком в мешке. Но дело в том, что подсаживать нового цыпленка к старым нужно очень осторожно. Нельзя просто поместить его к «старичкам» — они воспримут это как вторжение на их территорию. А сделать нужно вот что: ночью, пока остальные спят, тихонько подсадить новую птицу в курятник. Посадить ее на жердочку рядом со стаей и на цыпочках выйти. Утром, когда цыплята проснутся, они не заметят новенького, потому что будут думать: «Мы не видели, как он пришел, значит, он был здесь все время». Но самый прикол, что и новенький, проснувшись в новой стае, не понимает, что его только принесли, и думает: «Наверное, это и есть мой курятник».

Такое же чувство возникает у меня по приезде в Индию.

Мы садимся в Мумбаи в половине второго ночи. Тридцатого декабря. Высмотрев свой багаж, я сажусь в такси, где мне предстоит ехать несколько часов — ашрам находится в глухой деревне. Рассекая дорогу по ночной Индии, я дремлю, иногда просыпаюсь и смотрю в окно — странные призрачные фигуры худых женщин в сари бредут вдоль дороги со связками хвороста на голове. В такой час? Нас обгоняют автобусы с темными фарами, а мы обгоняем тележки, запряженные волами. Гибкие корни баньяна расползаются по дорожным канавам.

В половине четвертого мы подъезжаем к воротам ашрама и останавливаемся прямо у храма. Пока я вылезаю из такси, из потемок появляется молодой человек в западной одежде и шерстяной шапочке. Мы знакомимся: это Артуро, мексиканский журналист; ему двадцать четыре, и он — последователь моей гуру, его послали меня встретить. Пока мы шепотом обмениваемся приветствиями, я вдруг слышу знакомые первые такты моего любимого санкритского гимна, доносящиеся из глубин храма. Это *арати*, первое утреннее богослужение, которое проводится ежедневно в половине четвертого, с пробуждением ашрама. Я указываю на храм и спрашиваю у Артуро разрешения присоединиться, и он жестом говорит «пожалуйста». И вот я расплачиваюсь с таксистом, ставлю рюкзак за дерево, снимаю ботинки, опускаюсь на колени и касаюсь лбом ступени храма, после чего проскальзываю внутрь и сажусь рядом с небольшой группкой женщин, в основном индианок, поющих прекрасный гимн.

Я зову этот гимн санкритской «Милостью Господней»*: он полон стремления служить Господу. Это единственное религиозное песнопение, которое я выучила наизусть, — не столько потому, что надо, сколько потому, что нравится. Я начинаю петь знакомые слова на санкрите, от простого вступления, повествующего о священном йогическом учении, к восходящим нотам воспевания («Я поклоняюсь истокам Вселенной... Я поклоняюсь тому, чьи глаза — солнце, луна и огонь... Ты — все для меня, о Бог богов...»). А в последних строках кристаллизуется сама суть веры («Это совершенно, то совершенно; если Ты отнимешь совершенное от совершенного, совершенное останется»).

Женщины замолкают. Молча кланяются, выходят через боковую дверь, шагают через темный дворик и входят в другой храм, поменьше, где почти темно, горит лишь одна масляная лампа и пахнет благовониями. Я иду следом. В храме множество послушников как индийской, так и европейской наружности, и все сидят, завернувшись в шали, чтобы защититься от предрассветного холода. Они медитируют, усевшись в ряд, как цыплята на жердочке, и я тихонько сажусь рядом — новый цыпленок в курятнике, не замеченный никем. Я усаживаюсь, скрестив ноги, опускаю руки на колени и закрываю глаза.

Я не медитировала четыре месяца. Мало того, все это время у меня даже в мыслях не было медитировать. И вот я сижу. Дыхание успокаивается. Произношу про себя мантру, в первый раз медленно и четко, слог за слогом:

---

* «Милость Господня» («Amazing Grace») — известный христианский гимн, считается национальным гимном племени чероки.

*Ом.*

*На.*

*Мах.*

*Ши.*

*Ва.*

*Йя.*

*Ом намах шивайя.*

*Я кланяюсь божественной сущности, заключенной внутри меня.*

Потом снова повторяю мантру. И еще раз. И еще. Я даже не медитирую, а осторожно смахиваю пыль со своей мантры, как с бабушкиного фарфора, долго пролежавшего в коробке без дела. То ли я засыпаю, то ли впадаю в зачарованное забытье, но счет времени теряется. И когда тем утром в Индии наконец встает солнце, все открывают глаза и оглядываются по сторонам, мне кажется, что Италия уже за тридевять земель — а я в своем курятнике, где и была все время.

## 38

— Зачем мы занимаемся йогой?

Как-то раз в Нью-Йорке учитель задал нам этот вопрос во время особенно сложного занятия. Мы стояли, скрутившись в изнурительной позе «треугольника», а учитель нарочно заставлял держать асану дольше, чем нам того хотелось.

— Зачем мы занимаемся йогой? — повторил он. — Для того чтобы стать гибче, чем человек на соседнем коврике? Или на то есть более возвышенная причина?

«Йога» на санскрите означает «единство». Это слово происходит от корня «йюдж» — «сливаться, соединяться», — то есть посвящать себя какой-либо задаче полностью, соблюдая абсолютную дисциплину. А задача йоги — обрести единство: тела и сознания, личности и божественного, мыслей и источника их возникновения, учителя и ученика, и даже нас и наших менее гибких соседей по залу. На Западе йога известна в основном благодаря физическим упражнениям, в которых тело скручивается в крендель, но это лишь хатха-йога — одна из ветвей йогической философии. На самом же деле древние йоги разработали асаны вовсе не для того, чтобы держать тело в форме, а чтобы освободить мышцы и разум и подготовиться к медитации. Очень трудно сидеть неподвижно несколько часов подряд, если у тебя, скажем, болит нога. Это отвлекает от размышлений о внутренней сущности, ведь в мыслях постоянно крутится: «Черт, как же болит нога!»

Йога — это и поиски Бога посредством медитации, обета молчания, религиозного служения или мантр, то есть повторения священных слов на санскрите. Хотя некоторые из этих практик весьма напоминают индуистские ритуалы (и произошли от них), йога и индуизм — это не одно и то же, и не все индуисты обязательно являются йогами. Настоящая йога не соперничает с другими религиями и не является препятствием к их исповеданию. Путь йоги — дисциплинированная практика священного единения — может помочь вам приблизиться к Кришне, Иисусу, Мохаммеду, Будде или Иегове. За время пребывания в ашраме я видела послушников, причислявших себя к христианам, иудаистам, буддистам, индуистам и даже мусульманам. Были и те, кто вовсе не желал говорить о своей религиозной принадлежности, — и в нашем полном предубеждений мире их можно понять.

Путь йоги состоит в том, чтобы освободиться от внутренних качеств, мешающих человеческому существованию. В сильно упрощенном виде их можно охарактеризовать одной фразой: это саморазрушительная неспособность быть довольным жизнью. Веками различные философские течения пытались по-разному обосновать этот, судя по всему, врожденный человеческий недостаток. Даосы считали, что всему виной дисбаланс, буддисты винили невежество, в исламе причина несчастий — непокорность человека Богу, а в иудаизме и христианстве все человеческие страдания традиционно сваливают на первородный грех. Фрейдисты полагают, что неудовлетворенность неизбежно проистекает из конфликта между природными стремлениями человека и ограничениями цивилизации. (Дебора, та самая подруга-психолог, говорит, что сексуальное желание — дефект человеческой конструкции.) Но в йоге считается, что причиной человеческих невзгод является всего лишь ошибочное понимание того, кто мы такие. Мы страдаем, так как считаем себя отдельной личностью, которая смертна и живет наедине со своими страхами и обидами. Мы ошибочно полагаем, что наше ограниченное маленькое эго и есть вся наша сущность. Мы не осознаем нашу более глубокую, божественную природу. И не понимаем, что где-то внутри каждого из нас живет высшее Я, вечно пребывающее в покое. Эта высшая сущность и есть наша истинная природа, универсальная и божественная. И пока мы не осознаем эту истину, будем пребывать в отчаянии — так говорит йога. Эта идея очень хорошо описана греческим стоиком Эпиктетом в одной лишь презрительной строке: «В тебе Бог, жалкий человечишка, а ты этого не знаешь».

Йога — это попытка прочувствовать свою божественную сущность и задержаться в этом состоянии по возможности навсегда. Суть йоги — в самодисциплине и твердом стремлении отвлечься от бесконечных размышлений о прошлом и непрерывного беспокойства о будущем, вместо этого направив внимание на поиски ощущения *присутствия*. Достигнув этого ощущения, можно взирать на себя и окружающих незамутненным взглядом. Лишь когда человек смотрит на мир, достигнув спокойствия ума, ему открывается истинная природа Вселенной и самого себя. Настоящие йоги, обретя полное равновесие, видят мир как равноценное проявление созидательной божественной энергии. Мужчины, женщины, дети, репки, клопы, кораллы — во всем скрыта божественная сущность. Но йоги верят, что именно жизнь в человеческом обличье дает нам особенную возможность, так как, только пребывая в теле и сознании человека, можно почувствовать свое божественное Я. Репке, клопу и кораллу никогда не выпадет шанс узнать о том, кто же они на самом деле. А у нас такой шанс есть.

«Наша единственная задача в жизни, — писал святой Августин, настроенный вполне "йогически", — восстановить способность видеть сердцем, чтобы узреть Господа».

Как и все великие философские идеи, эту легко понять, но практически невозможно воплотить. Ну допустим, все мы единое целое и в равной степени наполнены божественной сущностью. О'кей, это так. Все ясно. А теперь-ка попробуйте пожить с этим знанием. Практиковать эту философию круглосуточно. Не так-то просто. Именно поэтому в Индии считают само собой разумеющимся, что каждому человеку нужен учитель по йоге. Если вам не повезло родиться одним из немногих просветленных святых, что приходят в жизнь уже реализованными, кто-то должен наставлять вас на пути к просветлению. Если повезет, можно найти живого гуру. Веками паломники приезжали в Индию именно за этим. Еще в четвертом веке до нашей эры Александр Великий отправил в Индию посла с просьбой разыскать одного из знаменитых йогов и доставить его ко двору. (Посол действительно нашел такого йога, но не смог уговорить его поехать с ним.) В первом веке нашей эры Аполлоний Тианский, тоже греческий посол, так описывал свое путешествие по Индии: «Я видел индийских браминов, живущих на Земле и вместе с тем вне ее; они питаются, но не пищей, и не имеют ничего, но при этом богаче всех людей на Земле». Сам Ганди всегда хотел учиться у гуру, но у него не было ни времени, ни возможности его найти, о чем он очень жалел. «Мне кажется, есть большая доля правды в теории о том, что истинное знание невозможно без гуру», — писал он.

Йог становится великим, достигая перманентного состояния просветленного блаженства. Гуру — это великий йог, способный передать это состояние другим людям. Слово «гуру» состоит из двух санскритских слогов: первый означает «тьма», второй — «свет». Из тьмы к свету. То, что мастер передает последователю, иногда называют *мантравирья* — «сила просветленного сознания». Человек приходит к гуру не только затем, чтобы получить урок, как при обычном обучении, но и чтобы проникнуться его состоянием благости.

Подобное прикосновение к блаженству возможно даже во время мимолетных встреч с великими. Однажды я была на выступлении знаменитого вьетнамского монаха, поэта и миротворца Тхич Нхат Ханха в Нью-Йорке. Это был обычный хлопотный будний день в городе, и, по мере того как люди проталкивались в зал локтями и кулаками, воздух накалился нервным нетерпением от всеобщего коллективного стресса. И тут на сцену вышел монах. Он долго сидел в тишине, прежде чем начать говорить, и можно было почувствовать, как все эти истерзанные стрессами ньюйоркцы, буквально ряд за рядом, пропитываются этой тишиной. Очень скоро тишина стала абсолютной. За какие-то десять минут маленький вьетнамец заставил замолчать каждого из нас. Или, точнее говоря, он как будто *втянул* нас в свою тишину, в покой, который существует в каждом из нас, хоть мы не подозреваем о нем или не пытаемся его найти. Вот эта способность заразить нас всех своим состоянием лишь одним присутствием в зале — и есть божественная сила. За этим и приходят к гуру, в надежде, что добродетели учителя помогут обнаружить скрытое величие в себе.

Классические труды индийских мудрецов гласят, что существует три фактора, показывающих, наделена ли душа высшим и самым благословенным счастьем во Вселенной.

1. Рождение в человеческой оболочке, способной к сознательному любопытству.

2. Врожденное или приобретенное желание понять природу вселенной.

3. Наличие живого духовного учителя.

Согласно одной теории, если искренне хотеть найти гуру, это непременно случится. В мире произойдет сдвиг, молекулы судьбы сгруппируются иначе, и ваш путь вскоре пересечется с путем предназначенного вам учителя. Прошел всего один месяц, после того как я в отчаянии обратилась к Богу в ванной на полу, с той ночи, которую я провела, в слезах моля дать мне ответы, — и я нашла своего учителя, войдя в квартиру Дэвида и увидев фотографию моей удивительной гуру из Индии. Разумеется, мысль о том, что у меня будет гуру, вызывала двойственные чувства. Как правило, западным людям от этого слова становится неуютно. Виной тому — связанные с ним сомнительные истории, каких в последнее время было немало. В семидесятые годы кое-кто из состоятельных, легко увлекающихся и доверчивых молодых людей с Запада связался с группкой харизматичных, но нечистых на руку индийских «гуру». Сейчас страсти по большей части улеглись, но осадок остался. Даже у меня, спустя столько лет, слово «гуру» иногда вызывает смущение. Для моих друзей из Индии это не проблема: идея духовного наставничества прививалась им с детства, они уже привыкли. Одна девочка-индианка как-то сказала: «В Индии у всех *почти есть* гуру!» Я знаю, что под этим она подразумевала совсем другое (что *почти у всех* в Индии есть гуру), но эта нечаянная ошибка мне понравилась, потому что и мне иногда кажется, что у меня *почти есть* гуру. Иногда трудно себе в этом признаться, — я американка и скептицизм и прагматизм у меня в крови. Но ведь я гуру не искала нарочно: она просто появилась, и все. И когда я увидела ее впервые, она словно разглядывала меня с той фотографии. В ее темных глазах теплилось мудрое понимание, и они как будто говорили: «Ты звала меня, и вот я здесь. Так ты действительно этого хочешь или нет?»

Оставив неловкие шутки и межкультурные трения, скажу лишь, что в тот вечер моим ответом было отчетливое и искреннее «ДА» — и мне никогда не следует забывать об этом.

## 39

Одной из первых, с кем я делила комнату в ашраме, была афроамериканка средних лет, рьяная баптистка и учитель медитации из Южной Каролины. Со временем в числе моих соседок побывали: аргентинская танцовщица, врач-гомеопат из Швеции, секретарша из Мексики, австралийка, мать пятерых детей, юная программистка из Бангладеш, педиатр из Мэна и филиппинка-бухгалтерша. Были и другие, они приходили и уходили — послушники постоянно переселяются из одной комнаты в другую.

Ашрам не из тех мест, куда можно просто заглянуть на огонек. Во-первых, он находится в глуши. Вдали от Мумбаи, на проселочной дороге в долине реки, близ живописной, но нищей деревни (одна улица, один храм, пара магазинчиков и стадо коров, свободно разгуливающих по окрестностям и иногда забредающих в портновскую лавку, чтобы развалиться там на полу). Однажды вечером я увидела лампочку в шестьдесят ватт без абажура, свисавшую с дерева на проводе посреди деревни: это их единственный фонарь. Вокруг ашрама вертится вся местная экономика, им гордится вся деревня. За его стенами — сплошная пыль и нищета. Но внутри — не видевшие засухи сады, цветочные клумбы, спрятавшиеся в зарослях орхидеи, птичьи трели, манговые и хлебные деревья, кешью, пальмы, магнолии, баньяны. Дома красивые, но без излишеств. Скромный обеденный зал типа столовой. Обширная библиотека духовной литературы по всем мировым религиям. Храмов несколько, и каждый предназначен для своих целей. Есть две «пещеры» для медитации — темные, глухие подвальные помещения с удобными подушками; они открыты день и ночь и могут быть использзованы только для практики медитации. В крытом павильоне без стен по утрам занимаются йогой, а вокруг есть небольшой парк с овальной дорожкой, где можно бегать по утрам. Сплю я в общежитии — это бетонное здание.

За время моего пребывания в ашраме здесь одновременно жили по нескольку сотен человек. Когда приезжала сама гуру, число проживающих значительно увеличивалось, но я так и не застала ее в Индии. Чего и следовало ожидать — в последнее время она подолгу жила в Америке, хотя никогда не знаешь — вдруг она решит устроить сюрприз и приехать? Но считается, что, для того чтобы стать учеником гуру, ее личное присутствие необязательно. Разумеется, ничто не сравнится с блаженством непосредственного присутствия живого мастера йоги, и мне приходилось испытывать такое чувство. Но большинство старых учеников признают, что это может послужить и отвлекающим фактором, — малейшая неосторожность, и волнующая суета известности, окружающая гуру, закрутит тебя, словно вихрь, заставляя забыть об истинном намерении. Но если просто поехать в ашрам и жить дисциплинированно, в соответствии со строгим распорядком практик, то можно понять: общаться с гуру посредством уединенной медитации гораздо легче, чем проталкиваться сквозь толпу желающих пообщаться, чтобы с бухты-барахты перекинуться словечком.

В ашраме есть люди, которые работают на постоянной основе и получают зарплату, однако большую часть работы делают сами ученики. Кое-кто из местных также трудится за зарплату, среди них есть последователи гуру, живущие в ашраме в качестве послушников. Мне особенно полюбился индийский мальчик, работавший у нас. Меня притягивала его, извините за выражение, *аура*. Во-первых, это был невероятно тощий пацан (хотя этим здесь никого не удивишь; если и бывают на свете люди худосочнее индийских мальчиков-подростков, я не хочу их видеть). Он одевался так, как в нашей школе одевались мальчики-технари по особым случаям: темные брюки, отглаженная белая рубашка, застегнутая на все пуговицы. Она была ему великовата, и тощая шейка-палочка торчала из горловины, как одинокая маргаритка из гигантского горшка. Его волосы были всегда аккуратно зачесаны и смочены водой. Сорокасантиметровую талию почти вдвое опоясывал отцовский ремень. Он носил одну и ту же одежду каждый день. Я поняла, что это его единственное одеяние. Наверное, он каждый вечер стирал рубашку вручную, а утром гладил. (Хотя такое стремление одеваться опрятно не редкость в Индии, здешние тинейджеры с их накрахмаленными воротничками заставили меня устыдиться своих неглаженных сарафанов и переодеться в более приличную и скромную одежду.) Так что же особенного было в этом мальчишке? Почему меня каждый раз так умиляло его лицо — лицо, которое светилось таким счастьем, будто он только что вернулся из долгого путешествия по Млечному Пути? Наконец я спросила индийскую девочку, что это за парень. Та деловито отвечала:

— Это сын одного из наших торговцев. Они очень бедны. Гуру пригласила его жить в ашраме. Когда он играет на барабанах, слышен голос Бога.

В ашраме есть храм, открытый для всех. В течение дня сюда приходят индийцы, чтобы воздать почести статуе Сиддха-йоги (мастеру, достигшему совершенства). В двадцатых годах он основал йогическую школу и до сих пор почитается в Индии как великий святой. Но остальная территория ашрама предназначена исключительно для учеников. Это не отель и не туристическое место. Ашрам больше похож на университет: чтобы попасть сюда, надо подать заявку, а чтобы тебя приняли, необходимо доказать, что уже давно практикуешь эту ветвь йоги. Срок проживания — минимум месяц. (Я решила остаться в ашраме на шесть недель, а потом отправиться в одиночное путешествие по Индии с посещением храмов, ашрамов и священных мест.)

Среди учеников индийцев и неиндийцев примерно поровну (а неиндийцы, в свою очередь, примерно поровну делятся на американцев и европейцев). Занятия проходят как на хинди, так и на английском. Чтобы попасть в ашрам, нужно написать эссе, собрать рекомендации, рассказать о том, были ли у вас психические и физические заболевания, случаи злоупотребления наркотиками и алкоголем, а также предоставить гарантию финансового благополучия. Гуру не хочет, чтобы люди использовали ее ашрам как убежище от хаоса, созданного ими же самими в реальной жизни, — это никому не пойдет на пользу. У нее также есть правило, согласно которому не следует становиться послушником и приезжать в ашрам, если ваша семья и близкие категорически против; это того не стоит. В таком случае лучше остаться дома, вести нормальную жизнь и просто быть хорошим человеком. Нет необходимости превращать свое решение в драму.

Меня всегда восхищало практическое чутье этой женщины.

Чтобы попасть в ашрам, нужно также показать себя разумным и практичным человеком. Нужно продемонстрировать свою готовность к работе, так как все ученики должны помогать функционированию ашрама, выделяя около пяти часов в день для *сева*, или бескорыстного служения. Кроме того, администрация ашрама обязательно спросит, не пережили ли вы в последние полгода сильное эмоциональное потрясение (развод, смерть близкого человека), и если это так, то вас попросят отложить приезд, так как, скорее всего, вы не сможете сосредоточиться на обучении, а если случится нервный срыв, это лишь отвлечет других студентов. Мой послеразводный период закончился. Вспоминая свои душевные страдания непосредственно после расставания с мужем, я более чем уверена, что, окажись я в ашраме тогда, стала бы обузой для всех. Я поступила намного лучше: отдохнула сперва в Италии, восстановила силы и здоровье и только тогда приехала сюда. Тем более что силы мне теперь понадобятся.

Для жизни в ашраме просто необходимо быть сильным, потому что здешний распорядок суров. Не только в физическом плане — день начинается в три утра и заканчивается в девять вечера, — но и психологически. Ведь вам предстоит ежедневно часами находиться в полной тишине, медитируя и созерцая, не отвлекаясь и не отдыхая от умственной работы. Жить рядом с незнакомыми людьми, в индийской глухомани. Здесь все кишит насекомыми, змеями и грызунами. Погодные условия порой экстремальны: то ливни неделями, то тридцать восемь градусов в тени еще до завтрака. Здесь очень быстро начинаешь чувствовать, что такое реальная жизнь.

Гуру говорит, что со всеми, кто приезжает в ашрам, непременно случается одно: они узнают, кто они такие на самом деле. И если вы чувствуете, что вот-вот сойдете с ума, приезжать не стоит. Потому что никому не нужны полные лузеры, которых потом приходится выносить вон.

*M*ой приезд совпадает с наступлением Нового года. У меня меньше суток, чтобы сориентироваться, что к чему, и вот уже Новый год. После ужина маленький дворик заполняется людьми. Все садятся на землю — кто на прохладный мраморный пол, кто на коврики из сухой травы. Индианки разодеты как на свадьбу. Темные волосы умащены и заплетены в косы. На индианках лучшие шелковые сари и золотые браслеты, и у каждой — разноцветный камушек-*бинди* меж бровей, похожий на туманный отблеск звездного света. Все собираются петь мантры во дворе до полуночи, когда новый год сменит старый.

Мне не нравится выражение «петь мантры», хотя нравится их петь. «Пение мантр» наводит на мысли о рутине и пугающей монотонности, вызывает в памяти ритуалы друид вокруг жертвенного огня. Но здесь, в ашраме, пение мантр превращается в ангельскую музыку. Обычно оно основано на повторении: группа молодых женщин и мужчин с красивыми голосами запевает одну гармоничную фразу, а остальные повторяют. Это медитативная практика, попытка сконцентрировать внимание на музыкальной последовательности и соединить собственный голос с голосом сидящего рядом, пока все голоса не сольются в один. Я боюсь, что из-за смены часовых поясов не смогу не уснуть до полуночи и уж тем более найти в себе силы так долго петь. Но потом начинается этот музыкальный вечер, с единственной скрипкой, выпевающей в потемках одну пронзительную ноту. К ней присоединяется губная гармошка, медленный барабанный бой и, наконец, голоса...

Я в дальнем углу двора, с молодыми мамами. Индианки сидят, скрестив ноги и не испытывая при этом никакого неудобства; у них на коленях скатерками растянулись спящие дети. Сегодня мы поем колыбельную, грустную песню, с помощью которой пытаемся выразить благодарность. Ее рага* — сострадание и

---

* В йоге — ощущения, эмоции, желания, возникающие в результате воспоминаний об удовольствии, связанном с какими-либо объектами или мыслями.

преданность. Мы поем на санскрите, как и всегда (этот древний язык в Индии больше не используется, кроме молитв и религиозных учений), и я стараюсь имитировать голоса запевающих, подобно голосовому зеркалу, подхватывая их интонации, как нити голубого света. Они передают мне священные слова, я ненадолго становлюсь их хранителем, а потом протягиваю обратно, и так мы поем долгое, долгое время, не ощущая усталости. Как водоросли, мы раскачиваемся под действием морского течения сумрачной ночи. Дети на коленях у моих соседок завернуты в шелка, подобно дорогим подаркам.

Я ужасно устала, но все же не отпускаю тонкую голубую нить мантры и постепенно впадаю в такое состояние, что продолжаю выпевать имя Господа во сне, а может, всего лишь падаю в глубокий колодец вселенной. К половине двенадцатого оркестр ускоряет темп, и песня становится определенно веселой. Красиво одетые женщины со звенящими браслетами на руках хлопают в ладоши, танцуют, пытаются изобразить ритм тамбурина всем телом. Барабаны выбивают ритмичный, волнующий бой. Спустя несколько минут у меня возникает такое чувство, будто мы все вместе притягиваем две тысячи четвертый год. Словно мы опутали его нашей музыкой и теперь тянем по ночному небу, как тяжеленную рыболовную сеть, через край наполненную нашими, дотоле неизвестными судьбами. Это действительно увесистая сеть, ведь в ней — все рождения, смерти, трагедии, войны, любовь, открытия, изменения и катастрофы, что ждут нас в этом году. Мы поем и тянем сеть, сначала одной рукой, потом другой, минута за минутой, голос за голосом, ближе и ближе. Проходят последние секунды до полуночи, и мы поем, вкладывая в мелодию все наши усилия, — и в последнем отчаянном порыве наконец притягиваем к себе Новый год, который сетью покрывает нас, небо и тех, что под ним. Бог один знает, что ждет нас в этом году, но он уже наступил, и теперь все мы под его колпаком.

Это первый Новый год в моей жизни, который я праздную с совершенно незнакомыми людьми. Вокруг все поют и танцуют, но в полночь мне некого даже обнять. И все же не могу сказать, чтобы в эту ночь хоть на секунду почувствовала себя одинокой.

В этом я совершенно уверена.

*B*ашраме каждому дают работу, и мне поручают оттирать полы в храме. Этим я и занимаюсь несколько часов в день — стою на коленях на холодном мраморном полу с щеткой и ведром и оттираю, как Золушка. (Кстати, метафора от меня не ускользнула — мыть пол в храме — это всего равно что отмывать свое сердце, полировать душу; ежедневный монотонный труд, без которого невозможна духовная практика с целью очищения души, и так далее и тому подобное.)

На пару со мной к мытью полов приписана стайка индийских ребят. Подросткам всегда поручают эту работу, так как она требует больших физических затрат, но при этом не подразумевает непомерной ответственности: сделаешь плохо — никто особо не пострадает. Мои напарники мне очень симпатичны. Девочки — порхающие мотылечки, которые выглядят намного моложе своих американских восемнадцатилетних ровесниц; мальчишки — серьезные юные аристократы: они, напротив, кажутся на порядок старше американских мальчишек в восемнадцать лет. В храме разговаривать запрещено, но подростки есть подростки, и болтовня во время работы не замолкает ни на минуту. И не все пустой трезвон: например, один мальчик, что весь день оттирает пол рядом со мной, серьезно поучает меня, как лучше выполнять работу:

— Относись серьезно. Не опаздывай. Будь спокойной, дружелюбной. Помни: все, что ты делаешь, ради Господа. И все, что Бог делает, Он делает для тебя.

Это изнурительный физический труд, но все равно работать каждый день часами намного легче, чем часами медитировать. Если честно, мне кажется, что медитатор из меня никудышный. Конечно, я запустила практику, но, по правде говоря, медитация никогда не давалась мне особенно легко. Мне никак не удается остановить ум. Когда я пожаловалась на это одному индийскому монаху, он сказал: «Ну надо же, ты единственный человек в истории планеты, у кого возникла эта проблема». После чего процитировал строки из Бхагавадгиты, священнейшего текста:

«О Кришна, ум тревожен, беспокоен, силен и неподатлив. Усмирить ветер столь же непросто».

Медитация в йоге — это и якорь, и парус. Медитация — путь йоги. Между медитацией и молитвой существует разница, хотя обе эти практики стремятся к единению с божественным. Говорят, что молитва — это когда ты говоришь с Богом, а медитация — когда *слушаешь* Бога. Угадайте, что легче дается мне? Да мне бы хоть весь день лялякать с Богом о всех своих переживаниях и трудностях, но, когда дело доходит до того, чтобы замолкнуть и прислушаться... совсем другое. Стоит попросить мой ум сидеть спокойно, на него немедленно находит 1) скука, 2) злость, 3) тоска, 4) беспокойство и 5) все вышеперечисленное одновременно.

Как и большинству гуманоидов, мне в нагрузку досталось то, что буддисты называют *ум-обезьяна*. Мысли перескакивают с ветки на ветку, задерживаясь лишь для того, чтобы почесаться, плюнуть и заверещать. Из далекого прошлого к неизвестному будущему ум совершает дикие скачки во времени, передумывая по десять мыслей в минуту, необузданно и бессистемно. Само по себе это проблемой не является; проблема в том, что каждая мысль провоцирует эмоции. Стоит подумать о хорошем — и я счастлива, но — прыг! — меня быстро бросает от счастья к тревожной одержимости, омрачающей все настроение. А стоит вспомнить, как кто-то меня разозлил, и я начинаю заново горячиться и обижаться. Потом ум вдруг решает, что сейчас самое время пожалеть себя, и одиночество не заставляет себя ждать. Ведь мы — то, что мы думаем. Наши эмоции — рабы наших мыслей, а мы в свою очередь рабы эмоций.

Есть еще одна проблема с этим перескакиваем с ветки на ветку — человек никогда не присутствует там, где он на самом деле находится. Он вечно копается в прошлом или заглядывает в будущее, а просто спокойно побыть в настоящем — такая редкость. У моей милой Сьюзан есть такая привычка: как только она оказывается в по-настоящему красивом месте, то вскрикивает почти в панике: «Как тут красиво! Надо будет обязательно сюда вернуться!» Мне приходится постараться, чтобы убедить ее в том, что она *уже* тут. Когда пытаешься проникнуться божественной сущностью, эти метания вперед-назад очень мешают. Недаром Бога именуют божественным присутствием — потому что Он здесь, сейчас. Его можно найти в одном лишь месте — здесь, в одно лишь время — сейчас.

Но, чтобы оставаться в настоящем, необходимо дисциплинированно сосредоточить внимание на чем-то одном. Различные медитативные техники учат сосредоточению разными способами — можно фокусировать взгляд на световой точке, наблюдать за вдохами и выдохами. Моя гуру преподает медитацию с помощью мантр — священных слов или слогов, повторяемых сосредоточенно. У мантр двойная задача. С одной стороны, они дают уму занятие. Как если бы обезьяне дали горсть из десяти тысяч пуговиц и сказали бы: «Переложи это пуговицы одну за другой из старой горки в новую». Обезьяне будет гораздо легче справиться с такой задачей, чем если бы ее просто посадили в угол и повелели не двигаться. С другой стороны, предназначение мантры — перенести человека в иное состояние, наподобие лодки с веслами, курсирующей по неспокойному морю ума. Стоит вниманию унестись с перекрестным течением мысли, нужно просто возвратиться к повторению мантры — снова сесть в лодку и взяться за весла. Говорят, что великие санскритские мантры обладают невыразимой силой. Сумеете остаться в лодке — и она приведет вас к берегам божественного.

В числе моих многочисленных трудностей с медитацией — мантра, которую мне задали повторять. «Ом намах шивайя» — она мне кажется какой-то неудобной. Нет, мне нравится, как она звучит, нравится ее смысл, но медитации в моем случае она не способствует. И ни разу за два года, что я практикую в рамках этой йогической школы, мантра мне не помогла. Когда я пытаюсь мысленно проговорить «Ом намах шивайя», слова точно застревают у меня в горле, стискивают грудь и внушают беспокойство. А согласовать слоги с дыханием вообще не выходит.

Наконец решаю посоветоваться с Кореллой, соседкой по комнате. Мне стыдно признаваться, как трудно сосредоточиться на повторении мантры, но Корелла все-таки преподает медитацию. Может, она сумеет мне помочь? Она признается, что прежде и ее ум блуждал, но теперь практика дается легко; медитация стала великой трансформирующей силой и приносит лишь радость.

— Стоит сесть и закрыть глаза, — говорит она, — как остается лишь *представить* мантру — и я уже в раю.

Услышав это признание, я завидую ей до тошноты. Хотя Корелла занималась йогой, когда я еще пешком под стол ходила. Тогда я прошу ее показать, как именно она медитирует на «Ом намах шивайя». Один вдох на каждый слог? (Когда я делаю так, медитация кажется бесконечной и просто выводит меня из себя.) Или по вдоху на каждое слово? (Но все слова разной длины! Как же тогда дышать ровно?) Или лучше повторять всю мантру целиком на вдохе и еще раз — на выдохе? (В таком случае все слишком ускоряется, и я перевозбуждаюсь.)

— А я не знаю, — отвечает Корелла. — Я просто говорю ее и всё.

— Но ты же поешь? — в отчаянии докапываюсь я. — Ты ритм выпеваешь?

— Я просто повторяю мантру.

— А можешь вслух произнести так, как повторяешь в голове, когда медитируешь?

Корелла неохотно закрывает глаза и начинает проговаривать мантру вслух — так, как она звучит у нее в голове. И правда — она просто говорит... и всё. Говорит, как обычно, ровно, с едва заметной улыбкой. Мало того, она, похоже, входит во вкус, но мне становится скучно, и я прерываю ее.

— Неужели тебе не надоедает? — спрашиваю я.

— Хм, — Корелла с улыбкой открывает глаза и смотрит на часы, — прошло всего десять секунд, Лиз. И тебе уже надоело?

*42*

Наутро я прихожу как раз к началу четырехчасовой медитации — с нее всегда начинается день. В течение часа мы должны сидеть в тишине, но для меня минуты тянутся, как километры, — шестьдесят километров изнурительной ходьбы, которые мне предстоит выдержать. К четырнадцатой минуте (километру) нервы на пределе, колени готовы сломаться, и раздражение перекипает через край. Меня можно понять, если учесть, что во время медитации мой ум ведет со мной примерно такие беседы:

Я: О'кей, начинаем медитировать. Давай сосредоточимся на дыхании, все внимание на мантру. Ом намах шивайя. Ом намах ши...

Ум: Я буду тебе помогать!

Я: Хорошо. Твоя-то помощь мне и нужна. Поехали. Ом намах шивайя. Ом намах ши...

Ум: Я сейчас помогу тебе настроиться на приятные медитативные картины. Например... опа, придумал. Представь, что ты — храм. Храм на острове! А остров в море!

Я: И правда приятная картина.

Ум: А то. Сам придумал.

Я: А что за море?

Ум: Средиземное. Представь, что ты — один из греческих островов, и на нем стоит древний греческий храм... Но нет, какая-то слишком туристическая картинка. Знаешь что? Забудь про море вообще. Опасная штука — это море. Давай лучше перенесем тебя на остров посреди озера!

Я: Ну что, уже можно медитировать? Ом намах ши...

Ум: Конечно можно! Но только представь, что на озере полно этих штуковин... как они называются...

Я: Скутеры?

Ум: Точно! Скутеры! Эти гаденыши жрут столько бензина! Большая угроза для экологии. А знаешь, что еще жрет кучу бензина? Воздуходувки для листьев! Так сразу не скажешь, а на самом деле...

Я: Я все поняла, но можно мне помедитировать, пожалуйста? Ом намах...

Ум: Конечно! Я искренне хочу помочь твоей медитации! Поэтому давай забудем об острове, озерах и морях — от них что-то никакого толку. Давай-ка лучше представим, что ты — остров посреди... реки!

Я: Типа острова Баннерман на реке Гудзон?

Ум: Ага! Точно! Супер. И вот теперь давай помедитируем на эту картину. Представь, что ты — остров посреди реки. Мысли проплывают мимо, но ты продолжаешь медитировать, потому что это всего лишь природное течение реки, на которое можно не обращать внимания, ведь ты — остров.

Я: Погоди-ка. Ты же вроде сказал, что я — храм.

Ум: Точно, извини. Ты — храм, который стоит на острове. Нет, пусть лучше будет так: ты — и то и другое.

Я: И река тоже?

Ум: Нет, река — это твои мысли.

Я: Прекрати, пожалуйста! Я так с ума сойду!

Ум (обиженно): Прости. Я просто хотел помочь.

Я: Ом намах шивайя... Ом намах шивайя... Ом намах шивайя...

Обнадеживающая восьмисекундная пауза в мыслях. Но не тут-то было...

Ум: Ты на меня не сердишься?

И тут с глубоким вдохом, точно выныривая на поверхность, я осознаю, что ум победил; глаза открываются, и я сдаюсь. На глазах слезы. Ашрам — место, куда приезжают добиться прогресса в медитативной практике, но это просто кошмар. Давление слишком велико. Мне не выдержать. Что же делать? Каждый день спустя четырнадцать минут медитации выбегать из храма в слезах?

Тем утром, вместо того чтобы побороть себя, я просто остановилась. Сдалась. Позволила себе облокотиться на стену. Спина болела, сил не осталось, в голове мельтешило. Моя поза развалилась, как ветхий мост. И я выкинула мантру из головы, словно приподняв нависшую надо мной невидимую наковальню и опустив ее на пол. А потом обратилась к Богу: «Извини, но сегодня я дальше продвинуться не смогу».

Индейцы лакота говорят, что только недоразвитые дети не могут спокойно усидеть на месте. Древнесанскритский текст гласит: «О правильном ходе медитации можно свидетельствовать по нескольким признакам. Один из них — это когда птица садится медитирующему на макушку, думая, что перед ней неодушевленный предмет». Со мной такого пока не случилось. Но в течение следующих сорока минут я старалась сидеть как можно тише, запертая в ловушке зала для медитаций и собственного стыда и недоразвитости. Я наблюдала за другими послушниками, сидевшими вокруг в идеальных позах. Их идеальные глаза были закрыты, а самодовольные лица излучали покой, в то время как они, безо всяких сомнений, переносились в некий идеальный рай. Меня же переполняло жгучее всепоглощающее отчаяние, и, как ни хотелось утешить себя слезами, я изо всех сил старалась не заплакать, помня о том, что сказала однажды гуру: никогда нельзя поддаваться истерике, потому что случись так — это может перерасти в привычку и будет повторяться снова и снова. Надо воспитывать в себе силу.

Но я не чувствовала себя сильной. Тело болело, осознавая свою ничтожную бесполезность. Я задумалась, где же «я» в наших беседах с умом, а где «ум»? Я думала о своем мозге — неутомимой машине, перемалывающей мысли и разрушающей душу, и о том, как во имя всего святого мне с ней совладать. А потом вспомнила эпизод из фильма «Челюсти» и невольно улыбнулась:

*Нам понадобится лодка побольше.*

43

Ужин. Я сижу одна и пытаюсь есть медленно. Гуру всегда поощряет нас практиковать самодисциплину, когда дело доходит до еды. Она советует есть немного, не глотая жадно целые куски, чтобы не затушить священный пищеварительный огонь, чересчур быстро забрасывая избыточное количество пищи в пищеварительный тракт. (Я больше чем уверена, что гуру никогда не была в Неаполе.) Когда ученики приходят к гуру и жалуются на трудности, возникающие во время медитации, она всегда интересуется, не было ли у них в последнее время проблем с пищеварением. Вполне разумное объяснение: можно ли воспарить к просветлению, пока твой желудок с трудом переваривает мясной пирог, полкило куриных крылышек и полпирога с кокосовым кремом? Именно поэтому нас кормят совсем другой едой. Это легкие, полезные вегетарианские блюда. Но все равно вкусные. Именно поэтому мне очень трудно не смести все в момент, точно я сирота голодающая. Мало того, у них тут шведский стол, а мне всегда было непросто отказаться от второй или третьей порции, когда куча вкусной еды лежит себе, бери — не хочу, издает восхитительные ароматы, и все бесплатно!

Вот я и сижу за столом одна, стараясь обуздать свою вилку, — и вдруг вижу малого с подносом, который ищет свободный стул. Кивком приглашаю его за стол. Раньше он мне не попадался — никак новенький. У него развязная походочка, как будто он никуда не спешит, и держится он с самоуверенностью шерифа пограничного городка или покерного профи с долгой карьерой за плечами. На вид ему пятьдесят с небольшим, но выступает он так, будто живет на этой планете уже несколько столетий. У него белая шевелюра, белая борода и клетчатая фланелевая рубашка, широкие плечи и руки великана — такие способны дров наломать. Но лицо совершенно безмятежное.

Он садится напротив и говорит:

— Ну и комарики в этой дыре. Им бы кур топтать.

Дамы и господа, поприветствуйте Ричарда из Техаса.

## 44

Среди многочисленных занятий, которыми Ричард из Техаса пробавлялся в жизни, — а большую часть я вовсе опущу, — были:

рабочий на нефтяном промысле, водитель тягача, первый официальный представитель компании по производству ортопедических сандалий в обеих Дакотах, мешочник на мусорной свалке на Среднем Западе (извините, нет времени объяснять, что такое «мешочник»), дорожный рабочий, торговец подержанными авто, солдат вьетнамской войны, «продавец товаров народного потребления» (товаром, как правило, была мексиканская наркота), наркоман и алкаш (если это можно назвать занятием), потом *бывший* наркоман и алкаш (занятие куда более почетное), фермер в хипповской коммуне, диктор на радио и, наконец, успешный предприниматель, торгующий высокотехнологичным медицинским оборудованием (это до тех пор, пока его брак не развалился и бизнес не перешел к бывшей жене, а Ричарду только и осталось, что «чесать свою нищую белую задницу»). Сейчас Ричард ремонтирует дома в Остине.

— Карьеру я так и не сделал, — говорит он. — Да я и в жизни не умел ничего, кроме ерунды всякой.

Ричард из Техаса не из тех людей, кто беспокоится по поводу и без повода. Никогда бы не назвала его невротиком. Но я сама немного невротик, потому и прониклась к нему таким обожанием. С приездом Ричарда в ашрам у меня возникло сильное и необъяснимое чувство защищенности. Его безмятежная великанова непоколебимость присмиряет все мои внутренние тревоги и вселяет уверенность, что все будет хорошо. (И если даже будет плохо, мы вместе над этим посмеемся.) Помните высокомерного болтливого петушка из «Луни Тьюнз»*? Вот это Ричард, а я — цыпленок, его говорливый прихвостень. Говоря словами Ричарда, «мы с Хомяком оборжались в этой дыре».

Хомяк.

Это прозвище мне дал Ричард. Он окрестил меня так в первый же вечер нашего знакомства, когда заметил, сколько я способна съесть. Я пыталась защищаться (якобы я ем осознанно, не забывая о дисциплине и своем намерении), но прозвище прилипло, и все тут.

Возможно, Ричард из Техаса не похож на типичного йога. Хотя жизнь в Индии научила меня настороженно относиться к стереотипам насчет того, кто такие типичные йоги. (Парень с молочной фермы из ирландской тьмутаракани — познакоми-

---

* Детский мультсериал компании «Уорнер бразерс».

154

лись тут на днях; расстригшаяся монахиня из ЮАР... лучше даже не начинать.) Ричард увлекся этой ветвью йоги по примеру бывшей подружки, которая привезла его в нью-йоркский ашрам на выступление гуру. Он вспоминает: «Мне показалось, что ашрам — самое чудное место, что мне доводилось видеть, и я все думал: где же та комната, в которой нас всех попросят отдать деньги и подписать дарственную на дом и машину. Но этого так и не случилось».

После того случая — это было примерно десять лет назад — Ричард вдруг начал регулярно молиться, всегда об одном и том же. Он умолял Господа: «Прошу Тебя, пожалуйста, открой мое сердце». Это все, что было нужно Ричарду, — открытое сердце. Свою молитву он всегда заканчивал словами: «И пожалуйста, подай знак, когда это произойдет». Сейчас, вспоминая те дни, он говорит: «Будь осторожна в молитвах, Хомяк, а то возьмут и сбудутся». Несколько месяцев Ричард молил Бога подарить ему открытое сердце, и что вы думаете он получил? Правильно — срочную операцию на открытом сердце. Его грудную клетку в самом прямом смысле раскрыли, ребра раздвинули, впустив дневной свет, наконец коснувшийся сердца, а Бог как будто усмехнулся: «Как тебе такой знак?» Теперь Ричард молится осторожно. «Теперь, стоит мне попросить о чем-то, я всегда заканчиваю молитву словами: только знаешь, Бог, давай на этот раз помягче».

— Что же мне делать с моей практикой? — как-то раз спрашиваю я. Ричард наблюдает, как я оттираю храмовые полы. (Самому-то ему повезло — работает на кухне, его там ждут не раньше чем за час до ужина. Но ему нравится просто смотреть, как я корплю над полом. Думает, это смешно.)

— А зачем что-то делать, Хомяк?

— Затем, что у меня ничего не получается.

— Кто сказал?

— Я не могу мысли успокоить.

— Помнишь, что гуру говорит: если садишься с твердым намерением медитировать — все, что происходит потом, тебя уже не касается. Так зачем оценивать свой опыт?

— Потому что то, что происходит со мной во время медитации, не имеет к йоге никакого отношения!

— Мой дорогой Хомяк, ты и понятия не имеешь, что происходит с тобой во время медитации.

— Но у меня не бывает видений, никакого трансцедентного опыта...

— Хочешь увидеть разноцветные картинки? Или узнать правду о себе? Что у тебя за цель?

— Когда я пытаюсь медитировать, единственное, что выходит, — бесконечные пререкания с самой собой.

— Это всего лишь твое эго. Оно хочет убедиться, что все еще управляет тобой. Можно сказать, это его работа. Из-за него ты чувствуешь себя раздвоенной, оно наполняет тебя чувством неполноценности, внушает, что ты — ущербный, разбитый, одинокий человек, а не целостное существо.

— Но мне от этого какая польза?

— Никакой. Твое эго вовсе не создано для того, чтобы приносить пользу. Единственное его предназначение — властвовать. А сейчас ему до смерти страшно, так как его пытаются потеснить. Не сходи с духовного пути, детка, и дни этого гаденыша будут сочтены. Очень скоро эго утратит свою власть, и сердце станет за главного. А пока эго борется за жизнь, играет с твоим умом, пытается утвердить свой авторитет и отгородить тебя от Вселенной. Не слушай его.

— А как тебе удается не слушать?

— Ты когда-нибудь пробовала отнять игрушку у малыша? Вряд ли это ему понравится. Он начнет драться и вопить. Но есть лучший способ — отвлечь ребенка, занять его другой игрой. Переключить его внимание на что-то еще. Чем пытаться насильно вытолкнуть мысли из головы, почему бы не направить ум в другое, более здоровое русло?

— Например?

— Например, думать о любви, Хомяк. О чистой божественной любви.

## 45

Мои ежедневные визиты в зал для медитаций должны представлять собой «сеансы божественного единения», но в последнее время перед входом в него меня аж всю коробит, как мою собаку перед кабинетом ветеринара (она знает, что там хоть все и ведут себя очень дружелюбно, рано или поздно все равно начнут тыкать в нее острыми медицинскими инструментами). Но сегодня утром, помня наш с Ричардом разговор, я хочу попробовать новый подход. Устроившись для медитации, я обращаюсь к уму: «Слушай, я понимаю, что тебе немного страшно. Но знай: я не пытаюсь тебя уничтожить. Я лишь хочу найти место, где ты мог бы отдохнуть. Я тебя люблю».

На днях монах сказал мне: «Место, где отдыхает ум, — это сердце. Целый день ум слышит один только звон, шум и споры, и все, что ему нужно, — тишина. Ум обретает спокойствие лишь в тишине сердца. Туда ты и должна отправиться».

Кроме того, сегодня я хочу попробовать другую мантру. Раньше у меня хорошо получалось на ней медитировать. Мантра простая, всего два слога:

*Хам-са.*

На санскрите это означает «Я — То».

Йоги считают *Хам-са* самой естественной мантрой, данной нам Богом еще до рождения. Это звук нашего собственного дыхания: «Хам» произносится на вдохе, «са» — на выдохе. (Кстати, «Хам» говорится мягко, открыто — хаааауум, а не как если бы вы в сердцах припоминали бывшего парня, например. А «СА» рифмуется с «а-а-а-а...») Всю нашу жизнь, с каждым вдохом и выдохом, мы повторяем эту мантру. Я — То. Я — божественная сущность, я с Богом, я — божественное проявление, я не существую по отдельности, я не одинока, я не ограниченная эгом иллюзия. Эта мантра всегда казалась мне простой и естественной. На ней легче медитировать, чем на «Ом намах шивайя», которая является чем-то вроде официальной мантры нашей йогической школы. Но несколько дней назад я поговорила с одним из монахов, и он посоветовал мне не колебаться и использовать для медитации *Хам-са*, если это мне поможет. «Объект для медитации должен вызвать в уме переворот, а что это за объект, неважно», — сказал он.

И вот я сижу и повторяю мантру.

*Хам-са.*

Я — То.

Мысли приходят, но я не обращаю на них внимания, только журю, почти как мать расшалившихся малышей: «Знаю я ваши шуточки... идите-ка поиграйте в другом месте... Мамочка слушает Бога».

*Хам-са.*

Я — То.

Я ненадолго засыпаю. (А может, и не засыпаю. Когда медитируешь, трудно понять, действительно ли то, что ты считаешь сном, им является; иногда человек просто переходит на иной уровень сознания.) Проснувшись (или вернувшись?), чувствую, как по телу волнами поднимается восхитительное мягкое голубое тепло. Страшновато, но и удивительно. Не зная, что делать, я просто обращаюсь к этой силе про себя, говорю, что верю в нее, — и в ответ она увеличивается, распространяется. Становится пугающе мощной, захлестывает все чувства. Она идет из основания позвоночника. Шея как будто хочет вытянуться и повернуться, а я не препятствую и оказываюсь в очень странной позе — с прямым позвоночником, как всякий нормальный йог, но левое ухо при этом прижато к левому плечу. Не знаю, зачем моей голове и шее проделывать такие манипуляции, но спорить с ними не собираюсь — уж очень настойчиво просят. Пульсирующая голубая энергия отдается в каждом закутке моего тела, в ушах барабанит, и этот звук становится таким мощным, что я чувствую — больше не выдержу. Он так пугает меня, что я говорю: «Я еще не готова!» — и резко открываю глаза. Все исчезает. Я в комнате, в привычной обстановке. Смотрю на часы. Оказывается, я пробыла здесь (или где-то еще?) почти час.

А еще я запыхалась. С трудом перевожу дыхание.

## 46

Чтобы понять, что это был за опыт, что там произошло («там» — это и в зале для медитации, и во мне), необходимо дать объяснение весьма таинственного и мощного явления, известного как *кундалини шакти.*

Во всех мировых религиях бывали группы верующих, стремившихся к прямому трансцедентному опыту общения с Богом. Они отказывались от фундаменталистского понимания божественного в священных писаниях и догматических учениях, желая испытать божественный опыт на себе. Но самое интересное, что все эти мистики, описывая свои переживания, говорят об одном и том же. Единение с Богом всегда происходит в состоянии медитации, посредством некоего источника энергии, наполняющего тело восхитительным эйфорическим светом. Японцы знают эту энергию как ки, в китайском буддизме она называется чи, у балинезийцев — таксу; христиане называют ее Святым Духом, бушмены из пустыни Калахари — нум (тамошние шаманы описывают ее как змееобразный вихрь, поднимающийся вверх по позвоночнику и вырывающийся наружу через макушку, куда затем проникают духи). Исламские поэты-суфии называли эту божественную энергию Любимой и посвящали ей стихи. Австралийские аборигены говорят о небесном змее, проникающем в лекаря и наделяющем его мощными сверхъестественными силами. В иудейской традиции — каббале — единение с божественным происходит через стадии духовного восхождения, когда энергия поднимается по позвоночнику, проходя по ряду невидимых меридианов.

Святая Тереза Авильская, самая мистическая из католических святых, описывала единение с Господом как физически осязаемое восхождение света по семи «обителям души», после чего человек оказывается лицом к лицу с Богом. Тереза Авильская впадала в медитативный транс такой глубины, что другие монахини не могли нащупать ее пульс. Она умоляла их никому не рассказывать о том, свидетелями чего они стали, так как это «экстраординарное явление, несомненно, породит обширные домыслы». (Не говоря уж о возможном вызове к инквизитору.) В мемуарах святая Тереза признавалась, что сложнее всего не потревожить интеллект во время медитации, ибо любые мысли, порожденные умом — даже будь то самые искренние молитвы, — погасят «огонь Божий». Стоит беспокойному уму начать «сочинять речи и выдумывать аргументы, особенно разумные, как у него сложится впечатление, будто он занят важной работой». Но если абстрагироваться от мыслей, объясняет Тереза, и вознестись навстречу Господу, то достигнешь состояния «восхитительного изумления, божественного безумия, в котором и обретается истинная мудрость». Сама того не зная, в своей автобиографии святая Тереза повторяет слова персидского поэта-суфия Хафиза, который спрашивает, почему мы все не превратились в одурманенных безумцев, коль скоро любовь

Бога столь неистова. Святая Тереза пишет, что, если ее божественный опыт на самом деле сумасшествие, «молю тебя, Отец, пусть все сойдут с ума!»

Но дальше Тереза словно осекается. Читая ее книгу в наши дни, можно представить, как, очнувшись от медитативного забытья, святая вспоминает, что находится в средневековой Испании с ее политическим климатом (а Тереза жила в период существования одной из самых жестоких религиозных тираний в истории), и рассудительно, покорно извиняется за свой экстаз. Она так и пишет: «Прошу простить мою излишнюю дерзость». И добавляет, что не стоит прислушиваться к ее идиотскому лепету, так как она всего лишь женщина, червяк, презренный паразит и так далее. Так и представляешь, как она оправляет свое монашеское одеяние, приглаживает выбившуюся прядь, а божественная тайна горит внутри нее ярким невидимым огнем.

В индийской йогической традиции эта божественная тайна носит имя *кундалини шакти*. Ее изображают в виде змеи, которая лежит, свернувшись кольцом у основания позвоночника, до тех пор, пока прикосновение мастера или чудо не освободит ее, — и тогда она восходит по семи чакрам, или колесам (а можете назвать их семью обителями души), и, наконец, вырывается наружу через голову, и этот взрыв и есть единение с Богом. В йоге говорится, что чакры существуют не в грубом, физическом теле — там их искать нет смысла; это составляющие тонкого тела — оболочки, о которой говорят и буддийские учителя, призывающие учеников отделить свою новую сущность от физического тела по аналогии с тем, как воин вынимает меч из ножен. Мой друг Боб, помимо того что практикует йогу, еще и работает нейробиологом и признается, что его всегда очень волновала сама идея существования чакр, но он непременно хотел увидеть их в человеческом теле во время вскрытия, чтобы поверить в их реальность. Однако, пережив особенно интенсивный медитативный опыт, он стал смотреть на это иначе. Вот его слова: «Так же, как в языке существует буквальный и метафорический смысл, так и у человека есть буквальная анатомия, а есть метафорическая. Одна всегда на виду, другая скрыта. Одна состоит из костей, зубов, плоти; другая — из энергии, памяти, веры. Но обе существуют на равных».

Приятно, когда у науки и религии находится точка пересечения. Недавно я прочла статью в «Нью-Йорк таймс»: группа неврологов подключила тибетского монаха (по доброй воле) к экспериментальному прибору сканирования мозга. Им хотелось увидеть, что происходит внутри просветленного ума, — говоря научным языком, в моменты того самого просветления. В уме обычного думающего человека постоянно крутится штормовой вихрь мыслей и импульсов, отображаемых системой сканирования в виде желтых и красных вспышек. Чем сильнее злость или страсти, обуревающие подопытного, тем ярче и отчетливее вспышки. Но, описывая состояние остановки ума во время медитации, мистики всех времен и культур сходились в одном: ощущение конечного единения с Богом возникает в виде голубого света, исходящего из макушки. В йогической традиции он носит имя голубой жемчужины, и каждый, кто ищет, стремится найти именно его. Естественно, тибетский монах, подключенный к системе во время медитации, сумел полностью успокоить свой ум — ни желтых, ни красных вспышек никто не увидел. Более того, вся нервная энергия монаха, постепенно скапливаясь, сконцентрировалась в центре головы — это было прекрасно видно на мониторе — и образовала маленький комочек прохладного голубого света. Голубую жемчужину. В точности, как ее описывали йоги испокон веку.

Это и есть конечное место сосредоточения *кундалини шакти*.

Среди индийских мистиков, как и во многих традициях шаманизма, *кундалини шакти* считается опасной силой, с которой не стоит экспериментировать без постороннего надзора. Неопытному йогу может в прямом смысле снести голову. Чтобы направить ученика по нужному пути, необходим учитель, гуру, а в идеале и безопасное место для практик — ашрам. Говорят, что именно прикосновение гуру (в буквальном смысле — физическое, или более сверхъестественного толка, например, во сне) высвобождает связанную энергию *кундалини* из клубка в основании позвоночника и подталкивает ее к началу путешествия вверх, навстречу божественному. Этот момент высвобождения называется *шактипат* — божественная инициация, — и это величайший подарок, который способен сделать просветленный мастер своему ученику. Ощутив прикосновение гуру, ученик может годами трудиться, чтобы достигнуть цели, однако начало пути положено. Энергия освобождена.

В моем случае *шактипат* имел место два года назад, когда я впервые познакомилась с гуру в Нью-Йорке. Это случилось во время двухдневного ритрита в ее ашраме, в горах Кэтскиллз. После встречи с гуру я не ощутила ничего особенного, хотя надеялась узреть ослепительное божественное присутствие, быть пораженной голубой молнией или увидеть будущее. Но мысленно сканируя тело на наличие каких-либо особых ощущений, почувствовала лишь легкий голод — как обычно. Помню, тогда я думала, что моя вера недостаточно крепка, чтобы когда-либо пережить нечто даже близкое к высвобождению *кундалини шакти*. Мне казалось, что я слишком образованна, что мне не хватает интуиции и мой духовный путь будет носить скорее интеллектуальный, чем мистический характер. Я буду молиться, читать книги, в моей голове будут возникать глубокие мысли, но воспарить к божественному медитативному блаженству, вроде описываемого святой Терезой, мне, увы, не дано. Но я не против. Я все равно люблю духовные практики. Только *вот кундалини шакти* не для меня.

Но на следующий день произошло кое-что интересное. Мы все еще раз собрались с гуру. Она провела медитацию, и в середине сеанса я уснула (а может, погрузилась в иное состояние), и мне приснился сон. Я была на берегу океана. На меня с неумолимой быстротой надвигались громадные страшные волны. Вдруг рядом со мной возник человек. Это был учитель моей гуру — великий и харизматичный йог, которого я назову Свамиджи (Свамиджи на санскрите — «любимый монах»). Он умер в тысяча девятьсот восемьдесят втором году. Я знала его лишь по фотографиям в ашраме. Но, признаться, даже на фотографиях он всегда казался мне малость жутковатым, слишком могущественным — в нем было чересчур много огня. Я уже давно старалась не думать о Свамиджи и избегать его взгляда, проникающего в меня с фотографии. Он словно давил на меня. Не мой тип гуру, одним словом. Моя милая, добродушная, женственная наставница всегда нравилась мне больше, чем этот покойный (и от этого не менее свирепый) персонаж.

Но теперь Свамиджи возник в моем сне. Он стоял рядом на берегу океана во всем своем величии. Я была в ужасе. Тут Свамиджи показал на набегающую волну и сурово приказал: «Я хочу, чтобы ты нашла способ ее остановить». Я в панике достала блокнот и стала рисовать изобретения, которые помогли бы остановить атаку океанских волн. Я рисовала массивные дамбы, каналы и плотины. Но все мои схемы были глупы и бессмысленны. Я знала, что это мне не под силу (я же не инженер!), но чувствовала, что Свамиджи смотрит на меня нетерпеливо и осуждающе. Наконец я сдалась. Все мои изобретения оказались или бестолковыми, или хлипкими и неспособными удержать натиск волн.

И тут я услышала, что Свамиджи смеется. Этот коротышка-индиец в оранжевом монашеском одеянии буквально надрывался, сгибался пополам от смеха, утирал слезы с глаз.

— Ответь-ка, деточка, — сказал он, тыча пальцем в громадный, мощный, необъятный, бушующий океан, — скажи на милость: как ты собиралась остановить *это*?

## 47

Две ночи подряд мне снится, как к комнату вползает змея. Я читала, что это благоприятный духовный знак (и не только в восточных религиях: змеи являлись к святому Игнатию во время его мистических опытов). Но змеи все равно страшные и как живые. Я просыпаюсь в холодном поту. Мало того, стоит очнуться ото сна — как ум снова начинает надо мной издеваться, предательски вгоняя в панику, как в худшие времена тяжбы с разводом. Мысли то и дело возвращаются к моему неудавшемуся браку, вызывая в памяти связанные с тем периодом чувства стыда и злости. Хуже того, я снова прокручиваю в уме наш с Дэвидом роман. Мысленно спорю с ним, злюсь, страдаю от одиночества и припоминаю все до одного обидные слова, что он мне говорил. И никак не могу перестать думать о том, как счастливы мы были вместе, о наших лучших днях в блаженном забытьи. Приходится прилагать немало усилий, чтобы не выскочить из кровати среди ночи и не позвонить ему прямо из Индии и... даже не знаю... повесить трубку, что ли. Или умолять снова полюбить меня. Или зачитать беспощадный перечень его недостатков.

Почему именно сейчас все всплывает снова?

Мне известно, как ответили бы на этот вопрос опытные ученики ашрама. Что все это совершенно нормально, все через это проходят, это всего лишь избавление от внутренних демонов... Но мое эмоциональное состояние таково, что все вокруг кажется невыносимым и меньше всего хочется выслушивать теории этих хиппи. И сама вижу, что все плохое просится наружу. Оно просится наружу, как блевотина.

Каким-то чудом получается заснуть — тоже мне счастье, — и тут мне снится другой сон. На этот раз не змея, а злобная бродячая собака гонится за мной и говорит: «Я тебя убью. Убью и съем!»

Я просыпаюсь дрожа и со слезами на глазах. Не хочу беспокоить соседок по комнате, поэтому иду в ванную и прячусь там. Почему со мной всегда все происходит в ванной? Странное совпадение, но вот опять я сижу в ванной на полу среди ночи и плачу от одиночества. Жестокий мир, как я устала от тебя и этих ужасных ванных!

Слезы все льют и льют, и я иду за блокнотом и ручкой (последнее средство отчаявшегося) и сажусь у унитаза. Открываю чистую страницу и вывожу уже ставшую знакомой безысходную мольбу:

МНЕ НУЖНА ТВОЯ ПОМОЩЬ.

Каково же мое облегчение, когда на странице появляется ответ моего верного, неизменно приходящего на помощь друга (кто он?), написанный моим собственным почерком:

Я здесь. Все хорошо. Я люблю тебя. Я никогда тебя не оставлю...

48

*У*тренняя медитация проходит отвратительно. В отчаянии я молю, чтобы мысли отступили и позволили мне приблизиться к Богу, но ум стоит передо мной твердокаменной глыбой и говорит: «Ты никогда меня не обойдешь!»

На следующий день моя ненависть и злоба доходит до предела — мне страшно за любого, кто встанет на моем пути! Я огрызаюсь на несчастную немку, которая плохо знает английский и потому не понимает, где книжный магазин. Мне так стыдно за эту вспышку ярости, что я иду и прячусь (опять!) в ванной и плачу, а потом начинаю злиться на себя за слезы, вспомнив совет гуру не устраивать истерик — иначе они могут превратиться в привычку... но что она понимает в истериках? Она же просветленная! Она не может мне помочь. Она меня не понимает.

Не хочу ни с кем разговаривать. Мне сейчас невыносимо видеть человеческие лица. Даже Ричарда из Техаса удается некоторое время избегать, но за ужином он наконец находит меня и усаживается — отважный парень — прямо посреди черного облака ненависти к себе, которым я окружена.

— Ты чего это надулась? — во рту у него, как обычно, зубочистка.

— Не спрашивай, — отвечаю я, но потом меня прорывает — и я выкладываю все как на духу, завершив свою тираду следующей фразой: — И хуже всего, меня опять переклинило на Дэвиде. Я-то думала, он давно в прошлом, а тут все возьми и выплыви!

— Выжди полгодика, и станет лучше.

— Я уже год ждала, Ричард.

— Ну так подожди еще полгода. И еще полгода, если потребуется, пока не забудешь о нем. Такое не сразу лечится. — Я злобно фыркаю, как бык. — Хомяк, — говорит Ричард, — послушай-ка меня. Пройдут годы, и ты будешь вспоминать этот период жизни как время блаженной меланхолии. Ты поймешь, что, хотя оплакивала любовь и твое сердце было разбито, в твоей жизни происходили перемены, лучшего места для которых было и не найти. Ты жила в прекрасном святом месте, окруженном благостью. Не надо торопить события ни на минуту. Пусть все само разрешится, здесь, в Индии.

— Но я так его любила...

— Подумаешь... Ну влюбилась. Неужели не понимаешь, как все произошло? Этот человек затронул глубины твоего сердца, которые всегда казались тебе недоступными, и ты подсела на это, как на наркотик. Но та любовь была всего лишь стартовой точкой. Тебе всего лишь дали распробовать немножко. И та любовь — барахло, куцые чувства смертных людишек. Погоди, скоро ты поймешь, что способна любить намного глубже. Хомяк, в тебе есть силы в один прекрасный день полюбить весь мир. Таково твое предназначение. Не смейся.

— Я не смеюсь. — Вообще-то, я плакала. — Пожалуйста, не смейся над тем, что я сейчас скажу, но мне кажется, я никак не могу забыть Дэвида, потому что всерьез поверила, что он и есть моя половинка.

— А может, так и было. Просто ты не понимаешь, что это значит — половинка. Люди думают, что это идеальная пара, и все хотят найти именно ее. Но настоящая половинка — как зеркало, оно показывает все, чего тебе не хватает, привлекает твое внимание к тебе же самой, чтобы ты изменила свою жизнь. Твоя половинка — это самый важный человек в твоей жизни, потому что именно он рушит все барьеры и заставляет тебя пробудиться. Но жить вместе вечно? Ну уж нет. Слишком тяжело. Половинки приходят в нашу жизнь, чтобы открыть нашу иную сущность, а потом уходят. И слава Богу. Твоя проблема в том, Хомяк, что ты никак не можешь отпустить Дэвида. Но все уже кончилось. Дэвид должен был растормошить тебя, заставить бросить мужа, потому что так было надо, слегка подорвать твое эго, показать, что для тебя является препятствием, а что — наркотиком; разбить твое сердце, чтобы в него проник новый свет, довести тебя до такой грани отчаяния и бесконтрольности, чтобы ты ощутила необходимость жизненных изменений, а потом познакомить тебя с духовной наставницей и уйти прочь. Вот в чем была его задача, и он с ней прекрасно справился, — а теперь все кончено. Ты никак не можешь смириться, что у этих отношений истек срок годности, — вот в чем твоя проблема. Ты как собака на помойке — вылизываешь пустую консервную банку, пытаясь добыть хоть каплю пропитания. Но смотри: слишком увлечешься — и морда застрянет в банке, так и будешь мучиться всю жизнь. Так что лучше брось.

— Но я люблю его.

— Так люби дальше.

— Но я скучаю!

— Скучай. Каждый раз, когда вспомнишь о нем, дари ему частичку любви и света, а потом отпускай эти мысли. Ты так боишься разорвать последнюю связь с Дэвидом просто потому, что тогда останешься по-настоящему одна, а Лиз Гилберт до смерти страшится того, что случится, когда она останется совсем одна. Ты вот что пойми, Хомяк. Если ты очистишь то пространство в голове, что сейчас забито мыслями об этом парне, там образуется вакуум, пустое место — вход. И что случится, если Вселенная увидит этот вход? Она поспешит войти — Бог поспешит войти и принесет с собой море любви, больше, чем ты могла мечтать. Не забивай этот вход мыслями о Дэвиде. Отпусти их.

— Но я хочу, чтобы мы с Дэвидом...

— Вот в чем твоя проблема, — обрывает меня Ричард. — Ты слишком многого хочешь, Хомяк. Нужно, чтобы на место «я хочу» пришло «я могу».

Тут впервые за весь день я рассмеялась.

— И когда же кончится это уныние? — спрашиваю я.

— Тебе точную дату сказать?

— Да.

— Чтобы можно было обвести в календарике?

— Да.

— Ну знаешь, Хомяк... кажется, ты слишком стремишься держать все под контролем.

С этими словами моя злость вспыхивает, как костер. Стремлюсь держать под контролем? Я? Мне даже хочется ударить Ричарда за такое оскорбление. Но потом я понимаю, что Ричард прав, и правда заслоняет кипучую ярость и обиду. Она так очевидна, так ясна, так абсурдна.

Ричард прав на все сто.

Костер затухает так же быстро, как и возник.

— Ты совершенно прав, — говорю я.

— Знаю, детка. Дело в том, что ты — сильная женщина и привыкла получать от жизни все, что хочешь. А в последние пару раз так не вышло — вот тебя и переклинило. Муж вел себя не так, как ты хотела, и Дэвид тоже. Впервые жизнь распорядилась тебе наперекор. А людей, помешанных на порядке, больше всего бесит, когда в жизни все идет не так, как они спланировали.

— Не надо называть меня «помешанной на порядке»!

— Но у тебя правда проблемы с этим, Хомяк. Брось, неужели тебе никто никогда не говорил?

(Ну вообще-то... говорили. Но когда разводишься с человеком, спустя какое-то время перестаешь слушать гадости, которые он про тебя говорит.)

Повеселев, я признаю, что Ричард прав.

— Ну да, наверное, так оно и есть. Может, я и вправду пытаюсь все контролировать. Только странно, что ты заметил. Потому что на первый взгляд это незаметно. Спорим, большинство людей после первой же встречи не видят во мне маньяка порядка?

Ричард так расхохотался, что чуть не потерял свою зубочистку.

— Не видят? Дорогуша, даже Рэй Чарлз увидел бы, что у тебя проблемы!

— Ну все, спасибо, с меня хватит.

— Хомяк, тебе надо научиться не терзать себя мыслями о прошлом. Иначе будет плохо. Будешь вечно мучиться бессонницей, ворочаться в кровати и ругать себя за то, что была полной неудачницей. Что со мной не так? Почему я вечно все порчу? Почему у меня ничего не получается? Дай-ка угадаю: именно этим ты и занималась прошлой ночью вместо сна.

— Ну все, Ричард, я сыта по горло, — бросаю я. — Хватит копаться у меня в мозгах!

— Так не впускай меня, — отпарировал мой мудрый техасский йог.

## 49

Когда мне было девять и вот-вот должно было исполниться десять, я пережила настоящий метафизический кризис. Возможно, вам покажется, что рановато для такого, но я всегда была смышленой не по годам. Дело было летом, между четвертым и пятым классом. В июле мне исполнялось десять лет, и этот переход от девяти к десяти — от однозначной цифры к двузначной — вызвал потрясение и приступ экзистенциальной паники, что обычно случается с теми, кому должно стукнуть пятьдесят. Помню, я размышляла о том, как быстро жизнь летит мимо. Казалось, лишь вчера я была в детском саду — и вот мне скоро десять. Не успеешь оглянуться — как станешь подростком, потом взрослым, пенсионером, а там и покойником. Остальные тоже стареют с головокружительной быстротой. И все скоро умрут. Мои родители умрут. Друзья умрут. Кошка тоже умрет. Моя старшая сестра уже почти в старших классах, а кажется, всего секунду тому назад я провожала ее в первый класс в гольфиках — и вот она уже заканчивает школу! Совершенно очевидно, что и она скоро умрет. Так в чем же смысл?

Самое странное, что не случилось ничего такого, что могло бы спровоцировать этот кризис. Я не знала, что такое смерть друга или родственника, и потому не могла ощутить конечность всего сущего; не читала о смерти в книжках и не видела ее по телевизору или где еще; да что там — я даже «Паутину Шарлотты» прочесть не успела. Тот страх, охвативший меня в десять лет, был не чем иным, как спонтанным и мощным осознанием неизбежности смерти, а в отсутствие какого-либо религиозного воспитания это оказалось выше моих сил. В нашей семье исповедовали протестантизм, но без особого рвения. Молитву мы читали лишь перед рождественским ужином да в День благодарения, в церковь ходили когда придется. Воскресное утро папа предпочитал проводить дома, а его религиозной практикой было садоводство. Я пела в церковном хоре, но лишь потому, что любила петь; сестра играла ангела в рождественских постановках; а мать использовала церковь как штаб для организации благотворительных мероприятий и добровольной помощи нашему району. И даже в церкви мало кто говорил о Боге. Как-никак мы жили в Новой Англии, а слово «Бог» повергает янки в дрожь.

Меня переполняло чувство беспомощности. Больше всего мне хотелось остановить Вселенную, нажав на большой стоп-кран вроде тех, что я видела в метро, когда мы с классом ездили в Нью-Йорк. Устроить тайм-аут, крикнуть: «СТОП!» — чтобы можно было спокойно поразмыслить. Наверное, именно это желание — чтобы весь мир остановился, а я тем временем взяла себя в руки, — и было началом того, что мой дорогой друг Ричард называет «стремлением держать все под контролем». Естественно, все мои раздумья и переживания были напрасны. Чем больше я размышляла над течением времени, тем быстрее оно летело, и в результате то лето промелькнуло так быстро, что у меня разболелась голова, а в конце каждого дня я только и могла что подумать: «Ну вот, еще один» — и расплакаться.

Мой бывший одноклассник работает с умственно отсталыми. Он рассказывал, что его пациенты-аутисты с душераздирающей ясностью осознают течение времени, будто у них отсутствует ментальный фильтр, позволяющий всем остальным иногда забывать о человеческой смертности и просто жить в свое удовольствие. Один из пациентов Роба каждый день спрашивает его, какое сегодня число, а в конце дня говорит: «Роб, а когда опять наступит четвертое февраля?» И прежде чем Роб успевает ответить, печально качает головой и отвечает сам себе: «Знаю, знаю... только в следующем году, да?»

Мне очень хорошо знакомо это чувство. Грустное желание продлить очередное четвертое февраля. Эта грусть — одно из величайших испытаний для человека. Насколько мы знаем, мы — единственный вид на планете, наделенный этим даром (или проклятием?) — осознавать неизбежность своей смерти. Все погибнет рано или поздно; лишь нам повезло, ведь мы не забываем об этом ни на день. Как уложить это в голове? Когда мне было девять, при мысли об этом я могла лишь плакать. Позже, с годами, способность остро чувствовать скоротечность времени научила меня существовать в максимальном темпе. Если срок нашего пребывания на земле так краток, надо приложить все усилия, чтобы жить прямо сейчас. Поэтому я так много путешествовала, влюблялась, делала карьеру, ела тонны пасты... У сестры есть подруга, которая думает, что младших сестер у Кэтрин две, а то и три, потому что то и дело слышит: сестра ездила в Африку, сестра работает на ранчо в Вайоминге, барменшей в Нью-Йорке, пишет книгу, выходит замуж — неужто все это один и тот же человек? И правда, если бы можно было разделиться на несколько Лиз Гилберт, я бы охотно так и сделала — чтобы не упустить в жизни ни минуты. Да что я говорю? Я и была несколькими Лиз, и в одну прекрасную ночь, когда им должно было исполниться тридцать, все они одновременно устали от жизни и упали на колени в ванной на полу в загородном доме.

Надо заметить, я прекрасно понимаю, что не все переживают подобный метафизический кризис. Кого-то мысль о смерти повергает в панику, а кто-то реагирует спокойнее. В мире немало апатичных людей, но немало и тех, кто способен с достоинством принять особенности устройства Вселенной, кого действительно не беспокоят ее парадоксы и несправедливость. Бабушка одной моей подруги говорила: «В мире нет такой проблемы, которую невозможно было бы решить с помощью горячей ванны, стакана виски и чтения Псалтыря». Для кого-то это утверждение истинно. Кому-то требуются более радикальные меры.

А теперь я все-таки скажу пару слов о своем друге, ирландском фермере. Казалось бы, таких людей меньше всего ожидаешь встретить в индийском ашраме. Но Шон — один из тех, кто, как и я, с рождения испытывал непреодолимое желание, безумную и неослабевающую необходимость разобраться в законах Вселенной. Не найдя ответов на свои вопросы в маленьком местном приходе в графстве Корк, в восьмидесятых Шон отправился в Индию, стремясь обрести внутреннее спокойствие посредством практики йоги. Несколько лет спустя он вернулся домой, в Ирландию, на свою молочную ферму. И вот он сел за стол в старом каменном доме и стал рассказывать отцу, старому фермеру и человеку немногословному, о своих духовных открытиях на экзотическом Востоке. Отец отстраненно слушал, глядя на огонь в очаге, и курил трубку. Он не произнес ни слова до тех пор, пока Шон не сказал:

— Пап, медитация просто необходима для того, чтобы научиться безмятежности. Она может спасти твою жизнь. Медитация учит, как успокоить ум.

Тут отец повернулся к Шону и тихо произнес:

— Мой ум и так спокоен, сын, — после чего снова уставился на огонь.

Чего нельзя сказать обо мне. И о Шоне тоже. И о многих из нас. Глядя на огонь, многие люди видят лишь адское марево. Мне нужно долго учиться, чтобы познать то, что отцу Шона, похоже, дано с рождения, — стать сродни тому Я из стихотворения Уолта Уитмена, которое «вдали от этой суеты и маеты стоит... никогда не скучая, благодушное, участливое, праздное, целостное... оно участвует в игре и не участвует, следит за нею ие удивляется ей»*. Но я не удивляюсь, я только нервничаю. И не слежу, а вечно лезу, вмешиваюсь. Недавно я молилась и сказала Богу: «Послушай, я, конечно, понимаю, что жизнь без самокопания не представляет ценности, но можно мне хотя бы разок *пообедать* без самокопания?»

Легенда рассказывает о том, что случилось после достижения Буддой просветления. По преданию, когда спустя тридцать девять дней медитации покров иллюзий наконец спал и великому учителю открылись истинные законы Вселенной, он открыл глаза и произнес: «Этому нельзя научить». Но потом Будда передумал и решил все же пойти в мир и попытаться обучить практике медитации небольшую группу последователей. Он знал, что его учение будет полезно (и интересно) лишь немногим. В основе своей глаза человеческие столь запорошены пылью ложных восприятий, что им никогда не увидеть истины, кто бы ни пытался им помочь. Есть также люди (как папа Шона например), чей взгляд незамутнен от природы, ум спокоен, и им не нужны наставления или помощь. А есть те, чьи глаза покрыты

---

* Перевод К. Чуковского.

лишь тонким слоем пыли, и при правильном руководстве они однажды могут стать более зрячими. Будда решил стать учителем этого меньшинства — тех, чьи глаза застланы лишь тонкой пеленой.

Я искренне надеюсь, что принадлежу к людям средней степени зашоренности, — но как знать? Одно ясно: мое стремление к внутреннему спокойствию толкнуло меня на гораздо более радикальные меры, чем большинство людей. (Когда я сказала одной из своих нью-йоркских подруг, что отправляюсь жить в индийский ашрам в поисках своей божественной сущности, та ответила: «Знаешь, иногда даже обидно бывает, что мне ничего такого сделать не хочется, даже желания не возникает».) А я и не знаю, был ли у меня выбор. Ведь я так много лет отчаянно искала душевное спокойствие всевозможными способами. Но рано или поздно страшно устаешь от всех своих побед и достижений. Если гнаться за жизнью такими темпами, она загонит тебя до смерти. Если преследовать время, как беглого преступника, оно начнет вести себя соответственно: вечно будет на один квартал или комнату впереди; сменит имя и цвет волос, чтобы обмануть преследователя; выскользнет из черного хода мотеля, как раз когда ты ворвешься в лобби с новым ордером на обыск, оставив лишь дымящуюся сигарету в пепельнице, поддразнивая тебя. Но в один прекрасный день все же придется остановиться, потому что время не остановится никогда. Придется признаться, что тебе его не поймать. Что тебе и не нужно его ловить. Однажды, как не устает повторять Ричард, придется все отпустить, расслабиться, и тогда душевное спокойствие придет само собой.

Однако тем из нас, кто верит, что мир вращается лишь потому, что у него есть ручка, которую поворачиваем лично мы, и, если отпустить ее хоть на минуту, наступит конец света, будет очень непросто «все отпустить». *А ты попробуй, Хомяк.* Все вокруг твердят мне это. Что я должна остановиться на минуту и перестать вечно во все вмешиваться. И посмотреть, что будет. Вряд ли птицы начнут падать с неба, оборвав свой полет, и разбиваться насмерть о землю. Не засохнут и не погибнут деревья, в реках не потечет кровавая вода. Жизнь будет продолжаться. Даже на итальянской почте будут по-прежнему терять посылки, без всякого моего участия, — так почему я столь уверена, что мое присутствие в мире каждую секунду важно? Почему просто не позволить жизни идти своим чередом?

Когда я слышу эти доводы, они мне импонируют. Я верю в них — на уровне разума. Но потом вдруг задумываюсь, подогреваемая неустанной жаждой деятельности, своей гиперактивностью и бестолковой алчностью — куда же мне тогда направить свою энергию?

Ответ приходит сразу:

Искать Господа. Так говорит моя гуру. Искать Бога так, как человек, чья голова горит, ищет воду.

## 50

*Н*аутро во время медитации меня снова охватывают едкие ненавистнические мысли. Стараюсь воспринимать их как досадную телефонную рекламу — они всегда звонят в самый неподходящий момент. Но во время медитации мне открывается нечто тревожное: мой мозг не такое уж интересное место. Оказывается, мои мысли ограничены всего несколькими темами, постоянно крутящимися в голове. Это называется «вынашивать»: я вынашиваю мысли о разводе, о горестях моего замужества, об ошибках, которые сделала, об ошибках, которые сделал мой муж, и, наконец, о Дэвиде — а на эту мрачную тему как начнешь размышлять — пути обратно уже нет.

По правде говоря, самой за себя стыдно. Только посмотрите на меня: живу в священном месте, предназначенном для обучения медитации в Индии, а все мысли о бывшем парне? Как в восьмом классе, в самом деле!

Но потом я вспоминаю историю, которую мне как-то поведала Дебора, моя подруга-психолог. В восьмидесятые годы филадельфийские власти попросили ее оказать психологическую помощь на благотворительной основе. Речь шла о группе камбоджийских беженцев, «людей в лодках», недавно прибывших в город. Дебора — исключительный профессионал своего дела, но эта задача привела ее в ужас. Камбоджийцы пережили худшее, что люди способны сотворить друг с другом, — геноцид, изнасилования, пытки, голод, убийства родственников на их глазах, долгие годы в лагерях беженцев и опасные переезды на Запад в лодках, где люди погибали, а трупы скармливали акулам, — как Дебора могла им помочь? Какое представление она имеет об их страданиях?

«Но ты попробуй угадай, о чем хотели говорить все эти люди, когда у них появилась возможность пообщаться с психологом?» — спросила меня Дебора по окончании своей работы.

Оказалось, их признания сводились вот к чему: «В лагере беженцев я познакомилась с одним парнем, и мы полюбили друг друга. Я думала, он любит меня по-настоящему, но потом мы попали на разные лодки, и он спутался с моей двоюродной сестрой. Теперь он женат на ней, но утверждает, что любит меня по-прежнему, и все время звонит... Я знаю, что должна бы прогнать его, но все еще люблю и не перестаю думать о нем. И не знаю, как мне поступить...»

И все мы такие. Эта эмоциональная характеристика присуща нам всем, как виду. Знала я одну старушку, ей было почти сто лет, и она мне сказала: «За всю свою историю люди пытались найти ответ всего на два вопроса: „Ты меня любишь?" и „Кто главный?"». Все остальное нам по силам. Но эти две проблемы — любовь и контроль — никого не оставляют равнодушными; о них мы спотыкаемся и провоцируем войны, горе, страдания. И к сожалению (хоть это и совершенно естественно), оба этих вопроса стоят передо мной здесь, в ашраме. Сидя в тишине и наблюдая за своим умом, я вижу, что лишь сердечные раны и стремление все контролировать держат его в возбужденном состоянии, и это возбуждение мешает мне двигаться вперед.

Сегодня утром, попытавшись уйти в медитацию спустя примерно час горестных размышлений, я сосредоточилась на новой мысли: сочувствие к себе. Я попросила свое сердце помягче оценивать работу ума. Чем считать себя неудачницей, не лучше ли просто смириться с тем, что я всего лишь человек, не хуже и не лучше остальных? Мысли появлялись, как всегда — ничего, пусть будет так, — но сопровождающие их эмоции тоже не замедлили себя ждать. Нахлынуло разочарование, тяга к самобичеванию, злость и одиночество. Но потом в недрах моего сердца зародилась горячая реакция, и я сказала себе: «Я не стану судить тебя за эти мысли».

174

Ум попытался протестовать: «Да, но ты же полная неудачница, ничего не добилась и никогда не добьешься...»

И вдруг будто лев зарычал в моей груди, заглушая всю эту болтовню. Внутри меня раздался рев, которого я никогда прежде не слышала. Незамолкающий утробный рык прозвучал так громко, что я невольно зажала рукой рот — боялась, что он сам откроется и выпустит этот звук наружу, сотрясая фундаменты домов до самого Детройта.

Вот что рычало мое внутреннее Я:

**ТЫ ДАЖЕ НЕ ПРЕДСТАВЛЯЕШЬ, КАК СИЛЬНА МОЯ ЛЮБОВЬ!!!!!!!!!!**

И, заслышав этот рык, вся трескотня, все негативные мысли разлетелись, как птицы, убежали, как зайцы и антилопы, трясясь от страха. Наступила тишина. Интенсивная, дрожащая, благоговейная тишина. Лев в гигантской саванне моего сердца удовлетворенно обозрел свое притихшее королевство, облизнулся, приоткрыв гигантскую пасть, закрыл желтые глаза и уснул.

И в этой царственной тишине я наконец начала медитировать на Бога — и вместе с Богом.

## 51

*У* Ричарда из Техаса забавные привычки. Когда мы пересекаемся в ашраме и по моему рассеяному лицу видно, что мысли мои далеко-далеко, он спрашивает:

— Как там Дэвид поживает?

— Не твое дело, — огрызаюсь я каждый раз. — Ты не можешь знать, о чем я думаю.

Но, конечно, он всегда оказывается прав.

Еще он подкарауливает меня на выходе из зала для медитаций: ему нравится смотреть, какой у меня безумный и одуревший вид, когда я оттуда выползаю. Будто я сражалась с аллигаторами и призраками. Ричард говорит, что ему еще не приходилось видеть человека, который так отчаянно боролся бы с собой. Не знаю, так ли это, но ощущения, обуревающие меня в темном зале для медитаций, порой бывают очень интенсивными. Самый мощный опыт — это когда мне наконец удается отбросить последние из страхов и позволить каскаду энергии высвободиться и подняться по позвоночнику. Я удивляюсь, что когда-то считала *кундалини шакти* всего лишь мифом. Когда эта энергия проходит сквозь меня, она урчит, как дизельный мотор на низком ходу, и просит меня лишь об одном: не могла бы я вывернуться наизнанку, чтобы легкие, сердце и внутренности остались снаружи, а все мое существо заполнила бы Вселенная? И эмоционально я не могла бы проделать то же самое? В этом штормовом пространстве время путается, и я — онемевшая, оглушенная, растерянная, — попадаю в удивительные миры и переживаю всевозможные интенсивные ощущения: жару, холод, ненависть, страсть, страх... А когда все заканчивается, дрожа поднимаюсь на ноги и вылезаю на свет Божий в жутком состоянии: голодная как волк, с пересохшей глоткой и либидо, как у моряка в трехдневную отлучку. А Ричард обычно поджидает меня у выхода, готовый расхохотаться, и вечно дразнит одними и теми же словами, увидев мое ошарашенное и измученное лицо:

— Ну что, Хомяк, думаешь, у тебя когда-нибудь что-нибудь выйдет?

Но после сегодняшней медитации, когда я услышала львиный рык — ТЫ ДАЖЕ НЕ ПРЕДСТАВЛЯЕШЬ, КАК СИЛЬНА МОЯ ЛЮБОВЬ, — я выхожу, как королева воинов. И не даю Ричарду задать свой обычный вопрос, а сразу же смотрю ему в глаза и отвечаю:

— У меня все получилось, мистер.

— Посмотрите на нее, — говорит Ричард. — Это надо отпраздновать. Пойдем, Хомяк, отведу тебя в деревню, угощу кока-колой.

Индийская кока-кола похожа на обычную, но в ней примерно в девять раз больше подсластителя и в три — кофеина. Думаю, амфетамины в нее тоже добавляют: у меня от нее в глазах двоится. Пару раз в неделю мы с Ричардом идем в деревню и выпиваем одну бутылку колы на двоих. После натуральной вегетарианской еды из ашрама это поистине радикальный опыт. Главное — никогда не касаться бутылки губами. У Ричарда есть весьма разумное правило насчет путешествий в Индии: «Ничего не трогай, кроме себя». (Кстати, эта фраза тоже была одним из альтернативных названий для моей книги.)

В деревне мы следуем нашему излюбленному маршруту: обязательно заходим в храм и здороваемся с мистером Паникаром, портным, который пожимает нам руки и говорит: «Карашо пожаловать!» Смотрим, как толкаются на улицах коровы, радуясь своему священному статусу (по мне, так они злоупотребляют своей привилегией: ложатся посреди дороги, лишь бы все поняли, что корова — животное священное); как чешут за ухом собаки — с таким видом, будто им невдомек, как они вообще тут оказались. Женщины заняты дорожными работами: таскают булыжники под палящим солнцем, машут отбойными молотками, босиком, неуместно красивые в изумрудных и рубиновых сари, ожерельях и браслетах. Они одаривают нас ослепительными улыбками, совершенно непостижимыми, на мой взгляд, — как можно быть счастливым, выполняя столь тяжелую работу в столь жутких условиях? Как они не падают в обморок, не умирают через пятнадцать минут этой парилки с кувалдами в руках? Спрашиваю об этом мистера Паникара, и тот отвечает, что так уж у деревенских заведено: в этой части света люди рождаются для тяжкого труда, и это все, что они знают.

— Да и к тому же тут долго не живут, — спокойно добавляет он.

Это бедная деревня, но не нищая по индийским стандартам; близлежащий ашрам, его благотворительность и деньги западных туристов делают свое дело, и разница очень ощутима. Правда, покупать тут особенно нечего, хотя нам с Ричардом нравится заглядывать подряд во все лавчонки, торгующие четками и статуэтками. Торгуют здесь ребята из Кашмира, весьма хваткие продавцы, вечно пытающиеся навязать нам товар. Один из них на днях привязался ко мне: мол, не хочет ли мадам купить замечательный кашмирский ковер для дома?

Ричарда это развеселило. Среди прочих приколов он не прочь посмеяться над тем, что мне негде жить.

— Не перетрудись, братец, — говорит он продавцу ковров. — Старушке некуда твой ковер положить.

Продавца из Кашмира это ничуть не смутило.

— Но она могла бы повесить его на стену.

— Видишь ли, — продолжает Ричард, — у нее и стен-то нет.

— Зато у меня храброе сердце! — пищу я в свою защиту.

— И куча других благородных качеств, — добавляет Ричард, в кои-то веки бросая мне кость.

## 52

$O$днако самую большую трудность в ашраме для меня представляет не медитация. Да, медитировать трудно, но не смертельно. Существует кое-что и посложнее. Самое убийственное — это то, чем мы занимаемся каждое утро после медитации и до завтрака (не представляете, как долго здесь тянется утро): мантра под названием Гуруджита. Ричард зовет ее просто «Джит». У меня с этой мантрой большие проблемы. Она мне совсем не нравится и никогда не нравилась с тех пор, как я впервые услышала ее в ашраме в Нью-Йорке. Все остальные мантры и гимны нашей йогической традиции я очень даже люблю, но Гуруджита... она такая длинная, занудная, усыпляющая и невыносимая. Естественно, это мое личное мнение; я знаю людей, кому она якобы нравится, хоть и в толк не возьму, как такое возможно.

В Гуруджите сто восемьдесят два стиха, их нужно выкрикивать в полный голос (иногда я так и делаю), и каждый стих представляет собой целый абзац непролазного санскрита. Вместе со вступительной мантрой и заключительным припевом весь ритуал занимает примерно полтора часа. И все это до завтрака, после часовой медитации и двадцатиминутного распевания первого утреннего гимна. По сути, именно из-за Гуруджиты всем нам приходится в три утра вылезать из кровати!

Мне не нравится мелодия, не нравятся слова. Стоит заикнуться об этом кому-нибудь в ашраме, как они начинают вещать: «Да, но это же такая священная песнь!» Не спорю, книга Иова тоже священная — но мне не приходится распевать ее вслух каждое утро до завтрака.

У Гуруджиты впечатляющая духовная история: это отрывок из священного древнего йогического текста «Сканда пурана», большая часть которого утрачена, а оставшаяся почти не переведена с санскрита. Подобно большинству йогических текстов, он написан в форме разговора — своего рода диалог Сократа. Беседа ведется между богиней Парвати и всемогущим владыкой всего сущего, богом Шивой. Парвати и Шива являются божественными воплощениями созидания (женское начало) и сознания (мужское). Она — генеративная энергия Вселенной, он — ее безграничная мудрость. Все, что возникнет в воображении Шивы, Парвати привносит в жизнь. Шива придумывает, Парвати реализует. Их танец, союз (йога), и причина Вселенной, и ее проявление.

В Гуруджите богиня просит бога поделиться тайнами земного осуществления, и он ей отвечает. Этот гимн меня просто бесит. Я надеялась, что мое отношение к Гуруджите изменится во время пребывания в ашраме. Что окружение повлияет на меня, и я научусь любить эту мантру. Но случилось как раз обратное. За те несколько недель, что я провела здесь, антипатия переросла в настоящий панический страх. Я стала прогуливать Гуруджиту и утром заниматься другими делами, по моему мнению, более полезными для духовного роста: делать записи в дневнике, принимать душ, звонить сестре в Пенсильванию и спрашивать, как поживают ее детки.

Ричард вечно подкалывает меня, когда я пропускаю мантру.

— Я заметил, ты сегодня опять не пришла на Гуруджиту, — говорит он.

— У меня есть другой способ общаться с Богом, — отвечаю я.

— Это как же, во сне?

Но когда я все же являюсь на мантру, меня она лишь раздражает. Причем физически. Я даже не пою, а словно волочусь позади всех. Покрываюсь испариной. Это очень странно, потому что я отношусь к тем людям, что вечно мерзнут, — а в этой части Индии в январе бывает холодно до рассвета. Все остальные сидят и поют, завернувшись в шерстяные одеяла, в шапках, чтобы не замерзнуть, а я, наоборот, снимаю с себя слой за слоем, слушая эту монотонную нудятину, вся в пене, как загнанная рабочая лошадь. Когда я выхожу из храма на холодный утренний воздух, пот испаряется с лица, как туман — ужасный, зеленый, вонючий туман. Телесная реакция — это еще ничего по сравнению с обжигающими волнами эмоций, захлестывающими меня, когда я пытаюсь петь. Я даже петь Гуруджиту не могу. Могу только каркать. Злобно.

Я говорила, что в ней сто восемьдесят два стиха?

179

И вот, пару дней назад, после особенно отвратительного сеанса утреннего пения, я решила посоветоваться со своим любимым учителем — монахом с удивительно длинным санскритским именем, которое переводится как «Тот, кто живет в сердце Господа, живущего в его сердце». Монах — американец, ему уже за шестьдесят, он умен и образован. Раньше он был профессором классического театрального искусства в университете Нью-Йорка и до сих пор держится с почтенным достоинством. Монашеский обет он принял почти тридцать лет назад. Мне нравится его прямолинейность и чувство юмора. Запутавшись в мыслях о Дэвиде, в трудную минуту я рассказала о своих сердечных муках этому монаху. Он с уважением выслушал меня, дал совет со всем сочувствием, на которое был способен, и сказал: «А сейчас я поцелую свою робу». Он поднял уголок шафранового монашеского одеяния и громко чмокнул его. Я спросила, что он делает, подумав, что это какой-то сверхсокровенный религиозный обряд. А он ответил: «То же, что и всегда, когда кто-то приходит ко мне за советом в любовных делах. Благодарю Бога, что я монах и эти заморочки больше меня не касаются».

Я знала, что ему можно доверять и я могу открыто рассказать о своих трудностях с Гуруджитой. Как-то вечером, после ужина, мы пошли прогуляться по саду, и я призналась, что мне совершенно не нравится эта мантра, и попросила разрешения больше ее не петь. Монах рассмеялся. Он сказал:

— Не надо петь, если не нравится. Пока ты здесь, никто и никогда не станет заставлять тебя делать то, чего ты не хочешь.

— Но другие говорят, что это очень важная духовная практика.

— Так и есть. Но не стану тебя пугать: ты не попадешь в ад, если не будешь петь Гуруджиту. Скажу лишь одно — гуру очень определенно высказалась на этот счет: Гуруджита — самый важный текст в нашей традиции и самая важная практика, помимо медитации. Коль скоро ты живешь в ашраме, гуру рассчитывает, что каждое утро ты будешь вставать и петь.

— Дело не в том, что я не люблю рано вставать...

— Так в чем тогда?

Я объяснила монаху, почему так невзлюбила Гуруджиту: мол, она для меня сплошное мучение.

Он удивился:

— Гляди-ка, да тебя коробит даже от разговора о ней.

И верно. Я чувствовала, как подмышки покрываются холодным липким потом.

— А можно в это время заниматься другими практиками? Я заметила, что иногда, если пойти в зал для медитации вместо Гуруджиты, на фоне голосов так приятно медитировать...

— Эх... Свамиджи бы сейчас тебя так отругал. Назвал бы воришкой — другие трудятся, а ты крадешь их энергию. Понимаешь ли, Гуруджита и не должна даваться легко. У нее совсем иное предназначение. Это невероятно мощный текст, сильная очистительная практика. Она сжигает весь мусор, все негативные эмоции. И кажется, влияет на тебя весьма позитивно, раз во время пения ты переживаешь столь интенсивные чувства и физическую реакцию. Практика может быть болезненной, но она действует очень благотворно.

— Но как заставить себя не бросить ее?

— А у тебя есть выбор? Бросать каждый раз, когда сталкиваешься с трудной задачей? Профукать свою несчастную неполноценную жизнь?

— Мне послышалось... или вы правда сказали «профукать»?

— Да. Именно так я и сказал.

— И что же мне делать?

— Ты сама должна решить. Но вот мой тебе совет, раз уж спросила: продолжай петь Гуруджиту, пока ты здесь, и прежде всего потому, что она вызывает у тебя такую экстремальную реакцию. Если что-то причиняет столь сильное неудобство, оно наверняка действует. Вот и Гуруджита. Она сжигает эго, превращает тебя в чистый пепел. Тут не обойтись без напряженного труда, Лиз. Гуруджита обладает силой, непостижимой для рационального ума. Тебе ведь в ашраме жить еще всего неделю? А потом можешь спокойно отправляться путешествовать и развлекаться. Отпой ее еще семь раз, и больше никогда не придется. Помни, что говорит гуру: исследуй свой духовный опыт. Ты здесь не как туристка, не как журналист. Ты — ищущий. Так ищи.

— Значит, вы не разрешаете мне пропускать Гуруджиту?

— Лиз, ты в любое время можешь сама себе разрешить. Это твой контракт с Богом. Он зовется свободной волей.

## 53

*И* вот, полная решимости, на следующее утро я пришла на Гуруджиту, а та столкнула меня с десятиметровой цементной лестницы, по крайней мере, по ощущениям было именно так. На следующий день стало хуже. Я проснулась в ярости, и не успела дойти до храма, как вся взмокла, вскипела, начала исходить злобой. Я все время думала: «Это же всего полтора часа... что угодно можно терпеть полтора часа. Вспомни, Лиз: некоторые твои подруги рожали по четырнадцать часов...» И все равно, сидеть на том стуле было так неудобно, словно меня прибили к нему гвоздями. Меня окатывали волны какого-то климактерического жара, и мне казалось, что я упаду в обморок или укушу кого-нибудь от злости.

Мой гнев был велик. Он был направлен на всех в этом мире, но прежде всего и в особенности на Свамиджи — мастера нашей гуру, который и додумался учредить ритуальное пение Гуруджиты. Уже не первое проблемное столкновение с великим и давно отошедшим в мир иной: он являлся мне во сне — тогда, на пляже, требуя остановить прилив, и мне всегда казалось, будто он надо мной издевается.

Духовный огонь Свамиджи пылал всю жизнь, не угасая ни на секунду. Как и святой Франциск Ассизский, Свамиджи родился в обеспеченной семье и должен был продолжить семейное дело. Однако, будучи еще мальчиком, в маленькой соседской деревушке он встретил святого, и этот опыт глубоко затронул его. В подростковом возрасте Свамиджи ушел из дому в одной набедренной повязке и совершил паломничество ко всем святым местам в Индии в поисках своего духовного учителя. Считается, что он встретил более шестидесяти святых и гуру, но так и не нашел своего мастера. Свамиджи голодал, ходил босиком, спал на улице во время снежной бури в Гималаях, переболел малярией, дизентерией и считал эти годы счастливейшими в своей жизни — ведь он искал человека, который показал бы ему Бога. За эти годы Свамиджи стал хатха-йогом, экспертом аюрведической медицины и кулинарии, архитектором, садовником, музыкантом и виртуозом боя на мечах (эта его профессия мне особенно нравится). Ему перевалило за тридцать, а он так и не нашел своего гуру; но однажды встретил обнаженного безумного старца, который приказал ему вернуться домой, в ту деревню, где он видел святого еще мальчиком, и учиться у того великого мастера.

Свамиджи подчинился, вернулся домой и стал самым преданным учеником того святого, наконец достигнув просветления под руководством учителя. Впоследствии Свамиджи сам стал гуру. Его индийский ашрам разросся от трех комнат на бесплодной ферме до утопающего в зелени сада, каким мы видим его сегодня. Потом его вдохновила идея отправиться в путешествие, распространяя идею медитации по всему миру. В семидесятых он приехал в Америку — и мир сошел с ума. Свамиджи проводил *шактипат* — ритуал божественной инициации — несколько сотен и тысяч раз в день. Он обладал прямой трансформативной силой. Преподобный Юджин Кэллендер (уважаемый борец за гражданские права, коллега Мартина Лютера Кинга-младшего, до сих пор являющийся пастором баптистской церкви в Гарлеме) вспоминает, как в семидесятые познакомился со Свамиджи и в изумлении упал перед ним на колени. В его голове промелькнула мысль: «Это не пустые слова, не обман; это *то самое*... Этот человек знает обо мне все».

Свамиджи требовал от людей рвения, преданности, самоконтроля. Всегда ругал учеников за апатичность (на хинди *джад*). Он привнес в жизнь юных бунтарей с Запада древнюю концепцию дисциплины, приказав им прекратить тратить собственное (и чужое) время и силы, забивая голову анархическими хипповскими бреднями. Он мог кинуть в ученика палкой, а уже через минуту с ним обнимался. Это был сложный, противоречивый человек, но он действительно изменил мир. Сейчас мы имеем доступ ко множеству йогических текстов именно потому, что Свамиджи руководил их переводом и восстановлением (даже в Индии, на большей ее территории, философские тексты были давно забыты).

Моя гуру была самой преданной ученицей Свамиджи. Ее судьба была в буквальном смысле предопределена с рождения: родители были одними из первых последователей мастера. Еще ребенком она нередко пела мантры по восемнадцать часов в день, ее религиозное рвение не знало усталости. Свамиджи распознал потенциал моей гуру и уже в подростковом возрасте взял к себе в качестве переводчика. Вместе с ним она объехала весь мир, столь пристально следя за Свамиджи, что, как позднее признавалась, ей достаточно было взглянуть на его колени, чтобы понять, что он хочет сказать. В тысяча девятьсот восемьдесят втором году она заняла его место — ей не было еще и тридцати.

Всех истинных гуру объединяет то, что они постоянно пребывают в состоянии самореализации. Однако внешние различия существуют. Очевидная разница между Свамиджи и моей гуру велика: она — женственная, обаятельная, знает несколько языков, получила университетское образование; он — южноиндийский мудрец, порой капризный, порой великодушный. Для простой американки вроде меня легче быть ученицей моей гуру, чей корректный вид никого не смущает, — такую гуру можно привести домой и познакомить с родителями. Но Свамиджи... он совершенно дикий. Когда я впервые увлеклась этой ветвью йоги и увидела его фотографии, услышала рассказы о нем, то подумала: «От этого старикана надо держаться подальше. Слишком уж его много. Мне рядом с ним не по себе».

И вот теперь, оказавшись в Индии, в ашраме, который когда-то был его домом, я понимаю, что мне нужен лишь Свамиджи. В моих чувствах — лишь Свамиджи. К нему я обращаюсь в молитвах, в медитации. Как будто кто-то включил круглосуточный телеканал, где показывают лишь Свамиджи. Я попала в само логово Свамиджи и чувствую, как он влияет на меня. Даже после его смерти я ощущаю, что он реален, он присутствует здесь. Когда становится тяжело, мне нужен именно такой мастер: я могу проклинать его, демонстрировать ему все свои промахи и недостатки, а он лишь смеется надо мной. Смеется, но любит меня. Его смех злит, а злость подталкивает к действию. Особенно ясно я ощущаю его близость, когда мучаюсь с Гуруджитой и ее непролазными стихами на санскрите. Все это время я мысленно спорю со Свамиджи, выступая со всякого рода угрожающими заявлениями вроде: «Теперь ты просто обязан мне помочь, — ведь все это я делаю для тебя! Ну, если результатов не будет! Ну, если моя душа не очистится!» Вчера я заглянула в книжку с мантрами, и оказалось, мы дошли только до двадцать пятого стиха — а я уже вся пылаю, вся взмокла от неудобства (не так, как люди потеют, а как сыр в холодильнике), — и я так взбесилась, что выкрикнула вслух: «Не может быть!» Женщины обернулись и встревоженно взглянули на меня, наверняка ожидая увидеть, что моя голова крутится на шее вокруг своей оси, как у одержимой демонами.

Иногда я вспоминаю, что совсем недавно жила в Риме и по утрам неторопливо ела пирожные, пила капучино, читала газету.

Вот это было времечко...

С тех пор как будто сто лет прошло.

## 54

Cегодня утром я проспала. Как трутень, продрыхла аж до пятнадцати минут пятого. А когда проснулась, до начала Гуруджиты оставалось всего несколько минут. Я заставила себя через силу выползти из кровати, побрызгала лицо водой, оделась и, скрипя суставами, раздраженная и обиженная, собралась уж выйти из комнаты в предрассветный мрак... как вдруг обнаружила, что соседка по комнате ушла раньше и заперла меня снаружи.

Как можно было так сделать — ума не приложу. Не такая уж у нас большая комната: трудно не заметить, что кто-то спит на второй кровати. К тому же моя соседка очень ответственная, предусмотрительная женщина, мать пятерых детей из Австралии. Это на нее не похоже. Но все же она это сделала: заперла меня в комнате.

Моей первой мыслью было: вот теперь-то у меня появится уважительная причина не петь Гуруджиту! Но вторая мысль... Это была даже не мысль. Это было действие.

Я выпрыгнула в окно.

Точнее говоря, вылезла на карниз, схватилась за него потными руками и повисла в темноте на высоте двух этажей, лишь тогда задав себе вполне правомерный вопрос: «И зачем ты прыгаешь из окна?» И ответила сама себе с горячей объективной решимостью: «Я должна попасть на Гуруджиту». Потом отпустила карниз и упала задом, пролетев в темноте шесть, а то и все восемь метров и приземлившись на бетонный тротуар. По дороге я ударилась обо что-то и ободрала кожу на правой лодыжке — но мне было все равно. Я поднялась и босиком, с пульсирующей в висках кровью побежала к храму, нашла место, открыла молитвенник — песня только началась — и, истекая кровью, начала петь Гуруджиту.

Лишь через несколько стихов я перевела дыхание и поймала себя на своей обычной инстинктивной утренней мысли: не хочу быть здесь. И тут вдруг услышала, как Свамиджи смеется в моей голове: «Странно, разве человек, который *не хочет* быть здесь, так себя ведет?»

И я ответила: «Ну ладно. Твоя взяла».

Я сидела, подпевая с окровавленной ногой, и думала, что, наверное, пора мне изменить отношение к этой духовной практике. Ведь изначально Гуруджита является гимном чистой любви, но меня что-то все время останавливало, и я не могла высказать эту любовь искренне. И вот, пропевая стих за стихом, я поняла, что должна найти что-то — или кого-то, — кому посвятить этот гимн, чтобы отыскать в сердце источник чистой любви. И на двадцатом стихе я вспомнила о Нике.

Ник — мой племянник, восьмилетний мальчик. Худоват для своего возраста, зато до жути умен и пугающе проницателен. Восприимчивая и сложная натура. Даже через несколько минут после рождения, среди орущих младенцев в грудничковом отделении он один молчал, оглядывая кругом взрослыми, умными и встревоженными глазками. Он выглядел так, словно ему уже не раз приходилось рождаться на свет и он даже не знал, стоит ли этому радоваться. Ник — ребенок, для которого жизнь никогда не была простой; он слышит, видит и чувствует происходящее столь интенсивно, столь быстро поддается эмоциям, что всех нас это порой пугает. Я люблю мальчика всем сердцем, мне хочется оградить его от всего мира. Подсчитав разницу во времени между Индией и Пенсильванией, я смекнула, что Ник сейчас как раз ложится спать. И стала петь Гуруджиту как колыбельную. Иногда ему трудно уснуть, потому что он никак не может успокоить свой ум. Так что я посвятила Нику каждое священное слово этого гимна. Я привнесла в песню все, чему бы мне хотелось его научить. С каждой строчкой я пыталась успокоить его: пусть мир порой бывает жесток и несправедлив, но не надо волноваться, ведь мы его очень любим. Он окружен любящими людьми, сердцами, готовыми ради него на все. Мало того, он обладает мудростью и терпением, сокрытыми глубоко в душе, которые со временем проявятся и помогут ему справиться с любыми испытаниями. Он для нас дар Божий. Я обращалась к Нику посредством древнего санскритского текста и вдруг заметила, что по щекам текут холодные слезы. Но не успела я вытереть глаза, как Гуруджита закончилась... Полтора часа прошли как десять минут. Я поняла, что случилось — это Ник помог мне просидеть Гуруджиту. Маленькое сердечко, которому я хотела помочь, — а на самом деле он помогал мне.

Я подошла к передней части храма и поклонилась до самого пола, благодаря Господа, трансформирующую силу любви, себя, свою гуру и своего племянника, и краем сознания, на молекулярном (не на интеллектуальном) уровне понимая, что нет никакой разницы между этими словами, этими понятиями, этими людьми. Затем я удалилась в зал для медитации, решив пропустить завтрак, и просидела почти два часа в звенящей тишине.

Стоит ли говорить, что я больше не прогуливала Гуруджиту? Она стала для меня самой священной практикой в ашраме. Разумеется, Ричард из Техаса не преминул поиздеваться над моим прыжком из окна общежития и теперь каждый вечер после ужина предупреждал: «Увидимся завтра на Гуруджите, Хомяк. И попробуй для разнообразия спуститься по лестнице!» На следующей неделе я позвонила сестре, и та сказала, что по необъяснимой причине Ник вдруг стал засыпать спокойно. А через несколько дней в библиотеке в книге об индийском святом Шри Рамакришна мне попалась история об ученице, явившейся к великому учителю. Она боялась, что недостаточно преданна практике и ее любовь к Господу слаба. На что святой ответил: «Неужели ты никого не любишь?» Женщина призналась, что больше всего на свете обожает своего маленького племянника. Тогда святой сказал: «Вот и ответ. Пусть он станет твоим Кришной, твоим возлюбленным. Служа своему племяннику, ты служишь Богу».

Однако все это не так важно. По-настоящему удивительная вещь случилась в тот же день, когда я выпрыгнула из окна. После обеда я встретила Делию, свою соседку, и сказала, что утром она заперла меня в комнате. Делия ужаснулась:

— Не представляю, как я могла это сделать! Тем более что все утро думала о тебе. Ты вчера мне снилась как наяву. Весь день этот сон из головы не выходит!

— Расскажи.

— Мне снилось, что ты вспыхнула, — ответила она. — И твоя кровать тоже. Я бросилась на помощь, но когда подбежала, от тебя осталась лишь кучка белого пепла.

## 55

Именно тогда я решила, что должна остаться в ашраме. Это совершенно противоречило начальному плану. Ведь я планировала прожить здесь всего шесть недель, набраться трансцендентного опыта и продолжить путешествие по Индии... хм... в поисках божественной сущности! Я запаслась картами, путеводителями, походными ботинками и всем-всем-всем! Наметила, какие храмы и мечети нужно посетить, с кем из святых мудрецов встретиться. Я же в Индии, в конце концов! Здесь столько всего можно посмотреть и переделать. Мне предстоит пройти много километров, облазить не один десяток храмов, покататься на слонах и верблюдах. Да я просто не переживу, если не увижу Ганг, великую пустыню Раджастан, дурацкие мумбайские киношки, Гималаи, старинные чайные плантации, рикш из Калькутты, проносящихся друг мимо друга, словно колесницы из «Бен-Гура». А в марте я даже планировала встретиться с самим далай-ламой в Дхармсале! Надеялась, хоть он скажет мне, где искать Бога.

Но застрять на одном месте, без движения, в маленьком ашраме в богом забытой крохотной деревушке — нет, этого я никак не планировала!

Однако мастера дзен говорят, что нельзя увидеть свое отражение в бегущей воде — только в стоячей. Что-то подсказывает мне, что, сбежав сейчас, я пренебрегу всем накопленным духовным опытом. Ведь именно сейчас, в этом маленьком ограниченном пространстве, где каждая минута организована с целью способствовать самоизучению и религиозной практике, со мной что-то начало происходить. Так неужели нужно именно теперь садиться на какие-то поезда, цеплять кишечных паразитов, тусоваться с бэкпэкерами? Может, я потом все это еще успею? И с далай-ламой найду время встретиться? Куда он денется, далай-лама? (Да и если, не дай бог, с ним что случится, на его место найдут кого-нибудь еще, верно?) Мой паспорт и так похож на татуированную тетку из цирка уродов. Неужели очередное путешествие приблизит меня к поразительному контакту с божественным?

Я совсем запуталась и провела весь день, размышляя о том, как поступить. Но, как обычно, решающее слово сказал Ричард из Техаса.

— Оставайся, Хомяк, — заявил он. — Забудь о своих достопримечательностях — у тебя вся жизнь впереди. Ты ступила на духовный путь. Не сворачивай и не бросай дело на середине. Бог прислал тебе персональное приглашение — неужто откажешь?

— Но в Индии столько красот! — расстроилась я. — Тебе не обидно было бы проехать пол земного шара и застрять в каком-то несчастном ашраме?

— Мой дорогой Хомяк, послушай своего друга Ричарда. Если каждый день в течение трех месяцев ты будешь притаскивать свою изнеженную задницу в зал для медитаций, гарантирую — скоро ты увидишь такие красоты, что захочется плюнуть на Тадж-Махал!

56

Cегодня во время утренней медитации я задумалась вот о чем.

Когда закончится мой год путешествий, где я буду жить? Мне не хочется возвращаться в Нью-Йорк чисто по привычке. Может, переехать в новый город? Например, Остин, говорят, очень приятное местечко. А в Чикаго такая красивая архитектура! Правда, зимы холодные... А может, поселиться за границей? Про Сидней рассказывают много хорошего... Если бы я жила не в таком дорогом городе, как Нью-Йорк, можно было бы снять квартиру с двумя спальнями, и я устроила бы во второй специальную комнату для медитаций! Вот было бы здорово... Я бы выкрасила стены в золотой цвет. А может, в ярко-голубой? Нет, в золотой. Или в голубой...

Наконец заметив эту цепочку мыслей, я ужаснулась. И подумала: ты в Индии, в ашраме, в одном из самых святых мест паломничества в мире. И, вместо того чтобы налаживать контакт с божественным, планируешь, где будешь медитировать через год, размышляешь о доме, которого не существует, в городе, который еще не выбрала? Вот идиотка! Как насчет того, чтобы по-

189

медитировать здесь, сейчас, в том месте, где непосредственно находишься?

Я снова сосредоточилась на молчаливом повторении мантры.

Но через несколько секунд сделала паузу, извинившись, что со зла обозвала себя идиоткой. Не очень добрый жест.

И все же было бы неплохо устроить специальную комнату для медитаций, промелькнуло в голове в следующую же секунду.

Я открыла глаза и вздохнула. Ну неужели на большее я не способна?

И вот вечером я решила попробовать кое-что новенькое. Недавно в ашраме я познакомилась с женщиной, которая изучала *випассану*. Это очень ортодоксальная, аскетическая и интенсивная буддистская медитативная техника. Если в двух словах — надо просто сидеть и медитировать. Курс *випассаны* для начинающих длится десять дней, и все это время ежедневно ученики сидят по десять часов, медитируя по два-три часа за раз. Что-то вроде экстремального спорта для медитирующих. Учитель *випассаны* не дает ученикам даже мантру — это считается жульничеством. *Випассана* — практика чистого наблюдения: ты отмечаешь мысли и следишь за их ходом с вниманием, но ничто не может заставить тебя сдвинуться с места.

Физически это очень тяжело. Сев на место, нельзя ерзать, как бы ни велик был дискомфорт. Надо просто сесть и приказать себе: «В следующие два часа нужно хранить неподвижность». Если почувствуешь неудобство, медитировать на это ощущение, наблюдать за тем, какое действие на тебя оказывает физическая боль. В реальной жизни мы постоянно дергаемся, чтобы свести неприятные ощущения к минимуму — это касается как физических, так и эмоциональных и психологических ощущений. Так мы избегаем реальности, которая причиняет боль и неудобство. *Випассана* учит нас тому, что боль и неудобство в жизни неизбежны, однако, если научиться хранить спокойствие достаточно долго, со временем осознаешь истину: все (и неприятное, и приятное) рано или поздно проходит.

«Мир подвержен разложению и смерти, но мудрые знают мировые законы и потому не страдают», — гласит древняя буддистская мудрость. Можно и проще сказать: ко всему привыкаешь.

Сомневаюсь, что *випассана* мне подходит. Она чересчур сурова и не вписывается в мои представления о духовной практике, укладывающиеся в цепочку понятий «сострадание — любовь — бабочки — восторг — дружелюбный Бог» (то, что мой друг Дарси зовет «теологией пижамной вечеринки»). О Боге *випассана* даже не заикается, так как само понятие Бога некоторые буддисты считают конечной формой зависимости, своего рода вселенским пушистым одеялом, которым можно укрыться, последним, от чего следует отказаться на пути к полной отстраненности от мира. Хотя с этим словом — *отстраненность* — у меня личные счеты: попадались мне такие духовные энтузиасты, которые, казалось, уже полностью утратили всякую эмоциональную связь с окружающими людьми. Когда они заговаривали о священном пути к этой самой отстраненности, мне хотелось встряхнуть их хорошенько и заорать: «Эй, приятель, тебе бы совсем другому поучиться!»

И все же я вижу, что иногда полезно выработать в себе определенную долю разумной отстраненности, чтобы научиться спокойствию. Однажды вечером, прочитав о *випассане* в библиотеке, я задумалась о том, сколько времени трачу на метания из угла в угол, подобно огромной рыбине, выброшенной на берег: я или выкручиваюсь, пытаясь укрыться от неудобства, или неуемно бултыхаюсь навстречу новым удовольствиям. Не лучше ли мне (и тем, кому выпала незавидная участь быть моими родными) научиться хранить спокойствие и стать более стойкой, чем вечно крутиться в непредсказуемом вихре обстоятельств?

Я снова задумалась об этих проблемах вечером, когда нашла уединенную скамеечку в саду и решила посидеть на ней в течение часа — помедитировать в духе *випассаны*. Неподвижно, не дергаясь, даже не читая мантру. Просто понаблюдать. Посмотреть, что случится. К сожалению, я забыла о том, что обычно случается после захода солнца в Индии, а именно о комарах. Не успела я сесть на скамеечку под чудесным сумеречным небом, как услышала их заход; они защекотали мне щеки и приземлились, роем атакуя голову, щиколотки, руки. А потом эти жгучие маленькие укольчики... Я очень напряглась и подумала, что сейчас неподходящее время для *випассаны*.

А когда наступит подходящее время (дня или жизни), чтобы сидеть в отрешенной неподвижности? Разве бывает так, что вокруг никто не жужжит, никто не пытается нас отвлечь и вывести из равновесия? И я приняла решение (вдохновившись наставлением гуру исследовать свой внутренний опыт). Я решила поставить на себе эксперимент: что будет, если я высижу *випас-сану* всего раз? Чем раздражаться и бросаться хлопать комаров, не потерпеть ли мне неудобство в течение одного лишь часа моей долгой жизни?

Я так и сделала. Не двигаясь, наблюдала за тем, как меня пожирают комары. Если честно, в глубине души я задавалась вопросом: что собираюсь доказать этим подвигом мужества, но вместе с тем и знала ответ — то были мои первые попытки самодисциплины. Если я выдержу этот, в общем-то несмертельный физический дискомфорт, какие еще неудобства смогу пережить в будущем? Как насчет эмоциональных неурядиц, которые мне вытерпеть еще сложнее, чем физические? Как насчет ревности, гнева, страха, разочарования, одиночества, стыда, скуки?

Поначалу укусы здорово чесались, но постепенно все свелось к жжению, распространившемуся по всему телу, и мне даже удалось войти в состояние легкой эйфории на волне этих ощущений. Я перестала связывать боль с определенным местом и стала воспринимать ее исключительно как ощущение — ни плохое, ни хорошее, просто интенсивное — и на волне этой интенсивности отделилась от собственного Я и вошла в медитацию. Я сидела так два часа. Если бы мне на голову приземлилась птичка, я бы и не заметила.

Хочу прояснить одно. Я понимаю, что мой эксперимент не был самым стоическим проявлением силы духа в истории человечества и не прошу вручить мне почетную медаль Конгресса. И все же я испытала некоторый восторг, осознав, что за тридцать четыре года своего пребывания в мире ни разу прежде не воспротивилась искушению прихлопнуть укусившего меня комара. Все это время я была марионеткой этого ощущения, а также миллионов других, слабых и сильных, сигнализирующих о боли или удовольствии. Как только что-то происходит, я неизменно реагирую. А тут вдруг взяла и не подчинилась рефлексу. Сделала нечто, чего не делала никогда раньше. Конечно, это маленький поступок, но много ли таких «маленьких» я совершила? И может, то, на что я сегодня не способна, завтра станет мне по силам?

По окончании медитации я встала, пошла в свою комнату и оценила ущерб. Насчитала около двадцати комариных укусов. Но через полчаса их как будто и не было. Все проходит. Рано или поздно все проходит.

## 57

Поиски Бога опрокидывают обычный земной порядок. В поисках Бога человек отворачивается от всего, что его привлекает, и идет навстречу испытаниям. Он бросает удобные, знакомые привычки в надежде (и не имея ничего, кроме надежды), что взамен оставленного ему будет предложено нечто большее. Все религии мира сходятся в определении благочестивого верующего. Он должен рано вставать, молиться Господу, культивировать в себе хорошие качества, быть хорошим соседом, уважать себя и других, усмирять желания. Все любят понежиться в постели, и многие так и делают; но тысячелетиями существовали те, кто по собственному выбору вставал до восхода солнца, умывался и посвящал время молитве. А когда наступал очередной безумный день, изо всех сил пытался держаться за свои религиозные убеждения.

Верующие всего мира исполняют свои ритуалы, не имея никакой гарантии, что однажды из этого выйдет что-то путное. Разумеется, в мире есть множество священных писаний и пастырей, которые обещают золотые горы взамен благочестивости (или грозят страшной карой — случись вам сойти с праведного пути), но, даже если человек верит всему этому, его уже можно назвать религиозным, ведь никто не знает, что на самом деле ждет нас в конце. Вера — это усердие, которое никак не поощряется. Если вы верите в Бога, то будто говорите: «Да, я принимаю законы Вселенной и заранее соглашаюсь с тем, что в настоящее время не способен понять». Вот откуда выражение «прыжок веры»: ведь решение принять существование Бога в какой бы то ни было форме — огромный прыжок от рационального к неизвестному, и как бы ни бились исследователи всех религий мира, пытаясь подсунуть нам стопки книг и доказать на примере священных писаний, что вера — рационально объяснимое явление, я никогда с этим не соглашусь. Если бы вера была рациональной, она бы именовалась иначе. Вера — это убежденность в том, что нельзя увидеть, осознать, потрогать. Верить — значит идти навстречу тьме быстрым шагом, с высоко поднятой головой. Если бы все ответы были известны заранее — смысл жизни, природа Бога, судьба наших душ, — религия была бы не актом веры, не отважным человеческим поступком, а всего лишь предусмотрительной страховкой.

Но я не хочу страховать свою жизнь. Мне надоело быть скептиком, меня раздражает прагматичный подход к религии, мне скучно и утомительно вступать в эмпирические споры. Я не желаю больше этого слышать. Мне наплевать на доказательства, улики, уверения. Я хочу познать Бога. Хочу, чтобы Бог наполнил мое существо. Чтобы он проник в мою кровь, как солнечные лучи играючи пронизывают водную гладь.

## 58

*М*ои молитвы стали более настойчивыми и конкретными. Я поняла, что нет смысла обращаться ко вселенной вполсилы. Каждое утро, прежде чем начать медитацию, я встаю на колени в храме и говорю с Богом. В начале своего пребывания в ашраме во время общения с Господом меня охватывало какое-то отупение. Избитые, непоследовательные, скучные, мои молитвы были похожи одна на другую. Помнится, однажды утром, опустившись на колени и уткнувшись лбом в пол, я пробормотала: «Ну... даже не знаю, что мне нужно... Ты сам-то не догадываешься? Может, сделаешь хоть что-нибудь?»

То же самое я иногда говорю, когда прихожу в парикмахерскую.

Вы уж извините, но это никуда не годится. Что сделал бы Бог, услышав такую молитву? Недоуменно поднял бы бровь и послал такой ответ: «Позовешь меня, когда будет действительно срочное дело!»

Естественно, Бог прекрасно знает, что мне нужно. Вопрос в том, знаю ли я. Бросаться в ноги Всемогущему в беспомощном отчаянии, конечно, можно — Бог свидетель, — я делала это не раз и не два. Но в конце концов, если приложить самостоятельные усилия, можно извлечь больше из опыта общения с Богом. Есть отличный итальянский анекдот про бедняка, который каждый день ходил в церковь и молился статуе великого святого, умоляя его: «Пожалуйста, пожалуйста, пожалуйста, сделай так, чтобы я выиграл в лотерею». Это продолжалось много месяцев, пока статуе наконец не надоело. Тогда она ожила, взглянула на просящего сверху вниз и с отвращением выпалила: «Сынок, пожалуйста, пожалуйста, пожалуйста... купи билет».

Молитва — это двусторонние отношения, половину работы должна выполнять я. Допустим, я хочу изменений, но при этом ленюсь даже сформулировать, к чему, собственно, стремлюсь, — так каким образом эти изменения осуществятся? Половина пользы от молитвы заключается в самом обращении, в четко высказанном и обдуманном намерении. Если оно отсутствует, то все мольбы и желания не имеют стержня, они слабы и инертны, так и будут клубиться у ног промозглым туманом, не поднимаясь наверх. Поэтому теперь каждое утро я нахожу время и ищу в себе что-то определенное, о чем мне искренне хочется попросить. Прислонившись лбом к холодному мраморному полу, я стою на коленях в храме так долго, как потребуется, чтобы сформулировать настоящую молитву. Если мне кажется, что мои чувства неискренни, я задерживаюсь в храме подольше. И то, что годилось вчера, не всегда годится сегодня: молитвы тоже становятся истертыми и монотонными, скучными и рутинными, если позволить вниманию бездействовать. Я же стараюсь всегда быть начеку и тем самым беру на себя ответственность за поддержание собственного внутреннего состояния.

Судьба тоже представляется мне двусторонними отношениями, взаимодействием Божьей милости и осознанной работы над собой. Человек только наполовину неспособен контролировать эти отношения, зато другая половина — целиком и полностью в его руках, и его действия имеют ощутимые последствия. Он никогда не является лишь марионеткой в руках богов, но его нельзя назвать и капитаном своей судьбы, — оба фактора равноценны. Мы скачем по жизни, как циркачи, балансирующие на спинах двух мчащихся бок о бок лошадей, — одна нога на крупе лошади под именем «судьба», другая — на спине у коня по кличке «свободная воля». И вопрос, который следует задавать себе каждый день: как распознать, где какая лошадь? Ведь об одной можно совсем не беспокоиться, так как ее поведение совершенно от нас не зависит; зато другую можно пришпорить, сосредоточив на этом все усилия.

В моей судьбе есть много факторов, мне не подвластных, но есть то, что прямиком подпадает под мою юрисдикцию. В моих силах купить лотерейный билет, тем самым увеличив шансы найти счастье. Я могу выбирать, как тратить время, с кем общаться, с кем делить свое тело, жизнь, деньги, энергию. Я сама выбираю, что есть, что читать и что изучать. От меня зависит, как я буду реагировать на неудачные жизненные обстоятельства, стану ли воспринимать их как проклятие на мою голову или возможность что-то изменить (а если мне не хватит оптимизма, потому что я слишком жалею себя, можно хотя бы попробовать изменить взгляд на мир). Я могу выбирать слова и тон, который использую при общении с людьми. Но самое главное — я сама выбираю мысли.

Для меня это радикально новая идея. Недавно об этом заговорил Ричард из Техаса, когда я размышляла о своей неспособности остановить депрессивные мысли.

— Хомяк, ты должна научиться отбирать мысли так же, как отбираешь одежду, которую наденешь сегодня. Эту способность нужно в себе культивировать. Если тебе так нравится контролировать свою жизнь, поработай над своими мыслями. Мысли — единственное, что действительно стоит сдерживать. Об остальном можешь не беспокоиться. Потому что, если не стать хозяином собственного ума, вечные неприятности тебе обеспечены.

На первый взгляд задача почти невыполнима. Чтобы я контролировала ум? А не наоборот? Но представьте, что это возможно. И не в смысле подавления или отрицания очевидного. Подавление и отрицание — изощренная игра, смысл которой притворяться, что негативных мыслей и чувств не возникает. Ричард же имеет в виду такую ситуацию, когда ты признаешь, что негативные мысли есть, понимаешь, откуда они взялись и что их спровоцировало, но при этом, проявив завидную силу духа и простив себя, просто отпускаешь их. Эта практика прекрасно сочетается с психологической работой, которую люди проделывают в ходе психотерапии. В кабинете психотерапевта можно выяснить, откуда берутся деструктивные мысли, а духовные практики помогут их преодолеть. Отпустить мысль — значит принести что-то в жертву. Отказаться от старых привычек, уютной старой манеры наказывать себя, знакомых поведенческих моделей. Разумеется, такое требует практики и усилий. Подобной техникой нельзя сразу же овладеть в совершенстве. Нужно постоянно быть начеку, и я намерена за это взяться. Мне это просто необходимо, чтобы стать сильнее. *Devo farmi le ossa*, как говорят итальянцы. Я должен сделать свои кости.

И вот я начала внимательно наблюдать за мыслями, возникающими в течение дня, и отслеживать их. Теперь около семисот раз в день я повторяю мантру: «Мой мозг больше не пристанище для плохих мыслей». Каждый раз, когда в голове возникает негативная мысль, я вспоминаю о данном обещании. *Мой мозг больше не пристанище для плохих мыслей.* Когда я впервые мысленно произнесла эту фразу, внутренний слух зацепился за слово «пристанище». Пристанище — место, где можно укрыться, гавань для заходящих кораблей. И я представила свой ум в качестве гавани — слегка потрепанной штормами, но выигрышно расположенной, с глубоким дном. Гавань моего ума — открытый залив, единственный путь к островку моего сознания (это совсем новый вулканический остров, но почва на нем плодородная и сулит хорошие всходы). Правда, на острове уже случались войны, но в данный момент он в сфере действия мирного договора. Здесь новый лидер (я), проводящий новую политику с целью уберечь этот край. И пусть все узнают, что отныне здесь действуют очень, очень строгие законы относительно того, кому позволено входить в гавань.

Сюда запрещен вход тем, кто везет груз жестоких и обидных мыслей, как запрещено входить в гавань кораблям, зараженным чумой, рабовладельческим и военным судам. Все их сразу развернут обратно. Здесь не место и мыслям, подобным обозленным голодным изгнанникам, мятежникам и памфлетистам, бунтовщикам и кровожадным убийцам, отчаявшимся проституткам, сутенерам и нахальным безбилетникам. Мыслям-каннибалам, по понятным причинам, тут тоже больше не рады. Даже миссионерские суда будут подвергаться тщательной проверке — на предмет искренности. Это — мирная гавань, путь в прекрасный и гордый край, что лишь недавно обрел безмятежность. Те мысли, что подчинятся новым правилам, могут спокойно заходить в мой ум, а все остальные — возвращаться, откуда пришли, — в открытое море.

Это моя новая миссия, и я буду исполнять ее до конца дней.

## 59

Я подружилась с индийской девочкой по имени Талси. Ей семнадцать лет. Вместе с Талси мы каждый день моем в храме полы. А вечером гуляем по саду в ашраме и беседуем о Боге и хип-хопе: две темы, которые ей одинаково близки. Талси — трогательный книжный червячок, а с тех пор, как на прошлой неделе у ее очков треснуло стеклышко, она выглядит еще трогательнее. На стекле образовалась паутинка, как в мультике, но Талси все равно носит очки. Талси соединяет в себе столько всего интересного и непонятного мне: девочка-подросток с мальчишескими замашками, индианка, белая ворона в семье, девчонка, которая так любит Бога, будто речь идет о мальчике из параллельного класса. А еще она говорит на удивительном мелодичном английском, который встретишь, пожалуй, лишь в Индии. Талси сыплет такими колониальными словечками, как «дивно!» и «вздор!», а порой выдает на удивление красноречивые пассажи вроде: «С накоплением утренней росы прогулка по траве оказывает весьма благотворное воздействие на организм, снижая температуру тела естественным образом и вызывая приятные ощущения». Когда я сообщила Талси, что еду в Мумбай на один день, та проговорила: «Будь бдительна, скоростные автобусы там присутствуют повсеместно».

Она вдвое меня моложе и вдвое стройнее.

В последнее время, прогуливаясь по вечерам, мы с Талси частенько рассуждаем о браке. Ей скоро восемнадцать, а именно в этом возрасте девочки становятся потенциальными невестами. Обычно все происходит так: после восемнадцатилетия от девочки требуется посещать свадьбы родственников, надев сари (это свидетельство того, что она уже в зрелом возрасте). Во время торжества какая-нибудь любезная амма (тетушка) подходит, садится рядом и начинает задавать вопросы, чтобы познакомиться с девушкой поближе: сколько ей лет, из какой она семьи, чем занимается отец, в какой университет она подавала документы, чем увлекается, когда у нее день рождения и так далее. Затем отцу Талси по почте приходит большой конверт с фотографией внука этой «тетушки», который, скажем, изучает компьютерные технологии в Дели. В том же конверте обязательно лежит полный гороскоп юноши, его университетский табель и неизбежное письмо с вопросом: «Согласна ли ваша дочь выйти за него замуж?»

— Короче, полный отстой, — говорит Талси.

Но родственникам очень важно удачно выдать детей замуж. Тетка Талси недавно обрила голову в знак благодарности Богу, потому что ее старшая дочь наконец вышла замуж в неприличном возрасте — двадцати восьми лет. Найти ей жениха было очень сложно: слишком много недостатков. Я интересуюсь, что же осложняет поиск жениха для индианки. Талси отвечает, что причин тому может быть сколько угодно.

— Плохой гороскоп. Слишком старая. Слишком темная кожа. Слишком образованна и не может найти мужчину выше по статусу — в наше время это очень распространенная проблема, ведь женщина не может быть образованнее мужа. Если у нее был роман и об этом знают все соседи, ой-ой-ой... после такого будет очень трудно найти мужа...

Я мысленно сопоставила пункты списка, прикидывая, как высоко буду котироваться в индийском обществе в качестве невесты. Насчет гороскопа не знаю, но слишком старая — это точно, слишком образованная, даже чересчур — да... и мои моральные принципы, далеко не кристальные, всем давно известны... Одним словом, не самая завидная кандидатура. Зато у меня светлая кожа! Хоть один плюс.

На прошлой неделе Талси пришлось побывать на очередной свадьбе кузины, и теперь она возмущалась, как ненавидит свадьбы. Все эти танцы и сплетни. Традиционные наряды. Она бы с бо́льшим удовольствием мыла полы в ашраме и медитировала. В семье ее никто не понимает; ее религиозность выходит за рамки того, что считается нормой.

— Мои родные давно поставили на мне крест: я слишком выделяюсь, — говорит Талси. — У меня репутация человека, которому скажи одно, а он все равно все сделает наоборот. И у меня есть характер. Учусь я неважно, но теперь придется постараться: я собираюсь поступать в колледж и буду сама выбирать, что мне интересно. Я хочу изучать психологию, как наша гуру в колледже. Меня считают трудным ребенком. Я ничего не буду делать, если не понимаю, зачем это нужно. Мама это знает и всегда старается все мне объяснить, но отец — нет. Он говорит, что я должна сделать то-то потому-то и потому-то, но мне его доводы не кажутся убедительными. Иногда я удивляюсь, как попала в эту семью, — ведь я совсем на них не похожа.

Кузине Талси, которая вышла замуж на прошлой неделе, всего двадцать один год; следующей в списке идет ее старшая сестра, ей сейчас двадцать. После этого на Талси станут оказывать огромное давление, чтобы она нашла себе мужа. Я спросила ее, хочет ли она замуж, и она ответила:

— Нееееееееееееееееееет...

Это «нет» длилось дольше, чем закат, которым мы любовались над садом.

— Хочу бродить по свету, — заявила Талси. — Как ты.

— Но Талси, я не всю жизнь путешествовала, как сейчас. Я была замужем.

Нахмурившись, она взглянула на меня сквозь потрескавшееся стеклышко очков, недоуменно изучая мое лицо, — как будто я сказала, что когда-то была брюнеткой, и теперь она пытается представить меня с темными волосами. Наконец Талси выдала:

— Ты? Замужем? Не могу представить.

— Но это правда. Я была замужем.

— И сама от него ушла?

— Да.

— По-моему, это было очень умно с твоей стороны. Теперь ты выглядишь очень счастливой. Но я-то, я-то как здесь оказалась? Почему родилась индианкой? Это просто возмутительно! Почему в этой семье? Почему я должна постоянно ходить на эти свадьбы?

И Талси принялась разгневанно бегать по кругу и кричать (хотя в ашраме так громко кричать не принято):

— Хочу жить на Гавайях!

60

Ричард из Техаса тоже когда-то был женат. У него двое взрослых сыновей, которые поддерживают с ним близкие отношения. Иногда Ричард упоминает о бывшей жене, когда рассказывает какую-нибудь историю из жизни, и всегда говорит о ней с нежностью. При этом мне становится завидно: я представляю, как Ричарду повезло, что они с бывшей женой даже после развода остались друзьями. Это странный побочный эффект возник после моего многострадального развода: стоит мне услышать, как какая-то пара рассталась друзьями, — как я начинаю завидовать. Хуже того: я начала думать, что это очень романтично, когда люди разводятся цивилизованно. «Как мило... — думаю я. — Наверное, они действительно любили друг друга...»

И вот однажды я спросила об этом Ричарда. Я сказала:

— Кажется, ты испытываешь к бывшей жене добрые чувства. Вы остались друзьями?

— Не-а, — спокойно ответил он. — Она думает, что меня теперь зовут Козлом.

Меня поразило, как спокойно Ричард об этом говорит. Мой бывший супруг тоже думает, что я сменила имя, но я очень переживаю на этот счет. Он так и не простил меня за то, что я от него ушла, и это стало одним из самых сложных последствий развода: ведь сколько бы я ни извинялась и ни объяснялась, ни брала вину на себя, как бы ни раскаивалась, сколько бы материальных благ ни предлагала, чтобы как-то компенсировать свое поведение, — он вовсе не собирался восхвалять меня и говорить: «Дорогая, меня так впечатлила твоя щедрость и честность, что хочу признаться — я очень рад стать твоим бывшим мужем». Но нет. Оказалось, мое поведение непростительно. И эта непрощенность до сих пор живет во мне черной дырой. Даже в минуты счастья и восторга (*особенно* в такие минуты) я не могу надолго забыть об этом. *Он все еще меня ненавидит.* Мне кажется, это никогда не изменится, я вечно буду в плену его ненависти.

Как-то раз я заговорила об этом с друзьями в ашраме. У нас в компании появился новенький — водопроводчик из Новой Зеландии. Он услышал, что я писательница, и стал разыскивать меня, потому что и сам был писателем, — так мы и познакомились. В Новой Зеландии у него вышла потрясающая книга мемуаров — «Путь водопроводчика», — где он рассказывал о своем духовном путешествии. Так вот, новозеландский поэт-сантехник, Ричард из Техаса, ирландский фермер, индианка Талси, девушка на выданье с мальчишескими повадками, и Вивиан, старушка с белоснежными волосами и немеркнущей смешинкой в глазах (это она была монахиней в Южной Африке) — такой у меня был круг друзей, самая удивительная подборка персонажей, которую можно встретить только в индийском ашраме.

И вот как-то раз за обедом речь зашла о супружестве, и поэт-сантехник сказал:

— Брак сродни операции, когда двоих людей сшивают вместе, а развод — это ампутация, и на залечивание требуется немало времени. Чем дольше ты был женат, тем сложнее проходит ампутация, тем тяжелее выздороветь.

Теперь понятно, откуда эти послеразводные, послеампутационные ощущения, которые преследуют меня уже несколько лет: я все еще болтаю несуществующей ногой, то и дело сбивая предметы с полок.

Ричард из Техаса спросил: неужели я собираюсь позволить бывшему мужу влиять на мое самоощущение всю оставшуюся жизнь? Я ответила, что не знаю, но до сих пор его голос имел огромное значение, и, если честно, в глубине души я по-прежнему жду, когда же он меня простит, отпустит и разрешит жить спокойно.

Фермер из Ирландии заметил:

— Ты попусту тратишь время, ожидая, когда этот день настанет.

— Ну что сказать, ребята? Я просто зациклилась на угрызениях совести. Как некоторые женщины зацикливаются на бежевом цвете.

Бывшая католическая монахиня (вот кто должен знать все о чувстве вины!) слышать ничего не желала.

— Совесть — это уловка твоего эго, таким образом оно пытается убедить тебя в том, что ты прогрессируешь морально. Не поддавайся на эти фокусы, дорогая.

— Больше всего меня мучает то, что между мною и бывшим осталась неразрешенная ситуация, — призналась я. — Как открытая рана, которая никак не заживет.

— Это ты так думаешь, — возразил Ричард. — Если хочешь так смотреть на вещи, не стану тебя переубеждать.

— Я бы рада покончить с этим, — вздохнула я. — Вот только знать бы как.

После обеда поэт-сантехник из Новой Зеландии передал мне записку. Он просил встретиться с ним после ужина: хочет мне кое-что показать. После ужина я нашла его у зала для медитаций, и он приказал следовать за ним: сказал, что у него для меня подарок. Мы прошагали через весь ашрам и вошли в здание, где я прежде никогда не была. Он открыл дверь, и мы поднялись по лестнице. Я догадалась, что он и раньше знал об этом месте, — он занимается починкой кондиционеров, а они были как раз там, наверху. Когда мы поднялись по лестнице, он открыл вторую дверь, на которой был кодовый замок, и сделал это быстро, по памяти. Мы очутились на очень красивой крыше, выложенной кусочками керамической плитки, мерцавшей в вечерних сумерках, как дно бассейна на солнце. Мы прошли по крыше и оказались в маленькой башенке, напоминавшей минарет; там была узкая лестница, ведущая на самый верх остроконечной башни. Указав на нее, мой проводник сказал:

— Теперь я тебя оставлю. Поднимайся в башню и оставайся там, пока дело будет не закончено.

— Какое дело? — спросила я.

Мой друг водопроводчик улыбнулся и протянул мне фонарик — «чтобы не поскользнуться на лестнице, когда все закончится». А еще он дал мне свернутый листок бумаги. И ушел.

Я залезла на верх башни и оказалась в самом высоком месте ашрама, откуда открывалась панорама речной долины. Горы и поля тянулись вдаль, насколько хватало глаз. У меня возникло подозрение, что ученикам не разрешают просто так сюда приходить, но тут было очень красиво. Может, когда гуру приезжает в ашрам, с этого места она наблюдает закат? Солнце как раз садилось. Дул теплый ветер. И я развернула бумажку, которую дал мне мой проводник.

Вот что там было написано:

## КАК ОСВОБОДИТЬСЯ ОТ ПРОШЛОГО

1. В жизни у всего есть скрытый смысл — таким образом Бог указывает нам путь.

2. Ты только что взошла на крышу. Теперь ничто не разделяет тебя и бесконечность. Почувствуй освобождение.

3. День подходит к концу. Наступает время, когда прекрасное «вчера» должно превратиться в прекрасное «сегодня». Поэтому отпусти свое прошлое.

4. Ты молилась об освобождении. Ты оказалась здесь, потому что Бог ответил на твои молитвы. Отпусти свое прошлое и взгляни на звезды, которые зажигаются на небе и в твоем сердце.

5. Всем сердцем попроси о милости и отпусти свое прошлое.

6. Всем сердцем прости бывшего мужа, прости себя и отпусти его.

7. Пусть твое намерение станет освобождением от бессмысленных страданий. Отпусти их.

8. Наблюдай за тем, как дневная жара сменяется вечерней прохладой. Почувствуй освобождение.

9. Когда карма отношений сгорает, остается лишь любовь. Ничего не бойся. Почувствуй свободу.

10. Когда прошлое наконец уйдет, отпусти его. Теперь спускайся вниз и живи дальше с огромной радостью в сердце.

Первые несколько минут я могла только смеяться. Передо мной раскинулась долина, зонтик манговых деревьев, а волосы трепетали на ветру, как флаг. Я проводила закат, а потом легла на спину и стала смотреть, как в небе зажигаются звезды. Я спела короткую молитву на санскрите, повторяя ее каждый раз, когда на меркнущем небе появлялась новая звезда — словно призывая звезды. Но потом они стали загораться слишком быстро, и я не поспевала со своей песней. А вскоре весь небосвод превратился в сверкающее звездное полотно. И между мной и Богом... не осталось ничего.

Тогда я закрыла глаза и произнесла: «Господи, научи меня всему, что я должна знать о прощении и освобождении».

Я очень долго хотела поговорить с мужем с глазу на глаз, но было ясно, что этого никогда не случится. Я стремилась к разрешению, к мирному договору, заключив который, мы бы оба поняли, что произошло с нашими отношениями, и простили бы друг другу все неприятное в разводе. Но месяцы общения через адвокатов и посредников лишь отдалили нас друг от друга и укрепили это отчуждение, превратив в людей, абсолютно неспособных отпустить друг друга. А ведь именно это было нужно нам обоим, я была в этом совершенно уверена. И еще одно я знала точно: законы равновесия гласят, что невозможно приблизиться к Богу ни на шаг, пока ты цепляешься за остатки чувства вины, столь соблазнительно тянущие тебя назад. Как курение губительно для легких, обида губительна для души; даже одна затяжка приносит вред. Что за польза от молитв, если каждый день предаваться самобичеванию? Не лучше ли сразу прекратить поиски и забыть о Боге, заодно свалив на него вину за жизненные неудачи? И вот тем вечером в ашраме, осознавая, что, скорее всего, больше никогда не смогу поговорить с бывшим мужем лицом к лицу, я спросила Бога: не можем ли мы пообщаться каким-то иным способом? Существует ли другой способ попросить прощения друг у друга?

Я лежала, возвышаясь над всем миром, в полном одиночестве. Я вошла в медитацию и стала ждать, когда Бог скажет мне, что делать. Не знаю, сколько минут или часов прошло, прежде чем я это поняла. Я осознала, что слишком буквально воспринимала ситуацию. Хотела поговорить с мужем? Так что мешает сделать это прямо сейчас? Хотела, чтобы меня простили? Так что мешает простить саму себя? В эту самую минуту. Я представила, сколько людей умирают непрощенными, затаив обиду. Сколько людей, у которых есть сестры, друзья, дети, любимые, исчезнувшие из их жизни, не успев произнести слова милосердия и прощения. Как удается этим людям, пережившим разрыв отношений, вытерпеть болезненное чувство незавершенности? Взяв эту мысль за отправную точку медитации, я нашла ответ: ситуацию можно разрешить самостоятельно, в своей душе. Это не только возможно, но и необходимо.

И тут, к своему изумлению, по-прежнему пребывая в состоянии медитации, я совершила странный поступок. Я пригласила бывшего мужа присоединиться ко мне на этой крыше, в Индии. Не будет ли он так любезен встретиться со мной в последний раз? Я стала ждать, когда же он появится. И он действительно появился. Его присутствие вдруг стало абсолютным и осязаемым. Я почти чувствовала его запах.

Я сказала: «Привет, милый».

В тот момент я чуть не расплакалась, но быстро поняла, что это ни к чему. Слезы — часть нашего физического существа, а место, где в тот вечер в Индии встретились две души, не имеет никакого отношения к физическому телу. Те двое, кому было необходимо поговорить друг с другом на крыше, уже даже не были людьми. Это даже нельзя было назвать разговором. Они больше не были бывшим мужем и женой, упрямицей со Среднего Запада и карьеристом-янки, сорокалетним мужчиной и тридцатилетней женщиной, двумя ограниченными людьми, годами спорившими о сексе, деньгах, мебели, — все теперь было неважно. Учитывая цели и место встречи, эти двое были лишь душами, источавшими прохладное голубое свечение и наделенными полным пониманием сущего. Не стесненные телесной оболочкой и сложной историей прошлых отношений, они поднялись над крышей (и даже надо мной) в бесконечной мудрости. Все еще пребывая в состоянии медитации, я увидела, как две прохладно-голубые души слились в едином круге, соединились, а затем снова разделились и воззрились друг на друга во всем своем совершенстве и похожести. Они знали друг о друге все. Они все знали в прошлом и будут знать всегда. Им не нужно было прощать друг друга — они сделали это тогда, когда родились на свет.

Своим прекрасным танцем они словно говорили: «Не вмешивайся, Лиз. Ты сыграла свою роль в этих отношениях. Теперь мы сами решим, что делать. А ты живи дальше».

Прошло немало времени, я наконец открыла глаза... и поняла, что все прошло. Не только мое супружество и развод, но и чувство незавершенности, унылая пустота и меланхолия... все прошло. Я чувствовала себя свободной. Позвольте уточнить: я вовсе не хочу сказать, что с тех пор больше никогда в жизни не вспоминала о бывшем муже и не испытывала при этом никаких эмоций. Но благодаря ритуалу на крыше в моей душе появилось особое место, куда можно было бы отправить эти мысли и чувства, когда они возникнут в будущем, — а они будут возникать всегда. Зато теперь, когда это случится, я отправлю мысли сюда, на эту крышу моей памяти, под опеку двух душ, светящихся прохладным голубым светом, которые все понимают и будут понимать всегда.

Для этого и существуют ритуалы. Люди проводят религиозные церемонии, чтобы создать безопасное место для хранения самых сложных чувств, будь то счастье или горе, чтобы не пришлось вечно таскать переживания с собой, как тяжкий груз. Нам всем нужно место для хранения эмоций. Я верю, что, если в культуре или религиозной традиции отсутствует ритуал, необходимый человеку, можно изобрести собственную церемонию и своими силами наладить поврежденную эмоциональную систему, как сделал мой изобретательный и щедрый поэт-водопроводчик. Главное — провести «домашнюю» церемонию искренне, и тогда Божья милость обеспечена. Ведь именно для этого нам нужен Бог.

Я встала и выполнила стойку на руках на крыше моей гуру, празднуя свое освобождение. Я чувствовала ладонями пыльную плитку. Я чувствовала свою силу и равновесие. Легкий ночной ветерок овевал мои босые ступни. Бесплотная душа, излучающая прохладно-голубое сияние, не способна сделать стойку на руках, однако человеческому существу такое под силу. У нас есть руки, и если мы захотим, то можем опереться на них. В этом наше преимущество, прелесть пребывания в смертном теле. Именно поэтому мы нужны Богу. Ведь Ему нравится чувствовать мир нашими ладонями.

## 61

Сегодня уехал Ричард из Техаса. Улетел домой, в Остин. Я проводила его в аэропорт, и нам обоим было грустно. Мы долго стояли на тротуаре, прежде чем он зашел в терминал.

— Что же я буду делать без моей Лиз Гилберт? Даже не над кем поиздеваться будет, — вздохнул Ричард. А потом сказал: — Тебе ашрам пошел на пользу. Ты выглядишь совсем иначе, чем несколько месяцев назад, — как будто сбросила часть уныния, что вечно таскала за собой.

— Я сейчас очень счастлива, Ричард.

— Ну тогда запомни: все твои несчастья будут поджидать тебя у выхода, а вот брать их с собой или нет — дело твое.

— Я не стану их брать.

— Вот и умница.

— Ты мне очень помог, — призналась я. — Ты мой ангел с волосатыми руками и грязью под ногтями.

— Мои бедные ногти так и не пришли в себя после Вьетнама.

— Могло быть и хуже.

— А для многих ребят и было хуже. Хорошо хоть ноги при мне. Нет уж, сестричка, в этой жизни мне досталось непыльное воплощение... Да и тебе — никогда об этом не забывай. Может, в следующей жизни станешь одной из тех индианок, что ворочают булыжники у дороги, — тогда поймешь, что жизнь не сахар. Так что цени, что имеешь. Учись благодарности, дольше проживешь. И знаешь что, Хомяк? Сделай одолжение, начни жить по-настоящему.

— Я уже живу.

— Нет, я о другом. Найди человека, которого могла бы полюбить. Выжди столько, сколько нужно, чтобы залечить раны, но потом все же впусти кого-нибудь в свое сердце. Не превращай свою жизнь в памятник Дэвиду или бывшему мужу.

— Не буду, — ответила я. И вдруг поняла, что это правда — *не буду*. Давняя боль от потерянной любви и прошлых ошибок словно растворилась перед глазами, исчезла благодаря пресловутой целительной силе времени, терпению и Божьей милости.

И тут Ричард снова заговорил, мгновенно вернув мои мысли к более примитивным жизненным реалиям.

— Знаешь, говорят, секс — лучший способ избавиться от головной боли.

Я рассмеялась.

— Ну все, Ричард, с меня хватит. Теперь можешь возвращаться в свой Техас!

— Пожалуй, я так и сделаю, — ответил он, окидывая взглядом пустынную аэропортовскую стоянку. — Что за польза торчать тут без дела?

62

На обратном пути в ашрам, проводив Ричарда в аэропорт, я решила, что чересчур много болтаю. По правде говоря, я всю жизнь была болтушкой, но за время своего пребывания в ашраме разболталась окончательно. Мне осталось жить здесь еще два месяца, и я не хочу профукать свой уникальный шанс духовно развиваться, променяв его на беспрерывное светское общение и болтовню. Я с удивлением выяснила, что даже здесь, на противоположном конце света, в возвышенной обстановке ашрама, я все равно умудрилась создать вокруг себя атмосферу коктейльной вечеринки. И я постоянно болтаю не только с Ричардом —

хотя основной треп, конечно, с ним. Всегда находится кто-нибудь покалякать. Я даже поймала себя на том, что назначаю встречи знакомым (заметьте, все это происходит в ашраме!), а иногда и говорю что-то типа: «Прости, я не смогу сегодня с тобой пообедать, так как обещала Сакши посидеть с ней. Может, перенесем на следующий вторник?»

Та же история преследует меня всю жизнь. В этом вся я. Но в последнее время мне пришло в голову, что моя общительность может тормозить духовное развитие. Недаром молчание и уединение считаются общепринятыми духовными практиками. Умение сдерживать речь — один из способов препятствовать растрачиванию энергии, которая в данном случае льется из ротового отверстия, изматывая говорящего и наполняя мир нагромождением слов, а не безмятежностью, покоем и блаженством. Свамиджи, учитель нашей гуру, был большим поборником тишины в ашраме и горячо рекомендовал ее в качестве духовной практики. Он называл молчание единственной истинной религией. Поэтому просто нелепо, что я так много болтаю именно здесь, в одном из немногих мест в мире, где должна — и может — царить тишина.

И вот я решила покончить со своим статусом светской дивы ашрама. Никакого больше трепа, сплетен, шуточек. Пора покончить со стремлением вечно быть в центре внимания и тянуть разговор на себя. Выписывать словесные па за плату и комплименты. Пора меняться. Отныне, со дня отъезда Ричарда, я стану совершенной тихоней. Это будет сложно, но не невозможно, так как молчаливость в ашраме весьма уважаемое качество. Все живущие здесь будут готовы меня поддержать, истолковав мое решение как дисциплинированный поступок во имя духовного совершенствования. В нашем книжном магазине даже продают маленькие значки, которые можно цеплять на себя: «Я соблюдаю обет молчания».

Надо купить таких штуки четыре.

По пути в ашрам позволяю себе предаться фантазиям о том, какой теперь стану молчуньей. Я буду говорить так мало, что прославлюсь на весь ашрам. Обо мне будут говорить: «Та молчаливая девушка». Я буду послушно придерживаться расписания, в одиночестве принимать пищу, ежедневно часами медитировать и оттирать полы в храме, не издавая ни звука. Единственным способом общаться с окружающими станет благостная улыбка, свидетельствующая о безмятежности и добродетельности моего самодостаточного внутреннего мира. Люди начнут обо мне говорить. Им станет любопытно: что это за молчаливая девушка в глубине храма, которая вечно трет полы, опустившись на колени? Она никогда не разговаривает. Такая таинственная и непонятная. Даже трудно представить, какой у нее голос. Когда она идет по тропинке в саду, даже ее шаги не слышны. Она двигается бесшумно, как ветер. Наверное, эта девушка пребывает в состоянии постоянного медитативного единства с Богом. Никогда еще не приходилось видеть более спокойного человека...

## 63

Наутро я стояла на коленях в храме и драила мраморный пол, излучая (как мне казалось) священную ауру безмолвия. И тут в храм зашел индийский мальчик, сообщивший, что меня немедленно ждут в офисе *сева*. *Сева* на санскрите — духовная практика бескорыстного служения (как, например, мытье храмовых полов). Администраторы офиса *сева* распределяют всю работу в ашраме. Я отправилась туда; мне было очень любопытно, зачем меня вызвали. Милая девушка спросила:

— Вы — Элизабет Гилберт?

Я улыбнулась с самой благостной теплотой, на которую была способна, и кивнула. Безмолвно.

А она сообщила, что меня назначили на другую работу. По особой просьбе администрации я больше не буду мыть полы вместе с остальными. Мне нашли другое задание.

И как же называлась моя новая должность? А ну-ка, оцените: дежурная по приему гостей.

## 64

Это явно был очередной прикол Свамиджи.

*Значит, захотела стать «молчаливой девушкой из храма»? Вот тебе...*

210

В ашраме такое случается сплошь и рядом. Стоит только принять важнейшее грандиознейшее решение по поводу того, что ты должна делать и кем стать, как возникают обстоятельства, благодаря которым сразу понимаешь, насколько плохо разбираешься в себе. Уж не знаю, сколько раз Свамиджи произносил эти слова при жизни и сколько раз наша гуру повторяла их после его смерти, но, видимо, этого было недостаточно, чтобы полностью усвоить их смысл:

«Бог живет в тебе. Бог и есть ты».

*Бог и есть ты.*

Если свести всю философию нашей йогической традиции к одной священной истине, эта строка станет ее точным отражением. Бог живет в тебе, Бог — это ты, такая, какая есть. Ему неинтересно смотреть, как ты пытаешься изображать из себя кого-то другого, кто, по твоему мнению, соответствует идиотским представлениям о том, как должна выглядеть и вести себя высокодуховная личность. Всем нам почему-то кажется, что, чтобы стать просветленными, необходимо внести массивные, драматические изменения в свою личность, отречься от собственной индивидуальности. Это классический пример того, что на Востоке называют ложным мнением. Свамиджи говорил, что недовольные собой каждый день находят что-то новое, что им хотелось бы изменить, однако обычно это приводит не к умиротворению, а к депрессии. Всю жизнь он учил, что аскетизм и самоотречение — ложные цели, к которым не следует стремиться. Чтобы познать Бога, нужно отречься лишь от одного — ощущения собственной разделенности с Богом. Или оставаться тем, кто ты есть, не выходя за рамки своей природы.

И какова же моя природа? Мне нравится учиться в ашраме, но что касается моей мечты о том, чтобы бесшумно парить в его стенах с нежной неземной улыбкой, двигаясь к просветлению, — она откуда взялась? Не иначе как с телевизионного экрана. Но реальность такова, какой бы грустной она ни была: мне никогда не стать этим неземным созданием. Меня всегда очаровывали воздушные девушки-виденья. Мне всегда хотелось быть молчуньей. Наверное, потому, что я не такая. Именно поэтому мне кажется, что темные густые волосы — это красиво: потому что у меня их нет и не будет. Но настает время, когда приходится смириться с тем, что имеешь: если бы Богу захотелось создать меня застенчивой барышней с густыми темными волосами, Он бы так и сделал — но не сделал же. В таком случае благоразумно принять себя такой, какая я есть, целиком и полностью.

Как писал древний пифагорийский философ Секстус, «мудрец всегда похож на самого себя».

Все это вовсе не значит, что я не способна служить Господу. Что Его любовь не может снизойти на меня и усмирить меня. Что от меня человечеству нет никакого проку. Это не значит, что я не могу развиваться как человек, культивировать в себе добродетель и проводить ежедневную работу, стараясь уменьшить число моих пороков. Пусть мне никогда не стать той, что стоит, скромно прислонившись к стене, это вовсе не означает, что я не способна серьезно подумать о своей привычке к болтливости и кое-что изменить к лучшему — работая изнутри. Ну да, поболтать я люблю, и, может, мне не следует так много ругаться, или смеяться по поводу и без повода, или постоянно говорить о себе? А вот и вовсе радикальное изменение — научиться не встревать, когда говорят другие. Привычку прерывать собеседника можно истолковать как угодно, но все же ей есть единственное объяснение: я прерываю вас, потому что считаю, что мои слова важнее того, что говорите вы. А из этого проистекает единственный вывод: я считаю себя важнее остальных. Вот с чем нужно бороться.

Изменения пошли бы мне на пользу. Но даже если разумно ограничить мою болтливость, мне все равно в жизни не прослыть тихоней. Какой бы заманчивой ни казалась перспектива и как бы я ни билась. Ведь, если не лукавить, с кем мы имеем дело? Когда девушка из центра *сева* распределила меня на новую работу — дежурной по приему гостей — она сказала:

— Для этой должности у нас есть особое прозвище. Мы называем ее «девочка-припевочка», — потому что человек, который занимается этой работой, должен быть всегда общительным, жизнерадостным и непрерывно улыбаться.

Ну что на это ответить?

Я лишь протянула руку для рукопожатия, молча попрощалась со всеми своими наивными старыми заблуждениями и проговорила:

— Мисс, вы нашли как раз такого человека.

## 65

*А* гости, дежурной по приему которых меня назначили, будут съезжаться на ритриты, проходящие в ашраме этой весной. На каждый из ритритов — они длятся от недели до десяти дней — съезжаются около ста учеников со всего света, чтобы усовершенствовать практику медитации. Моя роль заключается в том, чтобы помогать гостям во время их проживания в ашраме. Большую часть ритрита участники проводят в молчании. Некоторым из них предстоит впервые применить эту технику, а подобный опыт может быть весьма напряженным. И если что-то пойдет не так, я буду единственным человеком во всем ашраме, с кем им позволено разговаривать.

Выходит, мне официально поручили быть отдушиной для всех, кому вздумается поболтать!

Я должна буду выслушивать проблемы участников ритрита и пытаться их решить. Кому-то, возможно, понадобится найти другого соседа по комнате, потому что нынешний храпит. Или обратиться к врачу из-за проблем с пищеварением — что типично для Индии, — и мне надо будет постараться это устроить. Я должна знать всех по имени, знать, откуда они родом. Мне предстоит ходить повсюду с папочкой, делать заметки и следить, как у кого дела. Привет, я Джули Маккой*, ваш проводник в мире йоги!

И что бы вы думали — мне даже выдадут пейджер!

Начинается ритрит, и мне сразу становится ясно, что я просто создана для этой работы. Вот я сижу за столом со значком «Привет, меня зовут...», а люди приезжают из самых разных стран. Есть опытные ученики, а есть и те, кто в Индии впервые. В десять утра температура уже зашкалила за сорок градусов — а большинство гостей всю ночь летели в экономклассе. Некоторые вваливаются в ашрам с таким видом, будто только что очнулись в багажнике машины и понятия не имеют, что они тут

---

* Джули Маккой — героиня телесериала семидесятых «Корабль любви», действие которого происходит на круизном лайнере, администратор круиза.

делают. На этот ритрит их привело стремление к просветлению, но они об этом давно уже забыли — еще тогда, когда их багаж потерялся в Куала-Лумпуре. Им хочется пить, но они не знают, можно ли пить воду. Хочется есть, но они не знают, когда обед и где столовая. Они одеты совсем неправильно — в синтетических майках, походных ботинках на тропической жаре. И даже не знают, есть ли здесь хоть кто-то, кто говорит по-русски.

А я немного знаю русский.

Я могу им помочь. Я просто создана для этого. Мои особые датчики, которыми я обзавелась за жизнь и при помощи которых научилась улавливать человеческие чувства; моя интуиция, сформировавшаяся в детстве, когда я была сверхчувствительным ребенком; мое умение слушать, выработанное за время работы участливым барменом и любопытным репортером; искусство заботиться о людях, постигнутое за годы супружеских и любовных отношений, — все эти навыки накапливались годами, чтобы я наконец смогла помочь этим добрым людям в том непростом деле, на какое они решились. Люди приезжают из Мексики, с Филиппин, из Африки, Дании, Детройта. Это похоже на кадры из фильма «Близкие контакты третьего вида», когда Ричарда Дрейфуса и прочих искателей притянуло в самый центр Вайоминга по причинам, им совершенно непонятным, — а притягивало их на самом деле прибытие космического корабля. Храбрость этих людей поражает меня. Они на несколько недель оставили свои семьи, свои жизни, чтобы принести обет молчания вместе с сотней незнакомцев в Индии. Немногие на такое способны.

Я сразу полюбила всех наших гостей — автоматически и безусловно. Я полюбила даже тех, кто впоследствии стал настоящей занозой. Их неврозы мне знакомы; я понимаю, что они просто ужасно напуганы тем, с чем им предстоит столкнуться в ходе семидневного соблюдения обета молчания и медитации. Я полюбила даже того индийца, который в бешенстве пришел ко мне и доложил: в его комнате стоит десятисантиметровая статуэтка индийского бога Ганеши без ноги! Индиец в ярости, ему кажется, что это ужасное предзнаменование, и он хочет, чтобы статуэтку немедленно убрали, и желательно, чтобы это сделал брамин и после провел «традиционно приличествующую» церемонию очищения. Я успокаиваю гостя, выслушиваю его гневные тирады и посылаю свою подружку Талси в его комнату — избавиться от статуэтки, пока сам парень на обеде. На следующий день передаю ему записку, в которой высказываю надежду, что теперь, когда сломанную статуэтку убрали, он чувствует себя лучше, и напоминаю, что, если возникнет любая проблема, я всегда к его услугам. В благодарность он одаривает меня сияющей довольной улыбкой. Все дело в том, что индиец боится. Француженка, с которой чуть не случился приступ паники — так она распереживалась из-за своей аллергии на пшеницу, — тоже боится, только и всего. Аргентинец, требующий особой аудиенции всего преподавательского состава центра хатха-йоги, чтобы его проинструктировали, как правильно сидеть во время медитации, чтобы не болела лодыжка, — он тоже боится. Все они боятся. Им предстоит принести обет молчания, погрузиться в собственный ум и душу. Даже для опытного медитирующего нет территории более неизведанной. Там может произойти все что угодно. Ритрит проводит замечательная женщина, пожилая монахиня лет пятидесяти пяти, каждый жест и слово которой — само воплощение участия. Но они все равно боятся, потому что даже эта добрая монахиня не сможет сопровождать их туда, куда им предстоит отправиться. Этого не может никто.

В начале ритрита мне пришло письмо от друга из Америки. Он снимает фильмы о дикой природе для «Нэшнл джеографик». В письме говорилось, что он только что побывал в нью-йоркском отеле «Уолдорф-Астория» на званом приеме в честь Клуба путешественников*. Было просто потрясающе находиться среди этих невероятно храбрых людей, не раз рисковавших жизнью, будучи первопроходцами самых далеких и опасных горных хребтов, каньонов, рек, океанских глубин, ледяных полей и вулканов планеты. За годы сражений с акулами, обморожениями и прочими напастями многие недосчитались носов, пальцев на руках и ногах.

«Ты никогда не видела столько мужественных людей, собравшихся в одном месте одновременно», — писал мой друг.

А я подумала: «Это ты ничего не видел, Майк».

---

* Организация, занимающаяся исследованиями и научным изысканиям.

## 66

*Т*ема ритрита и его цель — *турийя*, неуловимое четвертое состояние человеческого сознания. Йоги считают, что в обычной человеческой жизни мы перемещаемся между тремя уровнями сознания — бодрствование, сновидение и глубокий сон без сновидений. Но есть и четвертое состояние. В нем присутствуют три остальных, оно является всеобъемлющим уровнем осознанности, объединяющим три других состояния. Это сознание в чистом виде, разумная осознанность, благодаря которой человек, например, способен помнить свои сны, проснувшись поутру. Вы сами не присутствовали при этом, вы спали, но кто-то наблюдал за сновидениями, пока вас не было, — кто же был этим свидетелем? И кто тот, кто вечно стоит за пределами активности ума, наблюдая за мыслями? Не кто иной, как Бог, считают йоги. Если человек сможет переместиться в состояние сознания «наблюдателя», он всегда будет находиться в присутствии Бога. Этой постоянной осознанности и переживания божественного присутствия можно достичь лишь на четвертом уровне человеческого сознания, который называется *турийя*.

Как понять, что достиг состояния *турийя?* В этом состоянии человек постоянно пребывает в блаженстве, его не тревожат колеблющиеся настроения ума, не пугает время, не тяготит утрата. «Беспримесный, чистый, свободный, безмятежный, неподвижный, растворивший собственное Я, не имеющий конца, неумирающий, неизменный, вечный, не имеющий начала, независимый, он пребывает в собственном величии» — так описывают достигшего *турийя* Упанишады, древний йогический текст. Великие святые, великие гуру, великие пророки истории — все они пребывали в *турийя* постоянно. Что же до остальных, мы тоже переживали это состояние, хоть и на короткое время. Большинство людей, пусть даже всего на две минуты в жизни, в тот или иной момент испытывали это необъяснимое и случайное ощущение полного счастья, никак не связанное с происходящим в окружающем мире. Минутой ранее ты просто Джо, влекущий однообразное существование, и вдруг — что такое? — вроде бы ничего не изменилось, но все твое существо прониклось благодатью, раскрылось в изумлении, наполнилось блаженством. Все — безо всякой на то причины — вдруг стало совершенным.

Разумеется, у большинства из нас это состояние исчезает так же быстро, как и появилось. Будто нам показывают наше внутреннее совершенство как приманку, а потом мы мгновенно возвращаемся к реальности, плюхаемся оземь, где уже поджидают прежние страхи и желания. Столетиями люди пытались ухватиться за это состояние блаженного совершенства, используя всевозможные внешние средства — наркотики, секс, власть, адреналин, накопление красивых предметов... но удержать его не удавалось. Мы ищем счастье повсюду, как нищий из притчи Толстого, всю жизнь просидевший на горшке с золотом, вымаливая копейки у прохожих и не догадываясь, что богатство — вот оно, под носом. Богатство человека — его духовное совершенство — сокрыто внутри каждого из нас. Но чтобы им воспользоваться, необходимо успокоить вечную суету ума, отказаться от желаний своего Я и погрузиться в тишину сердца. Путь туда укажет *кундалини шакти* — абсолютная божественная энергия.

Вот для чего все приезжают сюда.

Написав это предложение впервые, я имела в виду «вот для чего эти сто человек со всего мира приехали на ритрит в индийский ашрам». Однако йогические святые и философы согласились бы с более широким смыслом первоначальной фразы: «Вот для чего *все* приезжают сюда». Мистики считают, что поиск высшего блаженства и является целью человеческой жизни. Мы появляемся на свет именно для этого, и все страдания и боль земной жизни имеют смысл именно поэтому, чтобы дать нам шанс испытать чувство бесконечной любви. Обретя божественную сущность, сможет ли человек ее удержать? Если сможет — его ждет блаженство.

В течение всего ритрита я сидела в глубине храма и наблюдала за тем, как участники медитируют в полутьме и абсолютной тишине. Моя работа — заботиться об их удобстве, внимательно следить за любыми возникающими проблемами и требованиями. На время ритрита ученики приносят обет молчания, и я вижу, как с каждым днем они все глубже погружаются в тишину, окутывающую весь ашрам. Из уважения к участникам ритрита и мы ходим почти что на цыпочках, даже обедаем в тишине. Прежняя разговорчивость исчезла без следа. Даже я притихла. В ашраме стоит тишина, как посреди ночи, полное отсутствие звуков, когда кажется, что время остановилось, — обычно такое испытываешь в три утра, находясь в полном одиночестве, а сейчас тишина висит в воздухе средь бела дня, и все в ашраме это чувствуют.

Я не знаю, о чем думают сто человек во время медитации, не знаю, что они чувствуют, но мне прекрасно известно, что они стремятся пережить, — и я ловлю себя на мысли, что постоянно молюсь о них, обращаясь к Богу со странной просьбой: пожалуйста, награди этих людей теми дарами, что, возможно, приготовлены для меня. У меня нет намерения входить в медитацию одновременно с участниками ритрита; я должна присматривать за ними, а не заботиться о собственном духовном прогрессе. Но каждый день меня словно подхватывает волна их общего религиозного стремления — говорят, грифы умеют взлетать на потоке раскаленного воздуха, исходящего от земли, поднимаясь из-за этого намного выше, чем смогли бы силой собственных крыльев. Вот и неудивительно, наверное, что подобное происходит со мной именно сейчас. Однажды в четверг после обеда в храме — за выполнением своих обязанностей дежурной, со значком на груди и все такое — я неожиданно натыкаюсь на портал Вселенной, и меня переносит в самый центр ладони Бога.

*67*

*K*ак читатель и человек, находящийся в духовном поиске, я всегда испытываю разочарование, дойдя до этого места в чужих рассказах о духовном пути, — я имею в виду описание того, как душа оказывается вне времени и сливается с бесконечностью. От Будды до святой Терезы, суфийских мистиков и моей собственной гуру многие великие люди столетиями пытались выразить словами, что означает стать единым целым с Богом, — и эти описания всегда оставляли у меня чувство неудовлетворенности. Очень часто в них можно встретить прилагательное, которое меня просто бесит — «неописуемый». Но даже самые красноречивые из повествующих об этом религиозном переживании — Руми, «оставивший все усилия и привязавший себя к рукаву Бога»; Хафиз, описывавший себя и Бога как двух толстяков, помещенных в одну маленькую лодку — «мы все время натыкались друг на друга и смеялись», — даже эти поэты меня разочаровывают. Мне мало читать об этом, мне нужно тоже такое пережить. Шри Рамана Махарши, любимый гуру индийцев, подолгу рассказывал ученикам о своем трансцендентном опыте, но каждую беседу завершал словами: «А теперь идите и узнайте сами».

Вот я и узнала. И не буду заявлять, что то, что я испытала в тот четверг в Индии, было неописуемым, — хотя именно так и было. Я все же попробую описать. Говоря простым языком, меня затянуло в тоннель Абсолюта, и в круговороте я вдруг достигла полного понимания законов Вселенной. Я вышла из своего тела, вышла из комнаты, вышла с этой планеты, шагнула сквозь время и погрузилась в бездну. Я была внутри бездны, но одновременно и *сама* была бездной и смотрела на нее со стороны. В этом месте царило безграничное спокойствие и мудрость. Бездна обладала сознанием и разумом. Бездна была самим Богом, значит, я была в Боге. Но не примитивно физически — не то что Лиз Гилберт стала мышцей Божьей ноги или чем-то еще. Я просто стала частью Бога и самим Богом. Я одновременно была крохотной крупинкой Вселенной и всей огромной Вселенной. («Все знают, что капля вливается в океан, но мало кто догадывается, что и океан сливается с каплей», — писал мудрец Кабир. И я могу на собственном опыте засвидетельствовать, что это действительно так.)

Мои ощущения не имели ничего общего с галлюцинациями. Это было обычное событие. Я попала в рай, испытала глубочайшую любовь, не сравнимую ни с чем, что испытывала прежде, но не впала в эйфорию. Это не было похоже на возбужденное состояние. У меня не осталось эго и страстей, вызывающих эйфорию и восторг. То состояние, которого я достигла, будто всегда было на ладони. Так бывает, когда долго смотришь на оптический обман, напрягаешь глаза, чтобы разгадать его секрет, и тут вдруг видишь, что две вазы на самом деле не вазы, а два лица. А раз увидев оптическую иллюзию, уже никогда не поведешься на тот же фокус.

«Так значит, вот Ты какой, Бог, — подумала я. — Что ж, *карашо пожаловать*!»

То место, где я находилось, нельзя описать как принадлежащее этому миру. Оно не было ни темным, ни светлым, ни большим, ни маленьким. Это вообще было не место, и я там, по сути, не находилась, и «я» вообще была не я. Мои мысли по-прежнему были при мне, но они притихли, усмирели и носили чисто наблюдательный характер. Я ощутила не только непоколебимое чувство сопричастности и единства со всем и всеми окружающими, но и смутное и удивительное для меня чувство непонимания — как это люди вообще могут ощущать себя иначе? У меня также вызвали легкое недоумение мои прежние представления о том, кто я и кем являюсь. Я, женщина, американка, общительный человек, писательница, — все это казалось таким крохотным и... неактуальным. Как можно загонять себя в крошечную коробочку собственной личности, когда ощущаешь свою бесконечность?

Я спросила себя: зачем было гоняться за счастьем всю жизнь, когда оно все время было рядом?

Не знаю, как долго я витала в волшебном поднебесье, ощущая единство со всей Вселенной, прежде чем у меня не возникла внезапная и требовательная мысль: «Я хочу, чтобы это чувство длилось вечно!» Вот тогда меня и вытолкнули из тоннеля. Всего двух коротких слов — *я хочу!* — было достаточно, чтобы начать спуск обратно на землю. И тут мой ум запротестовал — *нет! Не хочу отсюда уходить!* — и я полетела вниз.

*Хочу!*
*Не хочу!*
*Хочу!*
*Не хочу!*

С каждым повторением этих отчаянных мыслей я падала все ниже и ниже сквозь слои иллюзий, как персонаж комедии, упавший с крыши и проломивший по пути с десяток козырьков. Возвращение моих бессмысленных желаний означало путь назад, в мой маленький мирок, к моей земной ограниченности, скупой истории моей жизни, уместившейся на одной страничке. Я наблюдала, как ко мне возвращается мое Я, и это было похоже на постепенно проявляющийся полароидный снимок, с каждой секундой становящийся четче и четче: вот лицо, вот морщины вокруг губ, вот брови — вот и все, конец, мой привычный прежний облик. Меня пробила паническая дрожь, легкий болевой укол от утраты моего божественного опыта. Но вместе с паникой я ощутила и присутствие наблюдателя, мудрой и повзрослевшей себя, которая лишь покачала головой и улыбнулась. Эта мудрая я понимала, что если я смогла поверить, что блаженство можно у меня отнять, то еще ничего не постигла. И потому не готова навсегда поселиться в этом состоянии. Мне предстоит больше учиться. И когда я это осознала, Бог отпустил меня, позволил проскользнуть сквозь пальцы, сообщив последнюю, щедрую и невыразимую истину:

Ты вернешься сюда тогда, когда полностью осознаешь, что *всегда находишься здесь*.

## 68

Два дня спустя ритрит закончился, и ученики нарушили молчание. Меня чуть не задушили в объятиях, осыпав благодарностями за мою помощь.

— Да что вы, это вам спасибо, — повторяла я, недовольная ограниченностью этих слов и невозможностью выразить бесконечную благодарность ученикам, которые подняли меня на столь невообразимые высоты.

Через неделю начался другой ритрит, и приехали еще сто учеников. Обучение, смелые попытки проникнуть в себя и всеохватывающая тишина — все повторилось, но теперь уже с новыми людьми. Я присматривала за ними, старалась помочь всеми силами и несколько раз вошла в состояние *турийя* вместе со всеми. Я могла лишь смеяться, когда позднее, выйдя из медитации, ученики сообщили, что во время ритрита я казалась им «молчаливым, парящим, неземным существом». Вот, значит, как ашрам решил подшутить надо мной напоследок? Лишь когда я научилась принимать себя такой, какая есть — говорливой, общительной, — и смирилась с тем, что мне предназначено быть «дежурной по приему гостей», лишь тогда смогла я стать «тихой девушкой из храма»!

В последние недели моего пребывания здесь ашрам наполнился меланхоличной атмосферой, как в летнем лагере в последние дни перед отъездом. Каждое утро казалось, что все больше и больше людей садятся в автобус и уезжают. Новые ученики уже не появлялись. Оставалось совсем недолго до мая и наступления самого жаркого в Индии сезона, когда в ашраме должно было стать поспокойнее. Ритриты закончились, и меня снова перевели на другую работу — теперь я работала в регистрационном бюро, занимаясь одновременно приятным и грустным делом: официально оформляла на компьютере отъезд всех своих уезжающих друзей.

Вместе со мной работала бывшая парикмахерша с Мэдисон-авеню. Утром мы читали молитву вдвоем, на два голоса распевая наше воззвание к Господу.

— Может, сегодня споем этот гимн побыстрее? — спросила она однажды утром. — И на октаву повыше? А то смахивает на религиозные песнопения в исполнении джазового оркестра!

Теперь мне много времени удается проводить в одиночестве. Примерно четыре-пять часов в день я сижу в зале для медитации. Я научилась часами находиться в компании лишь одной себя, мне легко в своем присутствии, меня ничуть не беспокоит факт собственного существования на планете. Порой во время медитации я переживаю сюрреалистический опыт и физически ощущаю *шакти* — позвоночник выкручивается, кровь кипит в диком порыве. Я стараюсь по возможности не сопротивляться. А бывает, чувствую лишь приятное, ровное чувство безмятежности — и это тоже хорошо. Мой ум по-прежнему выстраивает фразы, и мысли пляшут напоказ, но их ход мне так хорошо известен, что они меня больше не тревожат. Они стали словно старыми соседями — докучливыми, с одной стороны, а с другой — почти совсем родными — мистер и миссис Шалтай-Болтай и их три тупых отпрыска, Бла, Бла, Бла. Но их соседство не нарушает мир в моем доме. В нашем квартале хватит места для всех.

Что же до прочих изменений, произошедших со мной за последние месяцы, наверное, я их пока не почувствовала. Друзья, которые уже давно занимаются йогой, утверждают, что эффект от пребывания в ашраме проявляется лишь тогда, когда уедешь из него и вернешься к нормальной жизни. «Лишь тогда, — говорит бывшая монахиня из Южной Африки, — ты начнешь замечать, что в чуланах твоей души навели порядок». Конечно, именно сейчас мне трудно сказать, что для меня «нормальная жизнь». Не исключено, что в скором времени мне предстоит жить у древнего индонезийского знахаря, — это, по-вашему, нормальная жизнь? Может, и да — кто знает. Как бы то ни было, друзья утверждают, что изменения начнутся потом. Человек может вдруг увидеть, что навязчивые идеи, которыми он страдал всю жизнь, исчезли, негативные, накрепко устоявшиеся модели поведения изменились. Мелкие раздражители, некогда сводившие с ума, вдруг перестали казаться трагедией, а ужасные прошлые несчастья, которые так меня и не покинули, больше не хочется терпеть и пяти минут. Отношения, отравляющие жизнь, испаряются сами собой или выбрасываются за ненадобностью, а в твой мир входят жизнерадостные, более положительные люди.

Вчера ночью я не могла уснуть. Причиной тому было не беспокойство, а чувство восторженного предвкушения. Я оделась и вышла на прогулку по саду. На небе сияла роскошная полная луна, похожая на созревший плод, — она зависла прямо у меня над головой, заливая окрестности оловянным свечением. Воздух благоухал жасмином и опьяняющим, головокружительным ароматом местного цветущего кустарника, распускающегося только ночью. День был влажным и жарким, и ночью полегчало лишь чуть. Теплый воздух плавал вокруг волнами, и меня вдруг словно ударило:

Я в Индии!

Я в Индии, в одних шлепанцах!

Я сорвалась с места и побежала по тропинке на луг, по залитому лунным сиянием зеленому полю. Тело казалось таким живым и бодрым — недаром я несколько месяцев занималась йогой, ела только вегетарианскую пищу и рано ложилась спать. Шлепанцы на мягкой, влажной от росы траве издавали такой звук: *шиппа-шиппа-шиппа-шиппа* — и это был единственный звук во всей долине. Меня охватил такой восторг, что я подбежала прямиком к рощице эвкалиптов, растущей посреди парка (говорят, там стоял древний храм Ганеши — бога, устраняющего препятствия), и обняла одно дерево, все еще теплое от дневной жары, и горячо его поцеловала. Я вложила в этот поцелуй всю душу, не думая тогда, что это и есть кошмар всех американских родителей, чьи дети сбежали в Индию, чтобы найти себя, — увидеть, как твой ребенок устраивает оргии с деревьями в лунном свете!

Но любовь, которую я чувствовала, была такой чистой. Она была божественной. Я оглянула долину и во всем вокруг увидела присутствие Бога. Меня переполняло глубочайшее, страшное счастье. Я подумала: «Вот это чувство — что бы оно ни означало, — и есть то, о чем я молилась. Это и есть то, к *чему* были обращены мои молитвы».

## 69

*А* еще я нашла «свое» слово.

Нашла в библиотеке — ну что возьмешь с «ботанички» вроде меня. С того самого дня в Риме, когда мой итальянский друг Джулио сказал, что Риму соответствует слово «секс», и спросил, что за слово лучше характеризует меня, я пыталась отыскать его. Тогда я не знала ответа, но решила, что рано или поздно мое слово даст о себе знать, — и, увидев его, я пойму, что это оно и есть.

И вот в последнюю неделю моего пребывания в ашраме я наконец наткнулась на это слово. Я читала старинный йогический текст и увидела описание древних религиозных практиков. В одном абзаце было санскритское слово: АНТЕВАСИН. Это означает «тот, кто живет на границе». В древние времена значение этих слов было буквальным. Термин обозначал человека, который покинул шумное средоточие мирской жизни и поселился на границе лесов, в месте обитания духовных учителей. Антевасин больше не считался одним из жителей деревни, у него не было дома и жизни в ее обычном представлении. Но он пока не стал и просветленным, полностью реализовавшимся мудрецом из тех, что жили в глубокой чаще лесов, куда не ступала нога человека. Антевасин существовал посередине. Находился в пограничном состоянии. Жил в пределах видимости обоих миров, но смотрел в направлении неизвестности. И изучал мир.

Когда я прочла описание слова «антевасин», то так разволновалась, что даже тявкнула от нахлынувшего на меня озарения: вот оно, мое слово! Конечно, в современном мире образ дремучего леса нужно понимать метафорически и границу тоже. Но жить на границе все же можно. Реально существовать на дрожащей линии, разделяющей старый образ мыслей и новое понимание, и вечно пребывать в состоянии изучения мира. В переносном смысле эта граница находится в вечном движении: по мере того как мы продвигаемся в своих исследованиях и открытиях, таинственный лес, полный неизвестности, всегда остается на расстоянии нескольких шагов, и, чтобы не потерять его из виду, следует путешествовать налегке. Следует быть подвижным, легким на подъем, гибким. Даже вертким в какой-то мере. Забавно: буквально на днях мой приятель, поэт-водопроводчик из Новой Зеландии, уезжал из ашрама и на пути к выходу протянул мне бумажку с дружеским прощальным четверостишием о моем путешествии. Сейчас оно мне вспомнилось:

*Элизабет, серединка на половинку:*
*Об Италии болтает, о Бали мечтает.*
*Элизабет, половинка на серединку:*
*Верткая, как рыба, ускользает...*

Сколько времени за последние годы я потратила на размышления о том, кем должна быть? Женой? Матерью? Возлюбленной? Одиночкой? Итальянкой? Гурманом? Путешественницей? Писательницей? Йогом? Но я не являюсь никем из перечисленного — по крайней мере на все сто. Как и не являюсь сумасшедшей теткой Лиз. Я всего лишь вертки́й *антевасин*, серединка на половинку — ученик, обитающий на вечно движущейся границе прекрасного и пугающего леса неизвестности.

## 70

Я уверена, что все религии мира имеют в своем основании общий принцип — стремление найти способ общения с Богом. Человек, стремящийся достичь единства с божественным, на самом деле пытается отстраниться от мирской жизни и приблизиться к жизни вечной (или, продолжая тему *антевасина*, уйти из деревни в лес). И все, что для этого нужно, — некая великая идея, способная перенести его туда. Это должна быть действительно мощная концепция, всеобъемлющая, обладающая магическими свойствами и силой, так как с ее помощью предстоит преодолеть неблизкий путь. Если представить ее в виде лодки, это должно быть самое большое судно, которое только можно вообразить.

Религиозные ритуалы часто возникают на основе мистических экспериментов. Некий отважный первооткрыватель ищет новый путь приобщения к божественному, переживает трансцедентный опыт и возвращается домой уже пророком. Он (или она) делится с народом рассказами о рае и приносит карты, указывающие путь наверх. После чего другие повторяют те же слова, действия, молитвы, совершают те же поступки, чтобы перейти черту. Иногда им это удается — бывает, что одно и то же знакомое сочетание слогов и духовных практик, повторяемых из поколения в поколение, позволяет людям очутиться «по другую сторону». Но бывает, что и не получается. И даже самые оригинальные идеи рано или поздно неизбежно окостеневают и становятся догмой — или утрачивают эффективность.

Местные жители рассказывают поучительную притчу о великом святом, который жил в ашраме, окруженный преданными учениками. Каждый день святой и его последователи часами медитировали, обращаясь к Богу. Единственная неприятность заключалась в том, что у святого был котенок, весьма надоедливое создание. Он гулял по храму, мяукал, урчал и мешал всем медитировать. И вот мудрый и практичный святой приказал привязывать котенка к столбу на улице на несколько часов в день во время медитации, чтобы тот никому не мешал. Так родилась привычка — сначала кота привязывали к столбу и лишь потом начинали медитацию. Однако с годами привычка превратилась в религиозный ритуал. Люди уже не могли медитировать, предварительно не привязав кота. Но вот кот умер. Ученики святого пришли в панику. Наступил глобальный религиозный кризис: как же теперь медитировать, когда нельзя привязать кота? Как достучаться до Бога? В сознании учеников кот превратился в средство религиозного общения.

Так будьте же осторожны, учит притча, не увлекайтесь повторением религиозных ритуалов лишь с целью их исполнения. Особенно это справедливо в нашем раздираемом распрями мире, где «Талибан» и христианская коалиция не прекращают свою войну, уже напоминающую борьбу международных торговых марок за то, кому принадлежит копирайт слова «бог» и чьи ритуалы для общения с этим «богом» правильнее. Им было бы полезно вспомнить о том, что люди достигали просветления вовсе не потому, что привязывали кота к столбу; лишь неустанное желание каждого отдельного ученика испытать вечное божественное милосердие приводило его к цели. Гибкое мышление —

столь же необходимое условие для достижения контакта с божественным, как и дисциплина.

Таким образом, задача каждого человека, готового взять ее на себя, — искать пути, ритуалы и учителей, которые помогут приблизиться к Богу. В йогических текстах говорится, что Бог отвечает на священные молитвы и старания человека, каким бы способом тот ни отправлял религиозный ритуал, — лишь бы молитва шла от сердца. В Упанишадах есть такие слова: «Люди идут разными путями — кто прямым, кто извилистым, в зависимости от темперамента и от того, что считают лучшим или подходящим, — но  все приходят к Тебе, как все реки впадают в океан».

Разумеется, у религии есть и другая цель — она пытается разобраться в хаосе мирского существования и объяснить то необъяснимое, с чем мы сталкиваемся на земле ежедневно — страдания невинных, безнаказанность виновных, — иначе как бы мы постигли все это? Западная традиция гласит, что всем воздастся по заслугам после смерти, в раю или в аду. (Справедливость восстановит тот, кого Джеймс Джойс называл «Богом-висельником», — фигура Бога Отца, восседающего на грозном судейском троне, наказывающего Зло и вознаграждающего Добро.) Но на Востоке Упанишады отметают все попытки навести порядок в мировом хаосе. В них даже не утверждается, что мир — это хаос; скорее, он представляется хаотичным нам из-за того, что наше восприятие ограниченно. Упанишады не сулят справедливость и отмщение для каждого, хотя в них и говорится, что каждое действие влечет за собой последствие, поэтому нужно вести себя соответственно. Возможно, эти последствия проявятся не сразу. Йога всегда рассматривает явления в перспективе. Более того, в Упанишадах говорится, что так называемый хаос на самом деле исполняет высшую функцию, даже если это не видно лично вам и в данный момент: «Боги любят сокрытое и не приемлют очевидное». Таким образом, лучшей реакцией на непостижимый и опасный мир является практика удержания внутреннего равновесия независимо от происходящих во внешнем мире безумств.

Вот что говорит по этому поводу Шон, йог и ирландский фермер: «Представь, что Вселенная — гигантский крутящийся мотор. Ты должна держаться в самом центре, в ступице колеса, а не с краю, где колесо бешено вращается, где можно потерять целостность и рассудок. Центр безмятежности — он в твоем сердце. Там обитает Бог. Так что прекрати искать ответы вокруг. Достаточно вернуться в этот центр, и ты всегда найдешь там место покоя».

Ничто и никогда не казалось мне более разумным в религиозном смысле, чем слова Шона. Что касается меня, это чистая правда. И если когда-нибудь мне встретится более эффективный метод, будьте уверены, я им воспользуюсь.

Многие мои нью-йоркские друзья не верят в Бога. Даже большинство. Они или разочаровались в религиозном учении, которое исповедовали в юности, или выросли без всякого понятия о Боге. Естественно, некоторых из них пугает мое новообретенное стремление достичь просветления. Не обходится и без подколов. Мой приятель Бобби, например, заметил однажды, пытаясь починить мой компьютер: «Или у тебя плохая аура, или кто-то до сих пор не научился скачивать программы из Интернета!» Я смеюсь над их шутками. Мне они тоже кажутся смешными. Как же иначе?

Но я часто замечаю, что с возрастом моих друзей охватывает тоска, — им так хочется верить хоть во что-то. Однако их желание наталкивается на многочисленные препятствия, в том числе на интеллект и здравый смысл. Хотя, несмотря на все их интеллектуальные способности, они по-прежнему живут в мире, кружащемся в водовороте диких, опустошающих и совершенно бессмысленных метаний. Каждого из них (и каждого из нас) кидает от чудесных ощущений к ужасным, от счастья к страданию, и крайности рождают в нас желание приобщиться к некоему религиозному контексту, при помощи которого можно было бы выразить печаль или благодарность и найти понимание. Одна только загвоздка — кого выбрать в качестве Бога? Кому молиться?

У одного моего близкого друга первый ребенок родился сразу после смерти любимой матери. Пережив такое совпадение чудесного обретения и утраты, друг почувствовал необходимость отправиться в святое место, совершить некий ритуал, чтобы разобраться в своих чувствах. Он вырос в семье католиков, но вернуться в церковь уже взрослым казалось невыносимым. («Я не могу больше верить во все это, — признался он, — после всего, что узнал».) Подаваться в индуизм, буддизм и прочую экзотику было неловко. Так как же поступить? «Нельзя же выбирать религию, как фрукты на базаре», — заявил мой друг.

И хотя я уважаю его мнение, но совершенно с ним не согласна. Мне кажется, у человека есть полное право выбирать религию — именно как фрукты на базаре, — когда речь идет о совершенствовании духа и обретении мира через Бога. Мне кажется, человеку позволено выбрать любой способ пересечения земной границы в минуты, когда ему необходим божественный контакт и утешение. И нечего тут стыдиться. Вся история человеческих поисков Бога построена на этом. Если бы человеческие исследования в религиозной сфере не эволюционировали, мы бы до сих пор поклонялись золоченым фигуркам египетских кошек! А эволюция религиозной мысли подразумевает тщательное отсеивание. Отобрав практики из различных источников, можно продолжать двигаться к свету.

Индейцы из племени хопи верили, что все мировые религии содержат по одной духовной нити, и эти нити находятся в вечном поиске друг друга, стремясь воссоединиться. Когда же они наконец сплетутся воедино, то образуют веревку, которая выдернет нас из темного цикла истории на иной уровень реальности. Есть и более современный пример: далай-лама высказал ту же мысль, уверяя своих западных учеников, что им необязательно становиться последователями тибетского буддизма, чтобы стать его приверженцами. Далай-лама предложил им выбрать любые понравившиеся концепции тибетского буддизма и интегрировать их в их собственную духовную практику. Эта светлая мысль — что Бог гораздо больше, чем учит нас ограниченные религиозные доктрины, — иногда проскальзывает в самых неожиданных и консервативных местах. В тысяча девятьсот пятьдесят четвертом году не кто иной, как папа Пий XI отправил делегацию из Ватикана в Ливию, сопроводив ее письменными инструкциями: «Не стоит думать, что вы отправляетесь в страну неверных. И мусульмане обретают спасение. Безграничны пути Провидения».

Вот ведь он, ответ. «Безграничны пути» — это означает только то, что они... безграничны. И даже самый святой человек способен увидеть лишь отдельные фрагменты общей картины. Но, может, если мы соединим фрагменты и сравним их, из них начнет складываться картина Бога, знакомая всем и включающая всех? Разве наше личное стремление к просветлению не является лишь частью всечеловеческого поиска Бога? Разве у каждого из нас нет права не прекращать поиск до тех пор, пока мы не подойдем к чудотворному источнику так близко, как только возможно? Даже если для этого понадобится приехать в Индию и целовать деревья в лунном свете?

Другими словами, я оказалась припертой к стенке. Я в свете всех прожекторов. Выбираю свою религию.*

## 71

*М*ой самолет улетает в четыре утра — что, в общем-то, типично для Индии. Решаю сегодня вообще не спать, а провести весь вечер в одном из залов для медитации, посвятив время молитве. Я не сова, но именно сегодня, в эти последние часы в ашраме, отчего-то не хочется ложиться. В моей жизни было много поводов пожертвовать сном, — чтобы заняться любовью, проругаться всю ночь, вести машину, танцевать, плакать, волноваться (а иногда и все вышеперечисленное, и все за одну ночь), — но никогда прежде я не предпочитала сну медитацию. Так почему бы не сделать это сейчас?

Уложив сумку, бросаю ее у ворот храма, чтобы быстро взять ее и выйти, когда перед рассветом приедет такси. А потом поднимаюсь на холм, захожу в зал для медитаций и сажусь. Я совсем одна, но сажусь так, чтобы было видно большую фотографию Свамиджи — учителя моей гуру и основателя ашрама, давно почившего духовного гиганта, чье присутствие до сих пор ощущается здесь. Я закрываю глаза, и в голове сама собой рождается мантра. Пользуясь ее слогами, как ступенями, я спускаюсь в центр покоя внутри своего сердца. Добравшись до него, чувствую, как весь мир останавливается — как мне хотелось, чтобы он остановился, когда мне было девять лет и я боялась беспрерывного течения времени. В моем сердце останавливаются часы и прекращают перелистываться страницы календаря. Я сижу и молча удивляюсь всему, что постигла. Я не совершаю молитву. Я *сама* стала молитвой.

Я могла бы просидеть здесь всю ночь.

Я так и делаю.

---

* Несколько перефразированные слова из песни REM «Losing my religion».

Не знаю, что именно подсказывает мне, что пора выходить и встречать такси, но спустя несколько часов меня словно кто-то подталкивает, я смотрю на часы и вижу — пора. Я должна лететь в Индонезию. Как это смешно и странно! Я встаю и кланяюсь портрету Свамиджи — властному, величественному, неукротимому. А потом кладу под ковер маленький кусочек бумаги — прямо под его портретом. Там два стихотворения, которые я сочинила за четыре месяца пребывания в Индии. Это первые настоящие стихи, что я написала в жизни. Меня вдохновил водопроводчик из Новой Зеландии — благодаря ему стихи и появились. Первое — всего через месяц после приезда в Индию. Второе — сегодня утром.

И в промежутке между этими двумя я обрела целое море спокойствия.

## 72

Два стихотворения из индийского ашрама.

### Первое

Как мне надоели все эти разговоры о нектаре богов
                                                и блаженстве!
Не знаю, как обстоят дела у тебя, мой друг,
Но мой путь к Богу не похож на сладкий запах благовоний.
Он похож на кошку в клетке с голубями,
И эта кошка — я,
Но я и голуби, вопящие, как черти, когда в них вонзаются когти.

Мой путь к Богу — как бунт чернорабочих,
Его не усмирить, пока не вмешается профсоюз.
Их отчаянный пикет
Испугал даже Национальную гвардию.

Мой путь исхожен вдоль и поперек еще до меня,
И сделал это
Маленький смуглый человечек, которого я никогда не знала.

Он преследовал Бога по всей Индии, по щиколотку в грязи,
Босой, голодный, больной малярией и истекающий кровью.
Он спал на порогах домов, под мостами, бродяга,
Странствующий в поисках дома.
А теперь преследует и меня, допытываясь:

«Ты еще не поняла, Лиз?
Что это значит — странствовать? И что за дом ты ищешь?»

## Второе

Ну что ж,
Если б можно было надеть брюки,
Сделанные из свежескошенной травы, что здесь растет,
Я бы это сделала.

Если бы можно было расцеловать
Все до единого эвкалиптовые деревья в роще Ганеши,
Клянусь — я бы это сделала.

Я истекала росой вместо пота,
Трудилась без устали,
И терлась подбородком о древесный ствол,
Приняв его за ногу своего учителя.

А мне все мало.

Если бы можно было отведать земли из этого места,
Поданной на подушке из птичьих гнезд,
Я бы съела только половину,
А на том, что осталось, проспала всю ночь.

# КНИГА ТРЕТЬЯ

## *Индонезия,*

или

«У меня даже в штанах все по-другому»,

или

36 историй о поиске гармонии

## 73

Мой приезд на Бали явился прямо-таки вершиной моей безалаберности. За всю историю моих незапланированных путешествий это — самое непутевое. Я не знаю, где буду жить, не знаю, чем буду заниматься, какой обменный курс, как поймать такси в аэропорту, — не знаю даже, какой адрес сказать таксисту. Никто не ждет моего приезда. В Индонезии у меня нет друзей — нет даже друзей друзей. Ну а тех, кто путешествует с устаревшим путеводителем (даже не заглянув в него, кстати), ждет еще одна проблема: оказывается, в Индонезии нельзя пробыть четыре месяца, как бы мне того ни хотелось. Я выясняю это лишь при въезде в страну. Мне полагается туристическая виза на один месяц, и не больше. Как же мне в голову не пришло, что индонезийское правительство может и не обрадоваться моему пребыванию в стране, сколько моей душе угодно!

И вот любезный иммиграционный служащий ставит мне в паспорт штампик, позволяющий пробыть на Бали тридцать дней, и ни днем больше, а я в самой что ни на есть дружелюбной манере интересуюсь, нельзя ли подольше остаться.

— Нет, — отвечает он тоже в самой что ни на есть дружелюбной манере. Балинезийцы вообще славятся дружелюбием.

— Понимаете, я, вообще-то, должна прожить тут три, а лучше четыре месяца, — не унимаюсь я.

Я умалчиваю о том, что это, между прочим, пророчество, — два года назад дряхлый и не исключено что повредившийся умом балинезийский знахарь, десять минут погадав мне по руке, предсказал, что мне предстоит прожить на Бали три или четыре месяца. Я просто не знаю, как это преподнести.

А кстати, раз уж на то пошло — *что именно* тогда сказал тот лекарь? Говорил ли он вообще, что я вернусь на Бали и буду гостить у него три или четыре месяца? Звучали ли слова «будешь гостить у меня»? Или он просто пригласил меня заглянуть как-нибудь, если окажусь неподалеку, и подбросить еще десятку за гадание. Предсказывал ли он, что я вернусь, — или сказал, что я *должна* вернуться? И это его «увидимся» — вдруг он имел в виду не буквально? А просто «пока».

Я ведь даже не общалась со знахарем с того самого вечера. Да и, собственно, понятия не имела, как с ним связаться. На какой адрес ему писать? «Старый лекарь, крылечко домика в деревне, Бали, Индонезия?» Даже не знаю, жив ли он! Помнится, два года назад, когда мы виделись, он выглядел совсем дряхленьким, а за это время могло случиться все, что угодно. Только его имя я точно запомнила — Кетут Лийер, да и то, что живет он в деревне на выезде из Убуда. Что за деревня, забыла.

Может, следовало все-таки подумать обо всем заранее?

74

**Н**о ориентироваться на Бали легко. Это вам не приземлиться посреди Судана без малейшего понятия, что делать дальше. Бали — остров размером с штат Делавэр, обжитое туристическое место. Все словно создано для того, чтобы вы, западный турист с кредиткой, могли спокойно ориентироваться. По-английски говорят повсеместно и охотно. (Что вызывает у меня чувство виноватого облегчения. Синапсы моего мозга настолько перегружены попытками последних месяцев овладеть современным итальянским и древним санскритом, что взвалить на себя задачу по изучению индонезийского мне просто не по силам — или, куда хуже, балинезийского, который будет почище языка выходцев с Марса.) Путешествовать на Бали можно совершенно беспроблемно. Деньги меняешь в аэропорту, ловишь такси с любезным водителем, который тут же рекомендует замечательный отель, — словом, никаких сложностей. А поскольку туристическая индустрия потерпела урон в результате терактов двухлетней давности[*] (бомбы взорвались всего через несколько недель после моей

---

[*] Имеются в виду крупнейшие в истории Индонезии теракты исламистов 12 октября 2002 года в туристическом районе Кута, когда в результате взрыва трех бомб погибли 202 человека, из них 164 иностранца, 209 получили ранения.

первой поездки на Бали), все стало еще проще: все горят желанием помочь и хоть немного заработать.

И вот я беру такси в Убуд, — кажется, это хорошее место для начала путешествия. Заселяюсь в симпатичный отельчик на улице с замечательным названием «Улица Обезьяньего Леса». В отеле есть прелестный бассейн и сад, заросший тропической растительностью и цветами с волейбольный мяч (за ними ухаживает слаженная команда колибри и бабочек). Служащие отеля сплошь балинезийцы, то есть автоматически начинают тебя обожать и осыпать комплиментами твою красоту, стоит только войти в дверь. Из моего номера открывается вид на кроны тропических деревьев, завтрак включен — каждое утро горы свежайших экзотических фруктов. Словом, это одно из прекраснейших мест, где мне приходилось жить, и обходится все меньше чем в десять долларов в день. Приятно вернуться на Бали!

Убуд находится в центре острова, в горах. Город окружен рисовыми террасами и бесчисленными индуистскими храмами, реками, стремительно несущимися сквозь глубокие каньоны джунглей и вулканов, виднеющихся на горизонте. Убуд давно признан культурным центром острова, здесь процветает традиционная балинезийская живопись, танец, резьба по дереву и религиозные церемонии. Пляжей в округе нет, так что здешняя публика скорее самостоятельные путешественники, чем «пятизвездочные» туристы — им больше по нраву посещение древней храмовой церемонии, чем пинаколады с видом на прибой. Как бы ни обернулось пророчество моего знахаря, это вполне приятное местечко, где можно пожить какое-то время. Городок похож на уменьшенную тихоокеанскую копию Санта-Фе, только повсюду разгуливают обезьяны и балинезийские семьи в традиционном платье. Здесь есть приличные рестораны и уютные книжные лавочки. Я вполне могла бы скоротать все свои индонезийские каникулы в Убуде, занимаясь тем, что делают все уважающие себя разведенные американки со дня основания МЖХА*, — записываться на одни курсы, потом на другие: батик, игра на барабанах, изготовление украшений, гончарное дело, традиционный индонезийский танец, кухня... Прямо через дорогу от моего отеля есть даже некое заведение под названием

---

* Молодежная женская христианская ассоциация, туристическая сеть клубов, хостелов, информационных центров для женщин.

«Медитация для всех» — крошечная лавочка с вывеской, гласящей, что каждый вечер с шести до семи здесь проводятся открытые уроки медитации. «Да будет мир на земле», — сказано в объявлении. Я двумя руками «за».

Сумки распакованы, а еще только время обеда, и я решаю прогуляться и осмотреться в городе, где отсутствовала целых два года. А потом уж подумаю, как мне найти моего лекаря. Кажется, задача предстоит не из легких: может, на это уйдет несколько дней, а может, и недель. Я не знаю, с чего начать поиски, поэтому на выходе останавливаюсь у стойки регистрации и прошу Марио мне помочь.

Марио работает в отеле. Я уже подружилась с ним, когда заселялась, и поводом тому послужило его имя. Совсем недавно я путешествовала по стране, где каждый второй мужчина носил имя Марио, но ни один из них не был миниатюрным, мускулистым, энергичным балинезийцем в шелковом саронге, с заткнутым за ухо цветком. Я просто не удержалась, чтобы не спросить:

— Вас правда Марио зовут? Не слишком смахивает на индонезийское имя.

— Это ненастоящее имя, — ответил он. — На самом деле меня зовут Ниоман.

Следовало бы догадаться. Вообще-то, я могла бы угадать настоящее имя Марио с вероятностью двадцать пять процентов. Большинство балинезийцев (извините за лирическое отступление) дают своим детям одно из четырех имен, независимо от того, рождается мальчик или девочка. Вайан, Маде, Ниоман и Кетут. В переводе это означает первый, второй, третий и четвертый — в порядке рождения. Если рождается пятый ребенок, именной цикл стартует по новой, и его называют Вайан Второй или что-то вроде того. И так далее. Близнецов называют в зависимости от того, кто родился первым. Поскольку выходит, что на Бали всего четыре имени (у высшей, элитной, касты свои имена), вполне возможен такой случай, что два Вайана женятся друг на друге (да что там — такое бывает сплошь и рядом). И их перворожденного будет звать — как вы думаете — тоже Вайан!

Вот вам небольшая демонстрация того, как важна для балинезийцев семья и какую важную роль играет семейная иерархия. Со стороны может показаться, что в этой системе легко запутаться, но местные жители как-то справляются. Понятно, что у них распространены прозвища — иначе было бы нельзя. Например, одна из самых видных предпринимательниц в Убуде — дама по имени Вайан, владелица популярного ресторана «Кафе Вайан», — известна под именем Вайан Кафе — то есть Вайан, владелица «Кафе Вайан». У кого-то может быть кличка Толстяк Маде, или Ниоман Аренда Авто, или Олух Кетут Который Спалил Дом Своего Дяди. А мой новый друг, балинезиец Марио, решил эту проблему просто: назвавшись Марио.

— Но почему Марио?

— Люблю все итальянское.

Стоило мне сказать, что я буквально только что прожила в Италии четыре месяца, Марио был поражен, вышел из-за стойки и заявил:

— Иди сюда. Садись. Говори.

Я подошла, села, и мы стали говорить. Так и подружились.

И вот в обед я решаю начать поиски знахаря, спросив у Марио, не знает ли он случаем старика по имени Кетут Лийер.

Марио вспоминает, нахмурив лоб.

Я уже жду, что он скажет что-то вроде: «А! Кетут Лийер! Старик знахарь, что умер на прошлой неделе, — как жалко, когда столь почитаемый старец отходит в мир иной...»

Но Марио просит повторить имя, и на этот раз я записываю его на бумажке, решив, что, наверное, неправильно произнесла. И точно — лицо Марио проясняется. Кетут Лийер!

Теперь я боюсь, что он скажет нечто вроде: «А! Кетут Лийер! Этот сумасшедший! Как раз на прошлой неделе его арестовали за безумные выходки...»

Но вместо этого Марио произносит:

— Кетут Лийер — знаменитый лекарь.

— Да! Это он!

— Я его знаю. Ходил к нему домой. На прошлой неделе водил к нему двоюродную сестру, ей нужно было лекарство — ребенок плачет всю ночь. Кетут Лийер все исправил. А один раз водил к Кетуту американку вроде тебя. Хотела совершить магический обряд, чтобы стать красивее — для мужчин. Кетут Лийер нарисовал волшебную картину, чтобы помочь ей стать красивее. Потом я стал ее дразнить. Каждый день подходил и говорил: «Картина работает! Смотри, какая ты стала красивая! Картина работает!»

Я вспомнила рисунок, который знахарь нарисовал для меня несколько лет назад, и рассказала Марио, что и сама получила волшебную картину от Кетута.

Тот рассмеялся.

— Картина работает! И в твоем случае тоже!

— Моя картина должна была помочь мне найти Бога, — объяснила я.

— Не хочешь стать красивее для мужчин? — спрашивает он в понятном замешательстве.

— Послушай, Марио, а ты не мог бы сводить меня к Кетуту Лийеру? Если не занят, конечно?

— Только не сейчас, — качает он головой. — Но не успеваю я расстроиться, как Марио добавляет: — Но может, через пять минут?

## 75

Вот так и вышло, что в первый же день приезда на Бали я оказалась на багажнике мотобайка, вцепившись в спину своему новому другу Марио, индонезийцу с итальянским именем, который везет меня по рисовым террасам к дому Кетута Лийера. За последние два года я много размышляла о нашей с лекарем повторной встрече и, по правде, понятия не имею, что скажу ему, объявившись у него на пороге. Мы даже не договорились о встрече заранее. Явилась с бухты-барахты. Я узнаю вывеску на двери дома, с прошлого раза она не изменилась: «Кетут Лийер — художник». Типичное, традиционное балинезийское семейное поселение, окруженное высокой каменной стеной; в центре — дворик, в глубине — храм. В этих стенах живут сразу несколько поколений, обитая в различных смежных маленьких постройках. Мы входим без стука (тут и двери-то нет), вызывая бурное недовольство стаи типичных для Бали сторожевых собак (тощих и сердитых), — и прямо там, во дворике, сидит Кетут Лийер, старик знахарь, в саронге и рубашке-поло, в точности такой, каким был два года назад, когда я впервые его увидела. Марио что-то ему говорит, а по-балинезийски я не очень, — но, кажется, это что-то вроде обычного приветствия, типа: «Тут одна американка вас спрашивает... вот она».

Кетут оборачивает ко мне лицо с почти беззубой улыбкой, и меня словно окунают в теплую воду — такая она добрая. Я не ошиблась — он и вправду удивительный человек. Его лицо — как целая энциклопедия добрых дел. Он крепко и взволнованно пожимает мне руку.

— Очень рад познакомиться, — говорит он.

Кетут понятия не имеет, кто я такая.

— Пойдем, пойдем, — говорит он и провожает меня на крылечко своего маленького дома с бамбуковыми циновками вместо мебели. Там все в точности, как два года назад. Мы садимся. Кетут не раздумывая берет мою ладонь, — наверное, решив, что я пришла погадать, как и большинство путешественников с Запада. Он произносит краткое предсказание, которое, к моему облегчению, оказывается сокращенной версией того, что я уже слышала. (Пусть он не помнит моего лица, зато моя судьба — на его натренированный глаз — не изменилась.) По сравнению с прошлым разом он стал лучше говорить по-английски, куда лучше Марио. Кетут выражается, как мудрый старый китаец в классических фильмах о кун-фу, поучавший Кузнечика*, — прозвище Кузнечик можно вставить в середине каждого предложения, и все они прозвучат как мудрые наставления. «У тебя очень счастливая судьба, Кузнечик...»

Я жду подходящего момента, чтобы вклиниться в предсказание Кетута, прерываю его и напоминаю, что уже была здесь два года назад.

Кетут озадаченно смотрит на меня.

— Не в первый раз на Бали?

— Нет, сэр.

Он напряженно думает.

— Ты — женщина из Калифорнии?

— Нет, — говорю я, а настроение все падает. — Я из Нью-Йорка.

Кетут заявляет (и непонятно, в отношение чего):

— Я уже не такой красивый, как раньше, потерял много зубов. Может, как-нибудь пойду к зубному, поставлю новые. Только боюсь зубных врачей.

Он открывает беззубый рот, демонстрируя потери. И верно, с левой стороны почти все зубы выпали, а с правой остались лишь поломанные желтые огрызки — больно смотреть. Кетут объясняет, что упал и сломал все зубы.

---

* Кузнечик – прозвище, данное учителем По Кейну, герою сериала 1970-х годов «Кун-фу» с Дэвидом Кэррадайном в главной роли.

Я говорю, что мне очень жаль это слышать, и снова пытаюсь вернуться к своей теме, говоря на этот раз помедленнее.

— Не знаю, помните ли вы меня, Кетут, но я была здесь два года назад с учителем йоги, американкой, она жила на Бали много лет...

Кетут радостно улыбается.

— Я знаю Энн Баррос!

— Именно. Энн Баррос — так ее зовут. А меня — Лиз. Я тогда приходила, чтобы вы мне помогли, потому что хотела найти веру в Бога. И вы нарисовали волшебную картину.

Кетут с улыбкой пожимает плечами, демонстрируя полное непонимание.

— Не помню, — говорит он.

Для меня это такие плохие новости, что даже смешно. И что мне теперь делать на Бали? Уж не знаю, как я представляла нашу с Кетутом встречу, но, признаться, надеялась на что-то вроде суперкармического слезного воссоединения. И хотя я боялась, что он уже умер, мне почему-то не приходило в голову, что, если это не так, живой Кетут может меня и не вспомнить. Теперь кажется верхом тупости предполагать, что наша первая встреча запомнилась ему столь же живо, как мне. Нет, ну правда: почему я все как следует не спланировала?

И я начинаю описывать картину, которую он нарисовал для меня, — фигуру на четырех ногах (прочно стоящую на земле), без головы (чтобы не смотреть на мир посредством разума), с сердцем в виде рожицы (потому что смотрит на мир через сердце). Кетут вежливо выслушивает меня с отстраненным интересом, будто речь идет о чьей-то совсем другой жизни.

А после я делаю то, что мне совсем не по вкусу — не хочется обязывать старичка, — но я просто должна это сказать, поэтому выкладываю все как есть.

— Вы тогда сказали, что я должна вернуться сюда, на Бали. Что я буду жить здесь три или четыре месяца. Что я могла бы помочь вам учить английский, а вы научили бы меня всему, что знаете. — Мне не нравится, как звучит моя речь, — в ней проскальзывает отчаяние. Про приглашение жить в его доме и вовсе молчу. Учитывая ситуацию, это было бы уж слишком.

Кетут вежливо выслушивает меня, улыбается и кивает с таким выражением, будто хочет сказать: «Ну и умору иногда услышишь от некоторых!»

Я почти опускаю руки. Но раз уж зашла так далеко, то просто обязана стараться до конца. И тогда я говорю:

— Я — писательница, Кетут. Писательница из Нью-Йорка.

И по какой-то причине именно тогда он вспоминает. Лицо вдруг озаряется радостью, вспыхивает, ему все становится ясно и прозрачно. Искра узнавания загорается в памяти.

— Это ТЫ! ТЫ! Я тебя помню! — Он наклоняется, хватает меня за плечи и начинает радостно трясти, как ребенок трясет запечатанный рождественский подарок, пытаясь угадать, что внутри. — Ты вернулась! Ты ВЕРНУЛАСЬ!

— Да, я вернулась! Вернулась! — повторяю я.

— Это ты, ты, ты!

— Я, я, я!

Я чуть не плачу от радости, но стараюсь этого не показывать. Невозможно объяснить всю глубину моего облегчения. Я сама себе удивляюсь. Это похоже на... ну как будто я попала в аварию, и машина перелетела через заграждение на мосту и упала на дно реки, а я каким-то образом смогла освободиться из затонувшей машины, выплыв в открытое окно, лягаясь, как лягушка, и стараясь выплыть наверх, на свет Божий, сквозь холодную зеленую воду, и вот уже кислород на исходе, на шее лопаются артерии, щеки раздулись в последнем вздохе и... ААА! — я вырываюсь на поверхность и заглатываю воздух огромными глотками. Этот вдох, этот прорыв — вот что я чувствую, когда старик индонезиец говорит: «Ты вернулась!» Так велико мое облегчение.

Не могу поверить, что мне это удалось.

— Да, я вернулась, — повторяю я. — Конечно вернулась.

— Я так рад! — восклицает Кетут. Мы держимся за руки, он дико взволнован. — Я сначала тебя не вспомнил! Так давно мы виделись! Ты теперь другая! Не то что два года назад. В прошлый раз ты была очень грустной. А теперь — такая счастливая! Как другой человек!

Сама мысль об этом — о том, что всего за два года человек мог так измениться, — вызывает у Кетута приступ безудержного хихиканья.

Я больше не скрываю слез, все прорывается наружу.

— Да, Кетут. Тогда мне было очень грустно. Но сейчас жизнь стала лучше.

— Ты тогда разводилась. Это плохо.

— Ничего хорошего, — соглашаюсь я.

— В прошлый раз у тебя было так много забот, так много тягот. Ты была похожа на грустную старую женщину. А сейчас — на девчонку! В прошлый раз ты была страшная! А сейчас — красивая!

Марио восторженно хлопает и победоносно восклицает:

— Что я говорил? Картина работает!

— Кетут, вы все еще хотите, чтобы я помогала вам с английским?

Старик отвечает, что можно начать прямо сейчас, как гномик, проворно подскакивает на ноги, бежит в свой маленький домик и возвращается с грудой писем, полученных из-за границы за последние несколько лет (значит, адрес у него все-таки есть!). Он просит прочесть ему письма вслух: он хорошо понимает по-английски, а вот читает не очень. Я стала его секретаршей! Секретаршей лекаря. Как здорово! Это письма от коллекционеров предметов искусства, от людей, которым каким-то образом попали в руки его знаменитые волшебные рисунки и картины. Одно из писем — от коллекционера из Австралии, он хвалит Кетута за его способности к рисованию и спрашивает, как ему удается делать столь подробные рисунки. Кетут произносит, словно диктуя ответ:

— Это потому, что я тренируюсь много-много лет.

Когда с письмами покончено, Кетут сообщает мне новости о своей жизни за последнюю пару лет. Кое-что у него изменилось. К примеру, теперь у него есть жена. Он показывает через двор, где в тени кухонной двери стоит полная женщина, злобно зыркая на меня с таким видом, будто размышляет: пристрелить меня сразу или сначала отравить, а потом пристрелить. В прошлый раз Кетут с сожалением показывал фотографии своей недавно умершей жены. Это была красивая балинезийка, лицо которой даже в старости осталось ясным и похожим на детское. Я помахала его новой благоверной через двор, и та тут же попятилась в кухню.

— Хорошая женщина, — заявляет Кетут, кивая в сторону темной кухни. — Очень хорошая.

Он рассказывает, что был очень занят с пациентами с Бали, что у него вечно много дел: то он должен с помощью магии лечить новорожденных, то проводить церемонии для покойников, то лечить больных, то совершать обряд бракосочетания. Кетут говорит, что, когда в следующий раз отправится на балинезийскую свадьбу, «пойдем вместе! Возьму тебя с собой!» Одна только проблема — западных туристов стало меньше. Со времени терактов никто не едет на Бали. И от этого у Кетута «в голове сплошная путаница». А «в кармане сплошные дыры».

— Теперь будешь приходить каждый день и учить меня английскому? — спрашивает он. Я обрадованно киваю, и он добавляет: — А я научу тебя балинезийской медитации, о'кей?

— О'кей.

— Думаю, трех месяцев хватит, чтобы обучиться балинезийской медитации. Так мы поможем тебе найти Бога, — говорит Кетут. — Хотя может понадобится и четыре. Тебе нравится Бали?

— Обожаю Бали.

— Ты выходишь замуж на Бали?

— Пока еще нет.

— А я думаю, скоро выйдешь. Придешь завтра?

Я обещаю прийти. Кетут ничего не говорит о том, чтобы переехать в его дом, поэтому я тоже молчу, украдкой бросая прощальный взгляд на злобную тетку в кухне. Уж лучше я все это время буду жить в своем миленьком отельчике. Там гораздо удобнее. Водопровод и все такое. Но мне понадобится велосипед, чтобы приезжать сюда каждый день.

А сейчас пора идти.

— Очень рад познакомиться, — Кетут пожимает мне руку.

Кажется, время для первого урока английского. Я объясняю разницу между «рад познакомиться» и «рад видеть». Объясняю, что «приятно познакомиться» говорят лишь тогда, когда встречают человека впервые. А во все последующие разы — «рад видеть». Потому что познакомиться можно только однажды. А мы теперь будем видеться постоянно, каждый день.

Кетуту нравится. Он тут же применяет знания на практике:

— Рад тебя видеть! Я счастлив тебя видеть! Я могу видеть! Я не глухой!

Услышав это, мы все смеемся, даже Марио. Прощаемся за руку, я обещаю зайти завтра. А пока Кетут говорит:

— Ну, значит, увидимся.

— Будьте здоровы, — отвечаю я.

— Сделай доброе дело. Если кто из твоих друзей приедет на Бали, пусть приходят ко мне за предсказанием по руке — у меня в кармане совсем пусто с тех пор, как взорвались те бомбы. Я предсказатель от Бога. Очень рад видеть тебя, Лисс!

— Я тоже рада, Кетут.

## 76

*Б*али — маленький остров, население которого исповедует индуизм, и находится он в центре индонезийского архипелага протяженностью три с лишним тысячи километров, где проживает самый многочисленный мусульманский народ на Земле. Поэтому Бали — странное и чудное место, которого вроде как не может быть, а оно есть. Индуизм попал на остров с Явы, а на Яву — из Индии. Религию привезли на восток индийские торговцы в четвертом веке нашей эры. Яванские правители были могущественной династией, исповедовавшей индуизм, но сегодня от нее немного осталось, за исключением впечатляющих развалин храма в Боробудуре. В шестнадцатом веке регион потрясло мощнейшее мусульманское восстание, и поклоняющиеся Шиве индуисты королевских кровей все поголовно бежали с Явы на Бали — в истории это бегство увековечено как «исход Маджапахита\*». Яванские представители элиты и высших каст привезли на Бали лишь свои королевские семьи, мастеров ремесел и священников — потому не будет большим преувеличением сказать, что каждый балинезиец является потомком короля, священника или мастера искусств. Поэтому балинезийцы — гордый, великолепный народ.

Яванские колонисты привезли на остров и кастовую систему, взятую из индуизма, хотя кастовые различия никогда не соблюдались на Бали столь строго, как некогда в Индии. И все же у балинезийцев существует сложнейшая социальная иерархия (у одних браминов пять ступеней) — мне скорее впору расшифровать геном человека, чем разобраться в запутанной хитросплетенной клановой системе, до сих пор процветающей на острове. (Многочисленные и великолепные эссе Фреда Б. Айземана по балинезийской культуре гораздо глубже и со знанием дела раскрывают все тонкости этой темы; именно его исследованиями я пользовалась для общей справки, и не только в этой главе, но и во всей книге.) Скажу лишь, что каждый на Бали принадлежит к тому или иному клану, все знают, к какому именно, и, более того, все в кур-

---

\* Маджапахит — индонезийская империя с центром на острове Ява, просуществовавшая с 1293-го до примерно 1520 года.

се, из какого клана все остальные. Если за некий ужасный проступок вас исключат из клана, можно смело бросаться в жерло вулкана, ведь это все равно что умереть, и я не преувеличиваю.

Балинезийская культура представляет собой одну из самых тщательно разработанных систем общественной и религиозной организации на планете, многоярусный улей обязанностей, функций, ритуалов. Жизнь балинезийцев определена и целиком и полностью регулируется границами хитроумной системы сот — обрядов. Эти соты появились в результате сочетания нескольких факторов, но, в двух словах, произошедшее на Бали — пример того, что случается, когда мудреные ритуалы традиционного индуизма накладываются на культуру обширной земледельческой общины, занимающейся выращиванием риса и из чистой необходимости связанной сложной системой внутриобщинного взаимодействия. Сложно вообразить, сколько совместного ручного труда и усилий по уходу и управлению требуют рисовые террасы, поэтому в каждой балинезийской деревне существует *банджар* — ассоциация жителей, отвечающая путем единодушно выработанного мнения за принятие решений, связанных с деревенской политикой, экономикой, религией и сельским хозяйством. Коллективное мнение на Бали, несомненно, превалирует над личным — иначе людям будет нечего есть.

На Бали религиозные обряды обладают первостепенной важностью (не надо забывать, что это остров с семью непредсказуемыми действующими вулканами — кто угодно начнет Богу молиться). Подсчитано, что среднестатистическая жительница Бали проводит одну треть дня за приготовлением к религиозной церемонии, участием в ней или последующей уборкой. Жизнь на Бали — это непрерывный цикл подношений и ритуалов. Все их нужно исполнять в правильной последовательности и с нужным настроем, не то вся Вселенная выйдет из равновесия. Маргарет Мед[*] писала о «невероятной занятости» местных жителей, и это чистая правда — нечасто увидишь, чтобы в доме у балинезийцев

---

[*] Маргарет Мед (1901—1978) – американский антрополог, много лет проработала в Полинезии, автор знаменитой книги «Пол и темперамент в трех примитивных обществах», ставшей краеугольным камнем феминистского движения.

кто-то сидел без дела. Здешние церемонии делятся на те, что нужно проводить пять раз в день, один раз в день, раз в неделю, раз в месяц, раз в год, раз в десять лет, в сто лет, в тысячелетие и так далее. За соблюдением дат и обрядов следят священники и брамины, руководствуясь синхронизированной системой трех разных календарей.

Каждый балинезиец в своей жизни проходит тринадцать основных ритуалов инициации, и все они связаны с тщательно подготовленными церемониями. В течение всей жизни люди совершают сложнейшие обряды, призванные умилостивить богов и защитить душу от ста восьми пороков (опять эта цифра — «сто восемь»!), среди которых такие изъяны, как насилие, воровство, лень и лживость. Все дети должны пройти знаменательный обряд наступления зрелости, в ходе которого им подпиливают клыки — «собачьи зубы», — чтобы те не выступали — из эстетических соображений. Худшие качества, по мнению балинезийцев — грубость и животные повадки; считается, что клыки напоминают нам о нашей жестокой сущности и потому от них нужно избавиться. В среде, где люди связаны столь тесными узами, жестокость может быть опасна. Целая паутина сотрудничества между жителями деревни может быть подорвана — имей хоть один человек злой умысел. Поэтому лучшим человеческим качеством балинезийцы считают *алус* — утонченность, «красивый вид». Красота очень ценится на Бали, причем как женская, так и мужская. Красота вызывает благоговение. Это залог спокойной жизни. Детей учат любые трудности и неудобства встречать с «сияющим лицом» — с широкой улыбкой.

Концепция устройства Бали смахивает на матрицу, массивную и невидимую таблицу, населенную духами и проводниками, с описанием маршрутов и обычаев. Любой балинезиец точно знает свое место и прекрасно ориентируется по этой огромной неосязаемой карте. Достаточно вспомнить четыре имени, которые носит почти каждый из жителей Бали — Первый, Второй, Третий, Четвертый. Эти имена ясно напоминают, с какой очередностью человек появился в семье и какое место он занимает. Более ясной системы социальной разметки и быть не может, разве что дать детям имена Север, Юг, Восток и Запад. Марио, мой друг индонезиец с итальянским именем, признается, что бывает счастлив, когда ему удается существовать на пересечении вертикальной и горизонтальной линии, пребывая в состоянии идеального равновесия как в ментальном, так и в духовном плане. Чтобы достичь этого состояния, он должен точно знать свое место в данный момент — как по отношению к высшим силам, так и в семейной иерархии здесь, на Земле. Утратив это равновесие, он теряет силу.

В связи с этим вполне разумно предположить, что балинезийцы — настоящие мастера по части достижения баланса, нация, для которой поддержание безупречного равновесия является одновременно действием, искусством и религией. Пребывая в личном поиске равновесия, я рассчитывала узнать от местных жителей побольше о том, как хранить безмятежность в мире хаоса. Но чем больше я читаю об их культуре и наблюдаю ее вокруг, тем больше понимаю, как далеко ушла от упорядоченной системы, по крайней мере по балинезийским стандартам. Моя привычка скитаться по миру, не ориентируясь при этом на местности, и вдобавок мое решение вырваться из сдерживающих рамок семьи и брака — все это, по местным меркам, делает меня чем-то вроде призрака. Мне такая жизнь по вкусу, но любой уважающий себя балинезиец сочтет ее кошмаром. Если ты даже не понимаешь, где находишься и к какому клану принадлежишь, как вообще можно достичь равновесия?

В свете всего этого не уверена, насколько мне удастся применить местное мировоззрение к собственному, так как в данный момент я являюсь воплощением более современного и более западного значения слова *баланс*. (Для меня это слово означает «равноценную свободу действий», то есть равноправную возможность выбрать любой путь в любое время, в зависимости от... ну... короче, от того, как карта ляжет.) Вот балинезийцы не стали бы ждать и гадать, «как карта ляжет». Это просто кошмар в их представлении. У них все карты распределены заранее, чтобы мир не рухнул.

Когда на Бали идешь по улице мимо незнакомого человека, первый вопрос, который он тебе задаст: куда идешь? Второй вопрос: откуда ушел? Западному человеку такая пытливость со стороны чужого человека может показаться бесцеремонной, но местные таким образом пытаются сориентироваться, кто ты такой и в какую ячейку тебя распределить, чтобы всем было спокойно и удобно. А скажете: мол, куда иду — не знаю, так, бреду куда глаза глядят — и на сердце у вашего нового балинезийского знакомого станет неспокойно. Гораздо лучше назвать конкретную цель — неважно какую, поверьте, так будет лучше всем.

Третий вопрос, который наверняка задаст балинезиец при встрече, замужем ли вы или женаты. Опять же это любопытство вызвано желанием распределить вас на нужное место в иерархии и сориентироваться. Им просто необходимо это знать, чтобы убедиться, что в вашей жизни полный порядок. И ответ, который все хотели бы услышать, — да. Положительный ответ — огромное облегчение. А если вы не замужем и не женаты, лучше не говорить это в открытую. И я очень рекомендую даже не заикаться насчет развода, если он имел место в вашей жизни. Упоминание о разводе приводит балинезийцев в жуткую панику. На Бали ваш одинокий статус не говорит ни о чем, кроме рискованного выпадения из сети ячеек. Если вы — незамужняя женщина и приехали на Бали, лучшим ответом на вопрос «вы замужем?» будет «пока еще нет». Это вежливый способ дать отрицательный ответ и одновременно сообщить об оптимистичном намерении устроить свое замужество как можно скорее.

И даже если вы разменяли девятый десяток, даже если вы лесбиянка, агрессивная феминистка, монахиня или агрессивная лесбиянка-феминистка, разменявшая девятый десяток и постригшаяся в монахини, никогда не были замужем и не собираетесь, — все равно самым приемлемым возможным ответом на этот вопрос будет «пока еще нет».

77

*У*тром Марио помогает мне купить велосипед. Как и подобает почти итальянцу, он говорит: «Я тут знаю одного парня...» — и ведет меня в магазин своего двоюродного брата, где я покупаю отличный горный байк, шлем, замок и корзинку, и все чуть меньше чем за полтинник. Теперь в моем новом городе Убуде я на колесах, хоть моя подвижность и ограничивается соображениями безопасности на здешних дорогах, которые все как одна узкие, петляющие, в ужасном состоянии и прудят мотоциклами, грузовиками и туристическими автобусами.

После обеда еду в деревню Кетута, чтобы провести с лекарем первый день наших... уж не знаю, чем мы там будем заниматься. Честно, не знаю. Английский учить? Медитировать? По-стариковски сидеть на крылечке? Понятия не имею, какие у Кетута на мой счет планы, — я просто рада, что он согласился пустить меня в свою жизнь.

По приезде оказывается, что у Кетута гости. Небольшое семейство деревенских с Бали, привели годовалую дочь старику на лечение. У несчастной малышки режутся зубки, она уже несколько ночей подряд плачет не переставая. Отец ребенка — красивый молодой человек в саронге с мускулистыми икрами, как у статуи героя войны советских времен. Мать — застенчивая красавица, смотрит на меня из-под робко опущенных век. Родители принесли Кетуту небольшую плату за услуги — две тысячи рупий, в пересчете около двадцати пяти центов, в самодельной корзиночке из пальмовых листьев размером чуть больше пепельницы, что стоит в баре нашего отеля. Кроме денег там также лежит цветок и несколько рисинок. (Их бедность составляет резкий контраст с другой, более обеспеченной семьей из Денпасара — главного города Бали. Они приехали к Кетуту в тот же день, позже, и мать несла на голове трехэтажную корзинку, полную фруктов и цветов, а еще там была жареная утка — такой шикарный и впечатляющий головной убор заставил бы Кармен Миранду* пристыженно опустить голову.)

С посетителями Кетут спокоен и вежлив. Он выслушивает рассказ родителей о самочувствии малышки, после чего заглядывает в сундучок на крыльце и достает ветхий манускрипт, заполненный крошечными буковками на балинезийской версии санскрита. Он сверяется с книгой, как ученый, в поисках сочетания букв, которое бы его удовлетворило, и одновременно разговаривает с родителями и смеется. Затем вырывает чистый листок из блокнота с лягушонком Кермитом и объясняет мне, что сейчас выпишет малышке «рецепт». Кетут заявляет, что вдобавок к режущимся зубкам ребенка терзает низший демон. Чтобы снять боль от зубок, советует он родителям, достаточно втирать в десны отжатый сок красного лука. Но, чтобы умилостивить де-

---

* Кармен Миранда – исполнительница самбы, популярная в 1940-х; часто выходила на сцену в поражающих воображение головных уборах из фруктов.

мона, понадобится сделать подношение, принеся в жертву маленького цыпленка и поросенка и кусок пирога, испеченного со специальными травами, которые наверняка растут на аптекарской грядке у бабушки. (Причем еда не будет выброшена: на Бали после церемонии подношения семьям позволено съесть собственные жертвы богам, так как жертва приносится на метафизическом, а не физическом уровне. Балинезийцы рассуждают так: бог забирает то, что принадлежит ему (акт подношения), а человек соответственно то, что принадлежит человеку — то есть саму пищу.)

Выписав «рецепт», Кетут поворачивается к нам спиной, наливает воду в миску и запевает пронзительную мантру, пробирающую до самых костей. Затем окропляет ребенка водой, теперь наделенной священной силой. И хотя малышке всего год, она уже знает, как принимать святое благословение по традиционному балинезийскому обряду. Мать держит ее, и малышка протягивает пухлые ручки, ждет, пока в них льется вода, делает один глоток, второй — а остальное выплескивает на макушку. Безупречно исполненный ритуал. Она ничуть не боится беззубого старика, распевающего над ней мантры. Кетут берет оставшуюся святую воду и наливает ее в маленький полиэтиленовый пакет для бутербродов, завязывает и вручает родителям, которые позднее найдут ей применение. Уходя, мать уносит пакет: это выглядит так, словно она только что выиграла золотую рыбку на городской ярмарке, но забыла взять ее с собой.

Кетут Лийер уделил семье около сорока минут безраздельного внимания — и все за плату примерно в двадцать пять центов. Да и если бы денег у них не было, он сделал бы то же самое — ведь это его врачебный долг. Никому нельзя отказывать, иначе боги лишат его дара врачевания. В день к Кетуту приходят около десяти таких пациентов — балинезийцев, которым нужна его помощь и совет по религиозному или медицинскому вопросу. В самые благоприятные дни, когда всем хочется получить особое благословение, посетителей набирается более ста.

— И как вы не устаете?
— Это мое призвание.

В тот день к нам наведываются еще несколько пациентов, но выпадает и время побыть наедине, на крылечке. Мне так спокойно рядом с этим стариком — как с родным дедушкой. Он преподает мне первый урок балинезийской медитации. Есть много способов приблизиться к Богу, объясняет он, но большинство из них слишком сложны для западного человека, — поэтому он обучит меня простой медитации. А суть ее, собственно, в том, чтобы просто молча сидеть и улыбаться. Я в восторге от этого метода. Даже объясняя его, Кетут смеется. Сидеть и улыбаться — прекрасная медитация.

— В Индии ты изучала йогу?

— Да, Кетут.

— Можно, конечно, и йогой заниматься, — говорит он, — но слишком уж это сложно. — Кетут с трудом принимает скрюченную позу лотоса и морщит лицо, комично изображая натугу, точно у него запор. Потом освобождает ноги, смеется и спрашивает:

— Почему у йогов всегда такое серьезное лицо? Если будешь ходить с таким серьезным лицом, отпугнешь всю хорошую энергию. Медитировать нужно улыбаясь. Улыбайся лицом, улыбайся разумом — и положительная энергия сама придет и вымоет всю грязь. Пусть улыбается даже твоя... печень. Попробуй сегодня в отеле. Только не спеши и не старайся чрезмерно. Будешь слишком серьезной — заболеешь. Улыбка притягивает хорошую энергию. На сегодня все. Увидимся. Приходи завтра. Очень рад был повидаться, Лисс. И сделай доброе дело. Если кто из твоих друзей с Запада приедет на Бали, пусть приходят ко мне за предсказанием по руке — в кармане совсем пусто с тех пор, как взорвались те бомбы.

## 78

*В*от почти точное изложение истории жизни Кетута Лийера, рассказанной им самим.

«Я родился в семье врачевателей в девятом поколении. Отец, дед, прадед — все были знахарями. Они хотели, чтобы и я пошел по их пути, потому что видели во мне свет. Видели, что у меня есть красота и ум. Но я не хотел становиться лекарем. Слишком долго учиться! И слишком много нужно выучить! И я не верил в магические исцеления. Хотел рисовать. Стать художником. У меня был талант.

Когда я был совсем молод, то познакомился с американцем. Тот был очень богат, и, может, даже из Нью-Йорка, как ты. Ему понравились мои картины, и он захотел купить большую картину — метровую, не меньше — и заплатить много денег. Столько, что я бы сразу разбогател. И вот я начал рисовать для него. Рисовал каждый день, с утра до вечера. Даже ночью. В те дни — это происходило давно — не было электрических лампочек, как сейчас, и я пользовался масляной лампой. Знаешь, что такое масляная лампа? Это помповая лампа, чтобы масло горело, нужно нагнетать воздух. И вот каждую ночь я рисовал при свете масляной лампы.

Однажды ночью лампа горела тускло, я стал раздувать помпу, гнать воздух — и вдруг лампа взорвалась! У меня была обожжена рука! Я на месяц попал в больницу, в руку попала инфекция. Инфекция распространилась и поразила сердце. Врач сказал, что я должен ехать в Сингапур, там мне сделают ампутацию — отрежут руку. Мне это совсем не понравилось. Но врач настаивал, чтобы я ехал в Сингапур и делал операцию. Тогда я сказал ему: "Хорошо, но сначала я съезжу домой, в свою деревню".

В ту ночь в деревне мне приснился сон. В этом сне мой отец, дед и прадед пришли ко мне в дом и рассказали, как вылечить обожженную руку. Они научили меня, как приготовить сок из шафрана и сандалового дерева. Соком нужно было смазать ожог. Потом приготовить порошок из шафрана и сандалового дерева и втирать его в рану. Мои предки сказали, что, если я все выполню, руку удастся спасти. Сон был как явь, будто они и в самом деле были в доме — все трое.

Я проснулся. Я был в растерянности, ведь сны — это необязательно серьезно, понимаешь? Но я все же вернулся домой и наложил на рану сок из шафрана и сандалового дерева. А потом натер руку тем порошком. Инфекция распространилась очень сильно, рука болела, распухла и стала огромной. Но стоило смазать ее соком и порошком, как жжение утихло. Рука стала холодной. Мне стало лучше. Через десять дней все прошло. Я вылечился.

Именно тогда я поверил. Мне приснился еще один сон, и в нем снова были отец, дед и прадед. Они сказали, что я должен стать лекарем. Должен предложить свою душу Богу. Для этого мне следует поститься в течение шести дней. Ни пищи, ни воды. Нелегко было. Я так мучился от жажды, что по утрам, до рассвета, шел на рисовые поля, садился с открытым ртом и ловил влагу из воздуха. Как называется вода, которая плавает в воздухе, если прийти на рисовое поле рано утром? Роса? Точно. Роса. Шесть дней я питался одной росой. Не ел ничего, кроме росы. На пятый день я потерял сознание. Повсюду был желтый цвет... Нет, не желтый — золотой. Повсюду вокруг и даже внутри меня все стало золотого цвета. Я был очень счастлив. Тогда я все понял. Этот золотой цвет — то был Бог, и Он был внутри меня тоже. Бог и то, что находится внутри меня, — одно и то же. Они едины.

И вот теперь я должен был стать лекарем. Надо было прочесть книги по медицине, оставшиеся от прадеда. Книги написаны не на бумаге, а на пальмовых листьях. Они называются *лонтар*. Это как балинезийская медицинская энциклопедия. Я должен был выучить все травы, что растут на Бали. Нелегко было. Но постепенно, по одной, я все их выучил. Научился помогать людям с разными недугами. Бывает, что человек болен физически. Физический недуг можно вылечить травами. Но бывает и так, вся семья болеет, — потому что люди в семье все время ссорятся. Это можно вылечить, вернув гармонию, особым волшебным рисунком, а иногда и просто разговором. Если повесить волшебный рисунок в доме — ссоры прекратятся. Бывает, люди болеют из-за любви — не могут найти подходящую пару. У балинезийцев, да и у западных людей тоже, вечно большие проблемы из-за любви, из-за того, что не могут найти подходящего человека. Любовный недуг можно вылечить мантрой и волшебным рисунком — рисунок притянет любовь. Я выучился и черной магии, чтобы снимать черные сглазы. Если поставить в доме мою волшебную картину, она будет притягивать хорошую энергию.

Мне по-прежнему нравится рисовать. Рисую картины, когда есть время, и продаю галереям. На картинах всегда изображено одно и то же — то время, когда на Бали был рай, примерно тысячу лет назад. Я рисую джунгли, зверей, женщин с... как это слово? Грудь. Женщин с грудью. Трудно найти время для рисования, когда занят врачеванием, но я должен лечить. Это мое призвание. Я должен помогать людям, иначе Бог рассердится на меня. Бывает, принимаю роды, провожу церемонию для покойника, обряд обтачивания зубов, свадьбу. А иногда встаю в три утра и рисую при свете электрической лампы — единственное время, когда я могу рисовать. Мне нравится это время дня, оно хорошо подходит для рисования.

Я делаю настоящую магию — это все не шутки. И всегда говорю правду — даже если новость плохая. В жизни я должен всегда делать добро, иначе быть мне в аду. Я говорю по-балинезийски, по-индонезийски, немного по-японски, по-английски и по-голландски. Во время войны здесь было много японцев. А мне от этого только лучше — я гадал им по руке, водил дружбу. А до войны тут было много голландцев. Сейчас у нас не так много людей с Запада, и все говорят по-английски. Мой голландский — как это? То слово, что мы вчера выучили? Заржавел. Точно. Заржавел. Мой голландский заржавел! Ха!

На Бали я принадлежу к четвертой касте — это очень низкая каста, наравне с земледельцами. Но я видел многих людей из первой касты, и они были не умнее меня. Меня зовут Кетут Лийер. Имя "Лийер" дал мне дед, когда я был совсем маленьким мальчиком. Оно означает "яркий свет". Яркий свет — это я».

79

Тут, на Бали, у меня столько свободного времени, что даже не верится. Каждый день у меня только и забот, что ездить к Кетуту Лийеру на пару часов после обеда, да и обязанностью это трудно назвать. Остаток дня проходит сам собой, в необременительных занятиях. Утром я медитирую в течение часа, используя йогические практики, которым научила меня наша гуру, а вечером — практикую медитацию Кетута (тихо сидеть и улыбаться). В промежутке между этими занятиями я гуляю, катаюсь на велосипеде, иногда разговариваю с кем-нибудь и обедаю. Я нашла в городе тихую маленькую библиотеку, где можно брать книги домой, получила библиотечную карточку — и теперь большая часть моей жизни проходит за сибаритским чтением в саду. После интенсивного распорядка ашрама и декадентского отдыха в Италии, когда я колесила по стране и ела все, что попадется под руку, нынешний эпизод моей жизни кажется чем-то совершенно новым и радикально бессобытийным. У меня не просто много свободного времени — его метрические тонны.

Когда я выхожу из отеля, Марио и другие служащие за стойкой спрашивают, куда я направляюсь, а когда прихожу — где была. Можно подумать, под стойкой в ящичках у них спрятаны маленькие карты, на которых они отмечают все передвижения своих знакомых, — чтобы убедиться, что пчелиный улей функционирует без перебоев.

По вечерам я беру свой велосипед и выезжаю высоко в горы, минуя многокилометровые рисовые террасы к северу от Убуда, посреди великолепной зеленеющей панорамы. Розовые облака отражаются в стоячей воде рисовых полей, как будто на Земле два неба — одно наверху, для богов, а второе внизу, в глинистой воде, для нас, простых смертных. На днях ездила в заповедник цапель, при входе в который висит неприветливая табличка («Здесь можно посмотреть на цапель»), — но в тот день цапель почему-то не было, одни утки, так что я поглазела на уток и поехала в следующую деревню. По пути мне попадались мужчины, женщины, дети, куры и собаки, и все были чем-то заняты, каждый своим делом, но не настолько, чтобы не остановиться и не поприветствовать меня.

Несколько дней назад вечером я увидела вывеску на вершине красивого лесистого холма: «Сдается домик-студия с кухней». Никак Вселенная ко мне благосклонна! Прошло три дня — и студия стала моим новым домом. Марио помог переехать, и все его друзья из отеля в слезах провожали меня.

Мой новый дом стоит на немноголюдной дороге, со всех сторон окруженной рисовыми полями. Это маленький типа коттеджа домик, оплетенный плющом. Владелица — англичанка, но летом живет в Лондоне, и я занимаю ее дом и замещаю ее в этом удивительном жилище. Здесь ярко-красная кухня, пруд с золотыми рыбками, мраморная терраса, душ на открытом воздухе, выложенный блестящей мозаикой; пока моешь голову, можно любоваться цаплями, устроившими гнезда в пальмовых деревьях. Потаенные тропинки ведут в восхитительный садик, за которым ухаживает нанятый садовник, — поэтому все, что мне остается делать, — глазеть на цветы. Я не знаю названия ни одного из этих экваториальных бутонов, поэтому сама их придумываю. Почему бы и нет? Это же мой собственный Эдем. Вскоре все растения в саду получают новые названия — нарциссовое дерево, капустная пальма, сорняк «бальное платье», спиралькавоображала, боязливый цветик, меланхоличная лиана и бесподобная розовая орхидея, окрещенная мною «первое рукопожатие младенца». Просто не верится, сколько вокруг чрезмерной, бьющей через край чистейшей красоты! Папайи и бананы можно срывать прямо с дерева, высунувшись в окно спальни. В саду живет кот, который становится настоящей лапочкой на полчаса в день, когда наступает время кормежки, а в оставшееся время орет как резаный, будто заново переживает вьетнамскую войну. Но как ни странно, меня это не раздражает. В последнее время меня ничего не раздражает. Я вообще не помню и не могу представить, что это такое — быть недовольной жизнью.

Окружающая вселенная звуков поражает не меньше. По вечерам играет оркестр сверчков с лягушками на басу. В мертвой ночной тишине воют собаки, сетуя, что их никто не понимает. А перед самым рассветом петухи со всей округи кричат о том, как круто быть петухами. («Мы — петухи! — кукарекают они. — И, кроме нас, никто другой петухом быть не может!») Каждое утро на рассвете проходит конкурс тропических птиц на лучшую песню, и неизменно все десять чемпионов заканчивают вничью. Когда же всходит солнце, все замолкает, и за дело берутся бабочки. Дом сплошь увит лианами. Такое чувство, что он в любой момент исчезнет в зарослях, и я исчезну вместе с ним, превратившись в экзотический цветок. Я плачу за аренду меньше, чем в Нью-Йорке в месяц уходило на такси.

И кстати, слово «рай», пришедшее из персидского языка, дословно означает «сад, обнесенный стеной»*.

80

Раз уж мы заговорили о рае, скажу честно: достаточно было всего три дня просидеть в местной библиотеке, чтобы понять,

---

* Речь идет о происхождении английского слова paradise, которое на самом деле восходит к авестийскому (древнеиранскому) *pairidaēza* — «огороженное стеной место». Русское «рай» корнями также восходит к авестийскому языку и предположительно образовано от слова *raya* — богатство, благополучие, великолепие.

что все мои прежние идеи «рая на Бали» были несколько ошибочны. Впервые побывав на Бали два года назад, я всем растрезвонила о том, что этот маленький остров — единственное в мире по-настоящему утопическое место, с начала времен знавшее лишь мир, гармонию и равновесие. Идеальный райский остров, в истории которого не было ни одного случая насилия или кровопролития. Понятия не имею, откуда взялось столь возвышенное представление, но я с полной уверенностью распространяла его среди всех своих знакомых.

— Даже полицейские ходят с цветами в волосах, — говорила я, будто этот факт что-то доказывает.

Впрочем, на деле оказалось, что история Бали знала не меньше кровопролитий, насилия и диктаторства, чем история любого другого места на Земле, где живут люди. В шестнадцатом веке, когда на остров приехали правители с Явы, они, само собой, устроили здесь феодальную колонию с суровым делением на касты, а на то она и кастовая система, чтобы не особо утруждать себя заботами о тех, кто оказался на низшей ступени. Экономика Бали в те давние времена существовала за счет процветания работорговли, которая, мало того что зародилась за много веков до того, как на международную арену торговли живым товаром вышли европейцы, но и просуществовала еще долго после того, как работорговля в Европе была отменена. Что до внутренней ситуации, остров раздирали постоянные войны и нападения соперничающих правителей на соседей, неизменно сопряженные с массовыми изнасилованиями и убийствами. До конца девятнадцатого века среди купцов и моряков у балинезийцев была репутация безжалостных воителей. (Слово *амок*, означающее острый психоз*, на самом деле балинезийского происхождения и описывает технику боя, когда воин внезапно словно сходит с ума и набрасывается на противника, провоцируя суицидальную и кровавую рукопашную; европейцев эта практика приводила в откровенный ужас.) Обладая безупречно дисциплинированной тридцатитысячной армией, балинезийцы одержали верх над голландским вторжением тысяча восемьсот сорок восьмого, со-

---

* В русском языке используется только как психологический термин, а в английском — и в разговорной речи, в составе идиомы *run atok* — обезуметь, впасть в неистовство.

рок девятого и, для верности, пятидесятого годов и покорились голландцам лишь тогда, когда противоборствующие островные короли разделились и предали друг друга, в борьбе за власть объединившись с врагом, посулившим им впоследствии выгодную сделку. Так что рассматривать историю острова сквозь дымку нынешней райской мечты несколько оскорбительно для реальности: не надо думать, что последнюю тысячу лет эти люди сидели на крылечке, улыбаясь и распевая веселые песенки.

Но в тысяча девятьсот двадцатых и тридцатых годах, когда Бали открыла для себя европейская элита, кровавое прошлое замяли, а новоприбывшие пришли к единому мнению, что это и есть «остров небожителей», где каждый — художник, а люди пребывают в состоянии ничем не омраченной нирваны. Такая картина Бали — остров-мечта — надолго засела в умах людей; большинство приезжающих (и я в том числе, в свой первый приезд) по-прежнему поддерживают этот стереотип. Посетив Бали в тридцатых годах, немецкий фотограф Герман Краузер писал: «Я рассердился на Бога за то, что не родился балинезийцем». Привлеченные рассказами о неземной красоте и покое, на остров стали приезжать знаменитости — художники (Вальтер Шпис*), писатели (Ноэль Кауард**), танцоры (Клер Хольт***), актеры (Чарли Чаплин), исследователи (Маргарет Мед). Последняя, несмотря на обилие вокруг женщин с обнаженной грудью, сумела проницательно увидеть балинезийскую цивилизацию такой, какой она и является, а именно обществом, по консервативности сравнимым с Англией викторианской эпохи: «Ни капли свободной сексуальности во всей культуре».

Славные деньки закончились в сороковых годах, с началом мировой войны. Индонезию оккупировала Япония, и экспаты, блаженствующие в садах Бали в компании смазливых мальчиков из прислуги, были вынуждены спасаться бегством. Рознь и насилие процветали на Бали, как и на остальном архипелаге, и к пятидесятым годам, рискни европеец показаться на острове, ему было бы нелишним спать с пистолетом под подушкой (сведения из исследования «Бали: придуманный рай»). В шестидеся-

---

* Немецкий художник-примитивист (1895—1942).

** Английский драматург и актер (1899—1973).

*** Русская еврейка, родилась в Риге в 1901 году, танцовщица, археолог и историк искусства.

тых в ходе борьбы за власть вся Индонезия превратилась в поле боя между националистами и коммунистами. После попытки переворота в Джакарте в тысяча девятьсот шестьдесят пятом году на Бали прислали отряд солдат армии националистов, у которых был список с именем каждого подозреваемого в симпатии к коммунизму на острове. В течение примерно одной недели, всячески поддерживаемые местными полицейскими и поселковыми властями, националисты методично перебили часть населения каждой деревни. По окончании резни живописные реки острова чуть не вышли из берегов под весом ста тысяч сброшенных в них трупов.

Возрождение мечты о пресловутом рае пришлось на конец шестидесятых, когда правительство Индонезии решило заново позиционировать Бали на международном туристическом рынке как «остров небожителей» и запустило массивную и успешную маркетинговую кампанию. Туристы, которых заманили на Бали на этот раз, были с интеллектуальными претензиями (Бали все-таки не Форт-Лодердейл*) и интересовались роскошным художественным и религиозным наследием балинезийской культуры. На мрачные страницы истории предпочли не обращать внимания. И не обращают до сих пор.

Прочитав обо всем об этом в течение нескольких дней, проведенных в местной библиотеке, я прихожу в некое замешательство. Ведь если подумать: зачем я, собственно, приехала на Бали? Чтобы найти баланс между мирскими наслаждениями и духовной дисциплиной. Но является ли Бали подходящим местом для поиска? Действительно ли жители острова существуют в мирной гармонии и правда ли, что в этом им нет равных во всем остальном мире? То есть они, конечно, *похожи* на гармоничных людей, это я не отрицаю — со всеми их танцами, обрядами, праздниками, красивостями и улыбками... но я же не знаю, что на самом деле творится за фасадом. Пускай полицейские носят цветы за ухом, но это не отменяет коррупцию, процветающую на Бали и во всей Индонезии (и буквально на днях я узнала об этом из первых рук,

---

* Курортный город во Флориде, который называют американской Венецией. В 1970-е годы курорт пользовался бешеной популярностью среди студентов колледжей, приезжавших на весенние каникулы, — отсюда и сопоставление с более интеллектуальной публикой.

вручив человеку в форме стодолларовую взятку за нелегальное продление визы, чтобы мне все-таки разрешили пробыть на Бали четыре месяца). Балинезийцы в буквальном смысле живут за счет своей репутации самой безмятежной, религиозной и артистичной нации на Земле, однако насколько эти качества свойственны им от природы, а насколько являются экономически просчитанным ходом? И какова вероятность чужаку вроде меня когда-либо узнать о скрытых проблемах, невидимых за фасадом «счастливых» лиц? Здесь все так же, как и везде, — стоит присмотреться поближе — и четкие линии расплываются, превращаясь в невнятную массу размытых мазков и клякс.

В данный момент я могу уверенно сказать лишь то, что мне нравится дом, который я снимаю, и все без исключения люди, кого я встретила на Бали, были ко мне добры. Балинезийское искусство и церемонии прекрасны и вдохновляющи, и сами балинезийцы, похоже, того же мнения. Таковы мои опытные наблюдения жизни на острове, которая, вероятно, гораздо сложнее, чем мне под силу понять. Но какие бы усилия ни приходилось прилагать местным жителям, чтобы жить в гармонии (и зарабатывать на жизнь), это их личное дело. Я здесь, чтобы достичь равновесия в своей жизни, и это место, по крайней мере пока, кажется вполне подходящим для моих поисков.

## 81

Я не знаю, сколько лет моему старику лекарю. Я спрашивала его, но он сам не уверен. Кажется, припоминаю, что два года назад, когда мы были здесь, переводчик называл цифру восемьдесят. Но на днях Марио спросил Кетута, сколько ему лет, и тот ответил: «Может, шестьдесят пять, точно не знаю». Когда я спросила, в каком он родился году, старик ответил, что не помнит своего рождения. Мне известно, что в период японской оккупации во Вторую мировую Кетут был уже взрослым мужчиной, — соответственно сейчас ему должно быть около восьмидесяти. Но когда он рассказывал историю о том, как обжег руку, будучи еще юношей, я спросила, в каком году это было, и он сказал: «Не знаю, может, в двадцатом?» Таким образом, если в двадцатом ему было около двадцати лет, сколько же ему сейчас? Сто пять? Короче, путем примерных вычислений можно предположить, что ему от шестидесяти до ста пяти лет.

Еще я заметила, что понятие Кетута о собственном возрасте меняется день ото дня, в зависимости от самочувствия. Когда он утомлен, то может вздохнуть и произнести: «По-моему, сегодня мне восемьдесят пять». А когда настроение получше, заявляет: «Сегодня мне как будто шестьдесят!» Наверное, этот способ подсчитать свой возраст не лучше и не хуже любого другого — на сколько лет ты себя чувствуешь. Разве может быть что-то важнее этого? И все же я все время пытаюсь вычислить точно. Как-то раз пошла простым путем и спросила:

— Кетут, а когда у тебя день рождения?

— В четверг, — ответил он.

— В этот четверг?

— Нет. Не в этот. Я родился в четверг.

Неплохое начало... но неужели, кроме этого, другой информации нет? Четверг какого месяца? Какого года? Не понять. Как бы то ни было, на Бали день недели, в который вы родились, гораздо важнее года. И именно поэтому Кетут не знает, сколько ему лет, зато тут же сообщает мне, что покровитель детей, рожденных в четверг, — Шива, Разрушитель, а животные-хранители рожденных в этот день — лев и тигр. Дерево-талисман — баньян. Птица-талисман — павлин. Рожденные в четверг всегда начинают разговор первыми, прерывают остальных, могут быть слегка агрессивными и обычно красивы («плейбой или плейгерл», по выражению Кетута), но в целом наделены добрым нравом, превосходной памятью и стремлением помогать людям.

Когда к Кетуту приходят пациенты балинезийцы, сраженные серьезным недугом, финансовыми или любовными трудностями, он всегда интересуется, в какой день недели они родились, — чтобы выбрать правильную мантру и лекарство, способные им помочь. Ведь иногда, по словам Кетута, «люди больны с рождения», и их гороскоп необходимо немного подправить, чтобы в их жизни снова настала гармония. Не так давно одна местная семья привела к Кетуту младшего сына. Ребенку было около четырех лет. Когда я спросила, что не так с мальчиком, Кетут ответил, что родители обеспокоены «чрезмерной агрессивностью малыша. Ребенок не повиновался приказам. Плохо себя вел. Ни на кого не обращал внимания. Все в доме устали от этого мальчика. И еще бывает, что он становится совершенно тупым».

Кетут попросил родителей подержать ребенка немного. Те посадили мальчика старику на колени, и он прислонился к его груди, спокойно и без страха. Кетут ласково покачал его, положил руку на его лоб и закрыл глаза. Потом положил ладонь на его живот и снова закрыл глаза. Все это время он улыбался и тихо говорил с ребенком. Вскоре осмотр был окончен. Кетут передал ребенка родителям, и те ушли, забрав рецепт и святую воду. Потом старик объяснил, что расспросил родителей об обстоятельствах рождения сына, и выяснилось, что мальчик родился под плохой звездой и к тому же в субботу — этот день наполнен энергией потенциально дурных духов, например ворона, совы, петуха (от этого мальчик становится драчливым) и куклы (от этого он иногда как будто впадает в ступор). Но такой гороскоп означает не только плохое. Поскольку мальчик родился в субботу, в его теле также живет дух радуги и дух бабочки, и их силу можно укрепить. Надо сделать несколько подношений, и в теле мальчика восстановится гармония.

— Зачем ты прикладывал ладонь ко лбу и животу мальчика? — спросила я. — Мерил температуру?

— Я проверял его мозг, — ответил Кетут. — Хотел посмотреть, не забрались ли в его разум злые духи.

— Какие злые духи?

— Лисс, — обратился ко мне старик, — я родился на Бали. Я верю в черную магию. Верю, что злые духи выходят из рек и вредят людям.

— И ты видел их у мальчика?

— Нет. Этот мальчик всего лишь болен от рождения. Его семья принесет жертву, и все будет исправлено. А ты, Лисс? Ты будешь заниматься балинезийской медитацией каждый вечер? Чтобы держать в чистоте разум и сердце?

— Буду, каждый вечер, — пообещала я.

— И научишься улыбаться даже печенью?

— Даже печенью, Кетут. Я буду широко улыбаться печенкой.

— Молодец. Будешь улыбаться — станешь красивой женщиной. К тебе придет сила, с помощью которой ты станешь очень красивой. И сможешь использовать эту силу — красивую силу, — чтобы добиться в жизни того, чего хочешь.

— Красивая сила, — повторила я. Мне понравилось это выражение. Как у просветленной Барби. — Хочу красивую силу!

— А ты занимаешься индийской медитацией?

— По утрам.

— Молодец. Про йогу тоже не забывай. Она тебе на пользу. Полезно заниматься двумя видами медитации — балинезийской и индийской. Они разные, но обе одинаково хороши. Одно и то же. Мне кажется, что все религии — одно и то же.

— Не все так думают, Кетут. Некоторым нравится спорить о Боге.

— Это лишнее. Вот тебе хорошая идея: когда встретишь человека другой религии и он захочет поспорить о Боге, выслушай все, что он говорит о Боге. Никогда не вступай с ним в спор о Боге. Лучше всего ответить: «Я согласна с тобой». А потом иди домой и молись кому хочешь. Вот мой совет людям, как не спорить из-за религии.

Я заметила, что Кетут все время сидит с поднятым подбородком, слегка отклонив голову назад, — это придает ему пытливый и одновременно благородный вид. Он смахивает на любопытного старого короля, глядящего на мир, задрав нос. Кожа у него сияющего золотисто-коричневого цвета. Почти полное отсутствие волос на голове компенсируется чрезмерно длинными и кустистыми бровями, которые похожи на крылья, готовые вот-вот отправиться в полет. Не считая выпавших зубов и обожженной правой руки, он выглядит идеально здоровым. Кетут рассказывал, что в молодости был танцором на церемониях в храме и в то время слыл настоящим красавцем. Я ему верю. Он ест всего раз в день, съедая типичное для Бали простое блюдо из риса, смешанного с утиным мясом или рыбой. Любит пить кофе с сахаром, одну чашку в день, делая это по большей части, чтобы порадоваться тому, что может позволить себе кофе и сахар. Следуя такой диете, любой может дожить до ста пяти лет. Кетут утверждает, что поддерживает силы организма каждодневной медитацией перед сном, притягивая животворную энергию Вселенной в центр своего существа. Он говорит, что человеческое тело состоит ни больше ни меньше из пяти элементов мироздания: воды (апа), огня (теджо), ветра (байю), эфира (акаса) и земли (притиви). Если во время медитации сосредоточиться на этом знании, то можно получить энергию из всех источников и сохранить силы. Кетут, порой очень точно запоминающий английские выражения, говорит так: «Микрокосмос становится макрокосмосом. Ты — то есть микрокосмос — станешь тем, чем является Вселенная, — макрокосмосом».

Сегодня Кетут был очень занят — толпа балинезийских пациентов сгрудилась в его дворе, как кипа грузовых контейнеров, все с детьми или дарами на руках. Там были фермеры и предприниматели, отцы и бабушки. Родители, чьи младенцы срыгивали всю еду, и старики, преследуемые черными сглазами. Юноши, терзаемые агрессивностью и похотью, девушки в поисках подходящего жениха, измученные дети с жалобами на сыпь. Все они утратили гармонию, и все нуждались в восстановлении равновесия.

Однако ожидающие во дворе Кетутова дома неизменно полны ангельского терпения. Порой им приходится ждать по три часа, пока у Кетута появится возможность уделить им время, но никто при этом не притоптывает ногой и не закатывает в раздражении глаза. Поразительно и то, как ждут маленькие дети, прислонившись к своим красивым матерям и играя с пальчиками, чтобы занять себя. Меня всегда удивляло, когда потом выяснялось, что этих самых ангелочков привели к Кетуту, потому что матери с отцом показалось, будто их ребенок «слишком непослушный» и его нужно вылечить. Вот эта девочка — непослушная? Эта трехлетняя малышка, которая спокойно сидела на палящем солнце целых четыре часа, ни разу не пожаловавшись, не попросив ни еды, ни игрушки? Это она-то непослушная? Мне так и хочется сказать: «Эй, люди, хотите узнать, что такое по-настоящему непослушные дети? Поехали со мной в Америку, я покажу вам наших детей, которых только риталином* и утихомиришь!» Но здесь у людей иное представление о том, что значит хорошее поведение детей.

Кетут покорно принял всех пациентов одного за другим. Его как будто не волновал ход времени — он уделял каждому ровно столько внимания, сколько нужно, независимо от того, кто шел следующим в очереди. Он был так занят, что даже пропустил свой единственный прием пищи в обед, так и просидев приклеенным к крылечку, связанный обязательствами перед Богом и предками, согласно которым он должен сидеть здесь часами и помогать каждому. К вечеру его глаза устали, как глаза полевого хирурга гражданской войны. Последним сегодняшним пациен-

---

* Амфетаминовый стимулятор, лекарство от синдрома расстройства внимания.

том оказался совершенно изможденный балинезиец средних лет, сетовавший на то, что не спит уже много недель; его преследовал кошмар, в котором он «тонул сразу в двух реках».

До сегодняшнего вечера я толком не понимала, какова моя роль в жизни Кетута Лийера. Каждый день я спрашивала его о том, зачем я ему, но он лишь настаивал, что я должна приходить и проводить с ним время. Мне неловко отнимать у него огромную часть дня, но он всегда выглядит расстроенным, когда вечером я ухожу. Я даже не учу его английскому, по сути. Все то, чему он выучился, сколько бы десятилетий назад это ни было, уже осело в его голове, не оставив места для исправлений и новых слов. Правда, мне удалось втолковать ему разницу между «рад видеть» и «рад познакомиться» сразу по приезде — и то хорошо.

Сегодня, когда последний пациент ушел и Кетут совсем выбился из сил, так устал от служения людям, что выглядел дряхлым стариком, я спросила: может, мне уйти, чтобы он мог побыть один? Но Кетут ответил: «Для тебя у меня всегда найдется время». После чего попросил рассказать что-нибудь об Индии, Америке, Италии, о моей семье. Именно тогда я поняла, что для Кетута Лийера я не учительница английского и не ученица медитации. Я то, что способно принести старику знахарю самую простую человеческую радость, — его собеседница. Я просто человек, с которым можно поговорить, потому что ему нравится слушать рассказы о мире, — ведь у него было не так уж много возможностей этот мир увидеть.

Пока мы часами сидели на крыльце, Кетут успел расспросить меня обо всем на свете, начиная с того, сколько стоят машины в Мексике, и заканчивая причинами заболевания СПИДом. (На оба вопроса я постаралась ответить как можно лучше, хотя, полагаю, специалист смог бы дать гораздо более полноценный ответ.) Кетут никогда в жизни не покидал пределов острова. По правде говоря, почти всю свою жизнь он провел на этом самом крыльце. Однажды он совершил паломничество к горе Агунг — самому большому вулкану на Бали и важнейшему месту духовной силы, — но, по его словам, то место обладало столь мощной энергией, что он с трудом мог медитировать из страха, что его поглотит священный огонь. И хотя он ходит в храмы на большие, важные церемонии, а соседи приглашают его в гости для совершения свадебного обряда или ритуала достижения совершеннолетия, бо́льшую часть времени его можно найти здесь, на бамбуковой циновке, где он сидит, скрестив ноги, в окружении томов прадедовой медицинской энциклопедии, написанной на пальмовых листьях, лечит людей, усмиряет демонов и изредка балует себя чашечкой кофе с сахаром.

— Вчера ты мне приснилась, — сказал мне Кетут. — В этом сне ты каталась на велосипеде отовсюду.

Он замолк, и я решила исправить ошибку.

— Ты, наверное, имел в виду, что в этом сне я каталась на велосипеде *повсюду*.

— Да! Вчера ночью мне приснилось, что ты каталась *отовсюду* и *повсюду*. Ты была так счастлива в моем сне! Твой велосипед катал тебя по всему миру. И я следовал за тобой!

Может, ему тоже хочется путешествовать вместе со мной...

— Ты бы однажды навестил меня в Америке, Кетут, — говорю я.

— Не могу, Лисс. — Он качает головой, не имея, впрочем, обид на судьбу. — Чтобы лететь самолетом, у меня маловато зубов.

82

Что до супруги Кетута, наладить с ней контакт удается не сразу. Ниомо — так ее зовет Кетут — рослая, внушительная женщина, прихрамывающая на одну ногу, с зубами, покрытыми красными пятнами от постоянного жевания бетеля. У нее скрюченные из-за больных суставов пальцы на ногах и меткий глаз. Я испугалась ее с первого взгляда. Есть в ней что-то от суровой старой дамы: она смахивает на итальянских вдов или благочестивых дородных негритянок, не пропускающих ни одной церковной службы. У нее такой вид, будто она готова выпороть вас за мельчайшую оплошность. Ко мне Ниомо поначалу относилась с явным подозрением — что за фифа разгуливает по моему двору целыми днями? Гипнотизируя меня из своего темного закопченного укрытия — кухни, — она словно ставила под сомнение само мое право на существование. Я отвечала ей улыбкой, но она лишь продолжала смотреть, словно раздумывая, погнать ли меня прочь метлой или оставить в покое.

Но потом кое-что изменилось. А началось все с истории с дубликатами книг.

У Кетута Лийера накопился целый ворох древних линованных тетрадей и гроссбухов, испещренных крошечными мелкими буковками и хранящих тайные рецепты врачевания на балинезийском диалекте санскрита. Спустя некоторое время после смерти деда, в сороковых—пятидесятых годах, он перенес его записи в эти тетради, собрав всю медицинскую информацию в одном месте. Эти записи бесценны. Целые тома сведений о редких видах деревьев, цветков и растений и их лечебных свойствах; около шестидесяти страниц с хиромантическими диаграммами; многочисленные тетради с астрологическими данными, мантрами, заклятиями и рецептами лекарств. Проблема в том, что, спустя десятилетия соседства с плесенью и мышами, эти фолианты буквально разваливаются на кусочки. Пожелтевшие, рассыпающиеся, пахнущие сыростью, они похожи на гниющие кучи осенних листьев. Стоит Кетуту перевернуть страницу — как она рвется.

— Кетут, — сказала я старику на прошлой неделе, взяв один из многострадальных томов, — я не врач, в отличие от тебя, но, кажется, эта книга умирает.

Кетут рассмеялся.

— По-твоему, ей недолго осталось?

— Сэр, — серьезно проговорила я, — вот вам мое профессиональное мнение: если вскорости книжке не оказать помощь, жить ей осталось не больше полугода.

Я попросила разрешения взять одну из книг в город и сделать копии страниц, пока они окончательно не развалились. Пришлось объяснить Кетуту, что такое копировальный аппарат, и пообещать, что возьму книгу всего на сутки и не испорчу ее. В конце концов он позволил мне забрать тетрадь с места ее хранения на крыльце, после того как я клятвенно заверила его, что буду бережно обращаться с наследием деда. Я поехала в город, в заведение с интернет-кафе и копировальными аппаратами, и, дрожа над каждой страничкой, сделала дубликаты и подшила новые, чистенькие листочки в красивую пластиковую папку. К полудню следующего дня я принесла старику старую книгу и дубликат. Изумлению и восторгу Кетута не было предела; он был счастлив, потому что тетрадь хранилась у него пятьдесят лет. Что, впрочем, могло означать как пятьдесят лет в буквальном смысле, так и просто «очень долгое время».

Тогда я спросила, можно ли сделать фотокопии остальных книг, чтобы сохранить в целостности содержащуюся в них информацию. И Кетут протянул мне еще один бесформенный, растрепавшийся и еле живой фолиант, полный писанины на балинезийском санскрите и замысловатых схем.

— Еще один пациент! — воскликнул он.

— Я его вылечу! — пообещала я.

И снова мое начинание имело грандиозный успех. К концу недели я скопировала несколько старых манускриптов. И каждый день Кетут звал жену и, захлебываясь от восторга, демонстрировал дубликаты. И хотя выражение ее лица не изменилось, она внимательно изучила тетради.

В следующий понедельник, когда я пришла к Кетуту, Ниомо принесла мне горячий кофе в баночке из-под варенья. Я наблюдала, как она, хромая, несет напиток через двор на фарфоровом блюдечке, преодолевая долгий путь от кухни к Кетутову крылечку. Сначала я подумала, что кофе предназначается Кетуту, но оказалось — нет, он уже выпил свою чашку. А эта была для меня. Ниомо приготовила ее специально для меня! Я попыталась поблагодарить ее, но ее мои благодарности словно раздосадовали: она отмахнулась от меня, как от петуха, норовящего прыгнуть на кухонный стол на улице, когда она готовит обед. Но на следующий день Ниомо опять принесла мне баночку с кофе, поставив рядом миску с сахаром. А еще через день — баночку с кофе, сахарницу и холодную вареную картофелину. И так — каждый день недели — Ниомо добавляла новое угощение. Это стало смахивать на детскую считалку по запоминанию алфавита: «Я еду к деду и везу ему арбуз... Я еду к деду и везу ему банан... Я еду к деду и везу ему арбуз, банан, кофе в баночке из-под варенья, миску с сахаром и холодную картошку».

А вчера я стояла во дворе и прощалась с Кетутом, и Ниомо прошаркала мимо со своей метлой, подметая двор и делая вид, что ее ничто вокруг не интересует. Я стояла, сложив руки за спиной, и тут она подошла ко мне сзади и взяла одну мою руку в свою. Пересчитав пальцы, словно подбирая комбинацию кодового замка, она нашла мой средний палец и пожала его своим большим, крепким кулаком — долгое, сердечное рукопожатие. И я ощутила, как в этом сильном сжатии пульсирует ее любовь ко мне, как она поднимается по моей руке и проникает в самое нутро. Потом она отпустила руку и захромала прочь, скрипя больными суставами и не говоря ни слова, продолжая мести двор, будто ничего и не было. А я стояла как вкопанная и тонула в двух реках счастья одновременно.

## 83

У меня появился новый друг. Его зовут Юди, произносится имя как «ю-дэ-э-э». По рождению Юди яванец. Это у него я сняла дом, так и познакомились — он работает на англичанку, владелицу коттеджа, присматривает за домом, пока она проводит лето в Лондоне. Юди двадцать семь лет. Этот коренастый крепыш изъясняется южнокалифорнийским серферским сленгом, говорит «подруга» и «чувак». Его улыбка лед растопит, а для такого молодого парня у него очень длинная и нелегкая жизненная история.

Он родился в Джакарте, мать была домохозяйкой, отец — фанатом Элвиса, владельцем маленького предприятия по торговле кондиционерами и холодильными установками. Родители — христиане, что в этой части света считается странностью. Юди рассказывает забавные истории о том, как соседские мальчишки из мусульманских семей насмехались над ним, бросаясь такими оскорблениями, как «свиноед!» и «фанат Иисуса!» Но Юди на них не обижался: такой уж у него характер — его вообще мало что может обидеть. Однако его матери не нравилось, что он ошивается с мусульманскими детьми, в основном потому, что они бегали босиком (Юди это тоже нравилось), — она считала это негигиеничным. Поэтому мать предоставила сыну выбор — либо он надевает ботинки и идет играть на улицу, либо ходит босиком, но дома. Ботинки Юди не любил, потому и провел большую часть детства и отрочества в собственной комнате. Там он и научился играть на гитаре.

Мне еще не приходилось встречать людей столь музыкальных, как Юди. Он волшебно играет на гитаре, хотя никогда не учился этому, однако чувствует мелодию и гармонию, точно это две его родные сестры. Юди сочиняет музыку, объединяющую восточные и западные мотивы — классические индонезийские напевы, мелодичное регги и фанк в стиле раннего Стиви Уандера. Это трудно описать, но по нему просто плачут чарты. И я не знаю ни одного человека, кто слышал бы его музыку и не согласился со мной.

Всю жизнь Юди мечтал перебраться в Америку и заняться шоу-бизнесом. Да и кто, собственно, не мечтает об этом? Поэтому, еще когда он был подростком и жил на Яве, ему каким-то образом удалось выбить себе работу на круизном лайнере компании «Карнивал» (в то время он почти ни слова не знал по-английски) и вырваться из ограниченного мирка Джакарты в большой мир — в открытое море. Работа на круизном лайнере оказалась каторжной поденкой для трудолюбивых иммигрантов — жилье в трюме, двенадцатичасовой рабочий день, один выходной, уборка. Его товарищами были индонезийцы и филиппинцы. Они ели и спали в разных частях корабля и никогда не общались между собой (мусульмане и христиане, сами понимаете), но Юди в типичной для него манере подружился со всеми и стал кем-то вроде эмиссара между двумя группами азиатских рабочих. Он понимал, что у всех этих горничных, сторожей и посудомойщиков, работающих с утра до ночи, чтобы посылать семьям по сотне долларов в месяц, гораздо больше общего, чем различий.

Когда корабль впервые вошел в гавань Нью-Йорка, Юди не спал всю ночь, стоя на самой высокой палубе и любуясь панорамой города, возникающей над горизонтом, с бьющимся от волнения сердцем. Через несколько часов он сошел с судна в Нью-Йорке и сел в желтое такси — совсем как в кино. Когда таксист, недавно иммигрировавший из Африки, спросил, куда его везти, Юди ответил: «Куда угодно, друг, — просто покатай меня по городу. Хочу увидеть все». Несколько месяцев спустя корабль снова остановился в Нью-Йорке, и на этот раз Юди остался навсегда. Его контракт с круизной компанией кончился, он хотел жить в Америке.

В конце концов его занесло не куда-нибудь, а в провинциальный Нью-Джерси, где он некоторое время делил кров с другим индонезийцем, знакомым по лайнеру. Он нашел работу в торговом центре, в кафе, торговавшем сэндвичами, — очередная каторга для иммигрантов по десять—двенадцать часов в день, только на этот раз вместо выходцев с Филиппин его товарищами оказались мексиканцы. За те первые несколько месяцев он больше обучился испанскому, чем английскому. В редкие минуты, когда выдавалось свободное время, Юди садился на автобус до Манхэттена и просто бродил по улицам, очарованный городом до такой степени, что невозможно описать, — он и сейчас говорит, что «во всем мире не найдется места, где было бы столько любви». Случайно (не иначе как благодаря своей улыбке) он познакомился с компанией молодых музыкантов со всего мира и стал у них гитаристом. Талантливые ребята с Ямайки, из Африки, Франции, Японии, они играли вместе ночами. На одном из джемов Юди познакомился с Энн, красивой блондинкой из Коннектикута, игравшей на басу. Они полюбили друг друга и поженились. Нашли квартиру в Бруклине и стали жить в окружении веселых друзей, вместе катаясь во Флорида-Кис. Им жилось невероятно счастливо. Очень скоро Юди почти в совершенстве выучил английский. И подумывал о том, чтобы поступить в колледж.

Одиннадцатого сентября Юди стоял на крыше своего дома в Бруклине и смотрел, как рушатся две башни. Как и все, он был парализован горем от случившегося — как мог кто-то совершить столь ужасающее надругательство над городом, где столько любви как нигде во всем мире? Не знаю, следил ли Юди за последующими событиями, когда Конгресс США отреагировал на угрозу террористической атаки принятием Патриотического акта — закона, устанавливавшего новые драконовские иммиграционные правила, многие из которых были направлены против мусульманских стран, Индонезии в том числе. Один из его пунктов гласил, что все индонезийские граждане, проживающие в США, обязаны зарегистрироваться в Департаменте внутренней безопасности. Телефоны в доме Юди начали звонить не переставая — он и его друзья, молодые индонезийские иммигранты, ломали голову, что же им делать. У многих виза была просрочена; они боялись, что, явись они для регистрации, их депортируют. Но они боялись и *не* явиться — ведь это означало бы, что они ведут себя, как преступники. Очевидно, исламские фундаменталисты, разгуливающие себе по Штатам, предпочли проигнорировать этот закон, но Юди решил, что должен зарегистрироваться. Он был женат на американке и хотел изменить свой иммиграционный статус и стать полноправным гражданином. Ему не хотелось жить скрываясь.

Юди и Энн проконсультировались со всеми адвокатами, однако никто не знал, что им посоветовать. До одиннадцатого сентября никаких сложностей бы не возникло, — поскольку Юди был женат, он мог просто пойти в иммиграционную службу, продлить визу и начать процесс получения гражданства. Но теперь... Кто знает, чем это чревато. «Новые законы еще не опробованы, — говорили иммиграционные юристы. — Вы станете первым подопытным». И вот у Юди и его супруги состоялась встреча с любезным служащим иммиграционной службы. Молодожены поведали ему свою историю, после чего им сообщили, что Юди должен вернуться в тот же день для «повторного собеседования». Именно тогда им следовало насторожиться, ведь Юди строго-настрого приказали прийти без жены и без адвоката, с пустыми карманами. Надеясь на лучшее, он вернулся в офис один, без документов. Тогда-то его и арестовали.

Его перевели в тюрьму в Элизабет, Нью-Джерси, где он пробыл несколько недель с другими иммигрантами, которых было великое множество. Всех их недавно арестовали на основании Акта о внутренней безопасности; все жили и работали в Америке уже много лет, но большинство не говорили по-английски. Некоторые с момента ареста не имели возможности связаться с семьей. В тюрьме они стали невидимками: об их существовании не знал никто. Энн, пребывавшей уже на грани истерики, потребовалось несколько дней, чтобы выяснить, куда забрали мужа. Самое яркое воспоминание Юди о тюрьме — группа худых и испуганных нигерийцев с кожей черной, как уголь, которых обнаружили на грузовом судне внутри стального контейнера. Прежде чем их нашли, они почти месяц прятались в этом ящике в трюме корабля, пытаясь пробраться в Америку — или куда-нибудь. Они не имели представления о том, где находятся. Их глаза были так выпучены, вспоминает Юди, будто фонари до сих пор светили им в лицо.

После периода заключения американское правительство выслало моего друга Юди, христианина (но по их мнению, видимо, исламского террориста), домой в Индонезию. Это было в прошлом году. Я не знаю, разрешат ли ему когда-либо вернуться в Америку. Они с женой до сих пор пытаются решить, как им теперь жить; перспектива поселиться в Индонезии в их мечты о будущем не входила.

Пожив в развитой стране, Юди так и не смог заново привыкнуть к трущобам Джакарты и переехал на Бали, чтобы попытаться обосноваться здесь. Но и тут возникли проблемы: общество не принимает его как своего, так как он не балинезиец, а яванец. А балинезийцы не питают к яванцам ни капли симпатии, считая их всех без исключения ворами и попрошайками. Здесь, в родной Индонезии, Юди гораздо больше сталкивается с предрассудками, чем в Нью-Йорке. Что ждет его в будущем, он не знает. Возможно, Энн приедет к нему, и они будут жить вместе. А может, и нет. Какие у нее здесь перспективы? Их молодая семья, существующая теперь исключительно через Интернет, на грани краха. А Юди кажется, что здесь ему не место; он утратил почву под ногами. Он чувствует себя американцем гораздо больше, чем индонезийцем; мы с ним используем одни и те же словечки, вспоминаем любимые нью-йоркские рестораны, обсуждаем одни и те же фильмы. Он приходит ко мне по вечерам и играет на гитаре совершенно волшебные песни. Мне так хочется, чтобы он добился признания. Если бы была в этом мире хоть капля справедливости, он давно стал бы звездой.

«Не жизнь, а сплошной дурдом, а, подруга?» — говорит он.

84

— Почему жизнь — сплошной дурдом, Кетут? — спрашиваю я старика наутро.

— *Бхута иа, дева иа*, — отвечает тот.

— Это что значит?

— Человек — демон, человек — бог. И то и другое правда.

Знакомое утверждение. Вполне в духе индийской философии, вполне в духе йоги. Как много раз объясняла моя гуру, идея в том, что все люди рождаются с равным потенциалом к деградации и развитию. Элементы тьмы и света одинаково присутствуют в каждом, и от человека зависит (или от семьи, или от общества), что выйдет на поверхность — добродетель или порок. Безумия, творящиеся на планете, по большей части являются результатом человеческой неспособности обрести эффективное внутреннее равновесие. В результате мы все, на личном и коллективном уровне, становимся невменяемыми.

— Но как можно исправить этот безумный мир?

— Никак. — Кетут рассмеялся, но добродушным смехом. — Такова природа мира. Такова судьба. Думай лишь о том, как самой не сойти с ума, — постарайся достичь мира в своей душе.

— Но как это сделать?

— При помощи медитации. Цель медитации — достижение счастья и покоя, это очень просто. Сегодня я научу тебя новой медитации, и ты станешь еще лучше. Она называется медитацией четырех братьев.

Кетут объяснил, что на Бали есть поверье, согласно которому каждого из нас с рождения сопровождают четверо невидимых братьев: они приходят в мир вместе с нами и оберегают нас на протяжении всей жизни. Еще когда ребенок находится в утробе, четыре брата присутствуют рядом — их символами являются плацента, амниотическая жидкость, пуповина и желтое воскообразное вещество, покрывающее кожу новорожденного защитной пленкой. При рождении родители собирают эти родовые субстанции, помещают в скорлупку кокосового ореха и закапывают у парадной двери семейного дома. По балинезийском традиции, похороненный кокос является священной обителью четырех нерожденных братьев; за этим местом ухаживают, как за храмом.

Как только ребенок начинает осознавать окружающий мир, ему внушают, что у него есть четыре брата, которые следуют за ним повсюду и будут всегда оберегать его. Им соответствуют четыре добродетели, необходимых человеку для того, чтобы вести безоблачную счастливую жизнь: ум, дружелюбие, сила и (это мне особенно нравится) творческий дух. Братьев можно призвать в любой критической ситуации, они всегда придут на выручку и помогут. Когда человек умирает, четыре брата-призрака берут его душу и переправляют на небеса.

Сегодня Кетут признался, что прежде никогда не рассказывал ни одному человеку с Запада о медитации четырех братьев, однако ему кажется, что я для нее готова. Сперва он обучил меня именам моих невидимых братьев: Анго Патих, Марагио Патих, Банус Патих, Банус Патих Рагио. Он приказал запомнить эти имена и на протяжении всей жизни, когда возникнет необходимость, призывать братьев на помощь. Кетут говорит, что не нужно обращаться к ним официальным тоном, как к Богу во время молитвы; с братьями разрешается говорить по-свойски и по-дружески, ведь «это твоя семья!». Я должна произносить их имена во время утреннего омовения, и они придут ко мне. Каждый раз перед едой — и братья разделят мою приятную трапезу. И перед сном, при этом нужно говорить: «Я ложусь спать, но вы не спите и защищайте меня». Тогда братья будут всю ночь стоять надо мною щитом, отгоняя демонов и ночные кошмары.

— Это хорошо, — призналась я, — потому что иногда у меня бывают кошмары.

— Какие?

Я рассказала старику знахарю, что меня с детства преследует один и тот же ужасный сон, в котором над моей кроватью возвышается человек с ножом. Этот сон такой яркий, а его герой столь реален, что порой я кричу от страха. Сердце начинает бешено колотиться (и тем, кто спит со мной в одной кровати, тоже приходится несладко). Сколько себя помню, кошмар снится мне, по крайней мере, раз в несколько недель.

Но стоило мне поведать об этом Кетуту, как он объяснил, что я годами неверно истолковывала сон. Человек с ножом в моей спальне — вовсе не враг, это всего лишь один из моих четырех братьев, дух, символизирующий силу. Нож у него не для того, чтобы напасть на меня, а чтобы оберегать во сне. А просыпаюсь я скорее всего оттого, что чувствую смятение духовного брата, сражающегося с демоном, который пытается причинить мне вред. Да и в руке у него не нож, а *крис* — маленький кинжал, наделенный великой силой. Так что я не должна бояться. Я могу спать спокойно, зная, что защищена.

— Тебе повезло, — сказал Кетут. — Повезло, что можешь его видеть. Иногда и я вижу своих братьев во время медитации, но обычным людям редко дано видеть их просто так. Думаю, ты обладаешь великой духовной силой. Надеюсь, однажды и ты станешь женщиной-врачом.

— Согласна, — ответила я смеясь, — но только если про меня снимут сериал!

Кетут посмеялся со мной, впрочем, не понимая шутки, — ему просто нравится, когда люди шутят. А потом добавил, что, разговаривая с духовными братьями, я всегда должна называться, чтобы они узнали меня. При этом надо использовать тайное имя, которое они мне дали. Следует говорить так: «Я — Лаго Прано».

*Лаго Прано* означает «счастливое тело».

Я поехала домой. В предзакатном солнце велосипед вез мое счастливое тело вверх по холму, к дому. Когда я проезжала через лес, прямо передо мной с дерева свесился здоровый самец обезьяны и сверкнул клыками. Но я даже не вздрогнула. «Отвали, мартышка, — со мной мои четыре брата», — сказала я и проехала мимо.

## 85

Но на следующий день (несмотря на защиту четырех братьев) меня сбил автобус. Точнее, микроавтобус, и тем не менее я слетела с велосипеда и упала в цементную водоотводную канаву. Не меньше тридцати балинезийцев на мотоциклах, став свидетелями несчастного случая, притормозили, чтобы мне помочь (автобус давно скрылся из виду), и все наперебой стали приглашать меня домой выпить чаю или предлагали отвезти в больницу — так их расстроило случившееся. На самом деле столкновение было не таким уж серьезным, особенно если предположить, что могло быть и хуже. Велосипед не пострадал, хотя корзинка погнулась, а в шлеме красовалась трещина. (Лучше в шлеме, чем в черепе, что уж говорить.) Хуже всего пришлось моему колену, на котором был глубокий порез с набившимися в него кусочками щебня и грязи. Несколько дней во влажной тропической среде — и в него попала какая-то жуткая инфекция.

Хоть мне и не хотелось беспокоить Кетута, через несколько дней я все же закатала штанину на его крылечке, отодрала желтеющий бинт и продемонстрировала свою рану. Старик встревоженно прищурился.

— Инфекция, — констатировал он. — Плохо.

— Да, — вздохнула я.

— Тебе надо к врачу.

Я, признаться, была немного удивлена. Разве Кетут — не врач? Но по какой-то причине он не вызвался мне помочь, а я настаивать не стала. Может, он лечит только местных? Или у него заранее был некий хитроумный план... ведь если бы не мое покалеченное колено, я бы не познакомилась с Вайан. А именно благодаря этому знакомству случилось все, что должно было случиться.

## 86

Как и Кетут, Вайан Нурийаси — балинезийский лекарь. Однако кое-что отличает их друг от друга. Кетут — старик, а Вайан — молодая женщина лет тридцати семи. Он — не столько врач, сколько духовный учитель, фигура скорее мистическая, в то время как Вайан — обычный врачеватель, готовящий смеси из трав и лекарства по рецепту в собственной аптеке и там принимающий пациентов.

Вайан — владелица маленького магазинчика с витриной на центральную улицу Убуда. Вывеска гласит: «Традиционный балинезийский лечебный центр». Я тысячу раз проезжала мимо на велосипеде по дороге к Кетуту, обращая внимание на многочисленные растения в горшках, выставленные на улицу, и грифельную доску с любопытным объявлением, написанным от руки: «Специальный мультивитаминный ланч». Но никогда не заходила внутрь до того, как разбила колено. И вот, когда Кетут направил меня к врачу, я вдруг вспомнила об этом месте и отправилась туда на велосипеде, в надежде, что там смогут вылечить инфекцию.

Заведение Вайан — это и очень маленькая медицинская клиника, и ресторан, и квартира одновременно. На первом этаже — небольшая кухонька и непритязательное кафе на три столика с несколькими стульями. На втором — отдельный кабинет, где Вайан делает массажи и принимает пациентов. А в глубине — одна темная спальня.

Прохромав в магазин на больной ноге, я представилась доктору Вайан — балинезийке изумительной красоты с лучезарной улыбкой и блестящими черными волосами до талии. За ее спиной прятались две робкие девчушки — я помахала им, а они улыбнулись и нырнули обратно в кухню. Я показала Вайан рану и спросила, сможет ли она помочь. Вскоре она уже кипятила на плите отвар из трав, тем временем заставив меня выпить *джаму* — традиционный индонезийский домашний лечебный напиток. Она приложила к ране горячие зеленые листья, и моему колену сразу полегчало.

Мы разговорились. Вайан превосходно говорила по-английски. Будучи с Бали, она сразу задала мне три стандартных вопроса: куда идешь? откуда пришла? замужем?

Когда я ответила, что не замужем («пока еще нет!»), Вайан пришла в замешательство.

— И никогда не были? — спросила она.

— Нет, — соврала я. Не люблю врать, но по опыту знаю, что в разговоре с балинезийцами не стоит упоминать о разводе, — это их так огорчает!

— Правда, никогда не были замужем? — переспросила Вайан, теперь глядя на меня с откровенным любопытством.

— Правда, — соврала я. — Не была.

— Уверены? — Мне это стало казаться странным.

— Уверена абсолютно!

— Ни разу? — не унималась она.

Кажется, она видит меня насквозь.

— Ну... — замялась я, — ну был один разочек...

Тут ее лицо засветилось, точно она хотела сказать: ага, я так и знала!

— В разводе?

— Да, — со стыдом призналась я. — Мы развелись.

— А я сразу поняла.

— Тут у вас развод не очень в почете.

— Ну вот я тоже разведена, — заявила Вайан, к моему огромному удивлению.

— *Вы?*

— Я все возможное сделала, — отвечала она. — Прежде чем подать на развод, все перепробовала, молилась каждый день. Но просто не могла не уйти.

Глаза Вайан наполнились слезами, и не успела я оглянуться, как уже держала ее за руку — первую встреченную мной разведенную женщину на Бали — и твердила:

— Конечно, ты сделала все, что могла, дорогая. Уверена, так оно и было.

— Развод — это так грустно, — вздохнула она.

Я возражать не стала.

Следующие пять часов я просидела в лавке Вайан и проговорила со своей новой лучшей подругой о ее невзгодах. Пока она лечила инфекцию на моем колене, я слушала ее историю. Муж Вайан, балинезиец, «все время пил, играл, проигрывал все деньги, а потом бил меня за то, что не давала ему денег на выпивку и игры. Много раз он так меня избивал, что я попадала в больницу, — рассказывала Вайан. Она раздвинула волосы и показала мне шрамы на голове. — Это после того раза, когда он ударил меня мотоциклетным шлемом. Он всегда бил меня шлемом, когда был пьяный, а я мало зарабатывала. Он так сильно меня бил, что я теряла сознание, а потом у меня кружилась голова, пропадало зрение. Повезло мне, что я врач, в моей семье все были целителями, я знаю, как вылечиться после побоев. Не будь я врачом — давно бы осталась без ушей, ничего бы больше не слышала. Глаза бы потеряла, не смогла бы видеть». Вайан ушла от мужа после того, как он избил ее так сильно, что она «потеряла ребенка, моего второго ребенка, которого носила в животе». После того случая ее первая дочь, смышленая девочка по имени Тутти, сказала: «Мамочка, по-моему, тебе нужно развестись. Когда ты уходишь в больницу, у Тутти слишком много работы по дому».

Тутти тогда было четыре года.

Западный человек почти неспособен представить, в каком обособленном и уязвимом положении оказывается балинезиец после развода. Семья, существующая в границах, обозначенных стенами семейного дома, — это все, что у него есть: четыре поколения родных и двоюродных братьев и сестер, родителей, бабушек, дедушек и детей, живущих вместе в небольших бунгало, выстроенных вокруг семейного храма. Они заботятся друг о друге с рождения до смерти. Семейный очаг — источник силы и финансовой стабильности, забота о здоровье и забота о детях, образование и духовная связь — самое важное в балинезийской системе ценностей.

Семейный очаг имеет столь важное значение, что балинезийцы воспринимают его как живого человека. Деревенское население на Бали традиционно подсчитывают не по количеству людей, а по количеству домов. Дом — целая вселенная с системой самообеспечения. И не дай бог вам его покинуть. (Если, конечно, вы не женщина, которая в жизни переезжает лишь однажды — из родного семейного дома в дом мужа.) В тех случаях, когда система работает (а в здоровом балинезийском обществе это происходит почти всегда), ее результатом являются самые здоровые, социально защищенные, спокойные, счастливые и гармоничные люди в мире. Но что, если система дает сбой, как в случае с моей новой подругой Вайан? Изгоев относит на орбиту, где доступ к кислороду закрыт. Выбор у Вайан был невелик: или остаться в семейном доме, жить с мужем и не вылезать из больниц, или спасти собственную жизнь и уйти — оставшись ни с чем.

Ни с чем, конечно, громко сказано. При Вайан остались энциклопедические знания о врачевании, ее добрый нрав, рабочая этика и дочка Тутти, за которую ей пришлось побороться не на жизнь, а на смерть. Ведь на Бали царит абсолютный патриархат. В случае развода дети автоматически остаются с отцом. Чтобы вернуть Тутти, Вайан пришлось нанять адвоката, а чтобы расплатиться с ним, она отдала все, что у нее было. Говоря «все», я подразумеваю *все*. Ей пришлось продать не только мебель и драгоценности, но и вилки и ложки, ботинки и носки, старые тряпки и свечные огарки — все ушло на оплату адвокатского гонорара. Но спустя два года борьбы ей все же удалось отвоевать дочь. Вайан повезло: Тутти — девочка; будь у нее сын, она не увидела бы его больше никогда. Мальчики ценятся гораздо выше.

Вот уже несколько лет Вайан и Тутти живут вдвоем — гордые одиночки в гуще пчелиного роя, каким является Бали. Они переезжают с места на места раз в пару месяцев, в зависимости от того, сколько удается заработать, страдая вечной бессонницей от тревоги, где им придется жить в будущем. Это особенно сложно, потому что каждый раз, когда Вайан переезжает, пациентам трудно ее отыскать (в основном это балинезийцы, которые сами сейчас переживают тяжелые времена). К тому же с каждым новым переездом Тутти вынуждена переходить в новую школу. Раньше она всегда была первой по успеваемости в классе, но после переезда скатилась и теперь лишь двадцатая из пятидесяти ребят.

В середине рассказа Тутти собственной персоной влетела в лавку, прибежав домой из школы. Девочке уже восемь лет, и она — мощный взрыв обаяния и фейерверк энергии. Бегло изъясняясь по-английски, эта юла (с крысиными хвостиками, тощая и взбудораженная) спросила, не хочу ли я пообедать, и Вайан спохватилась:

— Совсем забыла! Тебя же нужно покормить!

Мать с дочерью бросились на кухню и с помощью двух робких девчушек, что так и прятались там, через некоторое время соорудили обед, который оказался лучшим из того, что я ела на Бали.

Малышка Тутти вносила каждое блюдо, звонкоголосо объявляя, что же такое на тарелке, с сияющей улыбкой и вообще с таким торжественным видом, будто размахивает дирижерской палочкой.

— Сок куркумы, очищает почки! — объясняла она. — Морские водоросли — источник кальция! Салат с помидорами — много витамина D! Пряные травы ассорти — профилактика малярии!

— Тутти, где ты научилась так здорово болтать по-английски? — наконец не выдержала я.

— По книжке! — заявила Тутти.

— Мне кажется, ты очень умная девочка, — сообщила я.

— Спасибо! — просияла она и от радости исполнила импровизированный танец на месте. — Ты тоже очень умная девочка!

Обычно дети на Бали так себя не ведут. Здешние малыши тихие, вежливые, вечно прячутся за мамину юбку. Но Тутти не такая. Она — звезда. Ей лишь бы покрасоваться и поболтать.

— Я покажу тебе свои книжки! — пропела она и затопотала вверх по лестнице.

— Она хочет стать врачом для зверей, — сказала Вайан. — Как это по-английски?

— Ветеринаром.

— Точно. Ветеринаром. Столько всего спрашивает про животных, а я не знаю, что ответить. Может спросить: «Мам, если мне принесут больного тигра, надо ли сначала забинтовать ему зубы — вдруг укусит? Если заболеет змея и ей надо будет выпить лекарство, где же у нее рот?» Понятия не имею, откуда у нее такие вопросы. Надеюсь, она сможет поступить в университет.

Тутти слетела вниз по лестнице с охапками книг в руках и плюхнулась матери на колени. Вайан рассмеялась и чмокнула дочь, и вся грусть, вызванная воспоминаниями о разводе, вдруг испарилась с ее лица. Я наблюдала за ними и думала, что маленькие девочки, способные внушить своим матерям новый вкус к жизни, вырастают и становятся очень сильными женщинами. Проведя с Тутти всего полдня, я совершенно влюбилась в этого ребенка. И сочинила импровизированную молитву: «Господи, сделай так, чтобы однажды Тутти Нурийаси забинтовала зубы тысяче белых тигров!»

Мама Тутти меня тоже очаровала. Но я просидела в ее лавке уже несколько часов и решила, что пора уходить. В кафе зашли туристы, желающие, чтобы им подали ланч. Одна из туристок, хамоватая пожилая австралийка, громогласно поинтересовалась, не вылечит ли Вайан ее «жуткий запор». Я подумала: «Пой громче, птичка, чтобы все мы могли станцевать под твою песенку...»

— Я завтра приду, — пообещала я Вайан, — и опять закажу твой особый мультивитаминный ланч.

— Твое колено зажило, — сказала она. — Тебе очень быстро полегчало. Инфекции больше нет.

Она вытерла остатки зеленой травяной жижи, покрывавшей мою ногу, и слегка подергала колено, словно нащупывая что-то. Потом проделала то же со вторым коленом, закрыв глаза. Разомкнув веки, Вайан улыбнулась и произнесла:

— Я вижу по твоим коленям, что в последнее время у тебя не было секса.

— Как это видишь? Неужели потому, что они сдвинуты вместе?

Вайан рассмеялась.

— Да нет же! Все дело в хряще. Он очень сухой. Гормоны от занятий сексом действуют как смазка для суставов. Давно не было секса?

— Года полтора.

— Тебе нужно найти хорошего мужчину. Я тебе помогу. Буду молиться в храме, чтобы ты встретила хорошего мужчину, потому что теперь ты моя сестра. А когда придешь завтра, я прочищу тебе почки.

— Хороший мужчина да еще и почечная чистка? Неплохое предложение.

— Прежде я никому не рассказывала о своем разводе, — проговорила она. — Но моя жизнь тяжела, очень сложна. Не понимаю, почему жить так трудно.

И тут я сделала странную вещь. Взяла руки целительницы в свои и сказала с совершенной убежденностью:

— Самое трудное уже позади, Вайан.

Я вышла из лавки, по необъяснимой причине дрожа, взбудораженная мощным предчувствием или импульсом, которому пока не в силах была найти ни определения, ни применения.

87

Мои дни естественным образом разделились на три части. Утро я провожу с Вайан в ее лавке: с ней мы смеемся и едим ланч. После обеда нахожусь у Кетута, старого лекаря: с ним мы разговариваем и пьем кофе. А вечером сижу в своем чудесном садике — в одиночестве с книгой или за разговором с Юди, который иногда заходит и играет на гитаре. Каждое утро, когда солнце восходит над рисовыми полями, я медитирую, а вечером, перед сном, беседую с четырьмя духовными братьями и прошу их позаботиться обо мне, пока я буду спать.

Хотя я пробыла на острове всего несколько недель, меня уже переполняет чувство выполненной миссии. Целью моего пребывания в Индонезии было найти гармонию, но у меня такое ощущение, что мне больше ничего не надо искать, потому что все само собой встало на места. Нет, я не стала балинезийкой (как не стала и итальянкой, и индианкой), но чувствую, что обрела внутреннее спокойствие. Мне нравится, как протекают мои дни, от непринужденного выполнения духовных практик и наслаждения прекрасными ландшафтами к общению с милыми друзьями и вкусным ужинам. В последнее время я много молюсь, без стеснения и часто. Ловлю себя на мысли, что в основном мне хочется молиться, когда я еду от Кетута домой. Мой путь лежит сквозь обезьяний лес и рисовые террасы, в то время дня, когда сгущаются сумерки. Я молюсь, конечно, и о том, чтобы меня опять не сбил автобус, чтобы на дорогу не выпрыгнула обезьяна и меня не укусила собака, но это так, мелочевка; большинство настоящих молитв полны искренней благодарности за мою бесконечную удовлетворенность жизнью. Никогда прежде я не ощущала себя до такой степени необремененной происходящим в моей душе и в мире.

Я все время вспоминаю слова моей гуру о счастье. Она говорит, что люди, как правило, считают счастье чем-то вроде мгновенной вспышки, чем-то, что может возникнуть в их жизни вдруг, как хорошая погода, если сильно повезет. Однако счастье возникает совсем иначе. Это не что иное, как следствие работы над собой. Мы должны бороться за счастье, стремиться к нему, упорствовать и порой даже пускаться в путешествие на другой конец света в его поисках. Принимать постоянное участие в достижении собственного счастья. А приблизившись к состоянию блаженства, прикладывать могучие усилия, чтобы вечно двигаться вверх на волне счастья, удерживаться на плаву. Стоит чуть расслабиться — и состояние внутренней удовлетворенности ускользает от нас. Легко молиться, когда в жизни не все гладко, но не прекращать молитвы, даже когда кризис миновал, — это своего рода завершающая фаза процесса, в ходе которой душа обретает возможность удержать накопленные блага.

Вспоминая о том, что говорила гуру, я беззаботно качу на велике по предзакатному острову и произношу молитвы, больше похожие на клятвы, чтобы засвидетельствовать Богу гармонию внутри себя и сказать: «В этом состоянии я бы хотела остаться. Прошу, помоги запомнить это ощущение удовлетворенности и всегда поддерживать его». Я словно отправляю счастье на хранение в банк, но помимо страхования вкладов его будут оберегать мои четыре духовных брата, и оно станет своеобразной страховкой от будущих жизненных испытаний. Эту практику я назвала «работа над счастьем». Пока я работаю над счастьем, мне вспоминается простая мысль, высказанная как-то моим другом Дарси: вся печаль и невзгоды в этом мире создаются несчастливыми людьми. Не только на глобальном уровне, как в случае с Гитлером или Сталиным, но и на локальном, личностном. Взять хотя бы мою жизнь: я совершенно точно могу сказать, когда мое ощущение себя несчастной приносило страдания, расстройства и (по меньшей мере) неудобство окружающим меня людям. Поэтому поиск счастья — это не только забота о себе и действие для собственной пользы, но и щедрый дар всему миру. Избавившись от страданий, вы больше не стоите у мира на пути, прекращаете быть препятствием — не только для себя самого, но и для остальных. Лишь тогда вы становитесь по-настоящему свободными и готовыми служить людям и наслаждаться общением с ними.

Сейчас мне больше всего нравится общаться с Кетутом. Старик лекарь — поистине один из счастливейших людей, которых мне доводилось встречать, — предоставил мне полный доступ и полную свободу задавать любые вопросы, что возникли у меня давно, касательно природы божественного и человеческой сущности. Я обожаю медитировать по его научению, мне нравится до смешного простая «печеночная улыбка» и воодушевляющее присутствие духовных братьев. Недавно лекарь признался, что ему известны шестнадцать техник медитации и многочисленные мантры на все случаи жизни. Одни призваны восстановить мир и счастье, другие — для здоровья, но есть и совершенно мистические, с их помощью он переносится на иные уровни сознания. К примеру, он знает одну медитацию, которая, как он выразился, возносит его вверх.

— Вверх? — переспросила я. — Это куда же?

— По семи ступеням вверх, — отвечал Кетут. — На небеса.

Услышав знакомое понятие «семь ступеней», я спросила, не имеет ли он в виду, что медитация поднимает его энергию по семи чакрам тела, которые описаны в йоге.

— Это не чакры, — ответил он, — а места. С помощью этой медитации я отправляюсь в семь мест во Вселенной. Поднимаюсь все выше и выше. Седьмое место — рай.

— Ты был в раю, Кетут? — Он улыбнулся.

— Конечно, был. В рай попасть легко!

— И как там, в раю?

— Красиво. Там все прекрасно. Каждый человек становится прекрасным. Вся еда вкусная. Там все — любовь. Рай — это любовь.

А потом Кетут рассказал, что знает еще одну медитацию — вниз. С ее помощью можно спуститься на семь ступеней вниз, ниже нашего мира. Эта медитация намного опаснее и не подходит для новичков, только для продвинутых.

Я спросила:

— Значит, если с первой медитацией ты попадаешь в рай, то со второй должен опускаться в...

— В ад, — подтвердил Кетут мои предположения.

Любопытно. Прежде мне не приходилось слышать, чтобы в индуизме упоминались рай и ад. Индуисты воспринимают мир сквозь призму кармы, как процесс непрерывного кругооборота: у них нет такого, что ты в конце концов куда-то попадаешь, будь то рай или ад. Тебя просто возвращают на землю в новой форме, чтобы ты смог разрешить отношения и исправить ошибки, совершенные в прошлой жизни. Когда же человек наконец достигает совершенства, то выпадает из цикла и сливается с Бездной. Понятие кармы подразумевает, что рай и ад существуют лишь здесь, на Земле: мы обладаем способностью создавать их, производя добро или зло, в зависимости от предначертанной судьбы и темперамента.

Мне всегда импонировала идея кармы. И не только в буквальном понимании. Не только потому, что я верю, будто в прошлой жизни подавала напитки Клеопатре или что-то подобное, но и на метафорическом уровне. Философия кармы близка мне в метафорическом смысле, потому что даже в течение жизни становится совершенно очевидно, как часто мы повторяем одни и те же ошибки, бьемся головой об одну и ту же стену старых привычек и побуждений, что вызывает одни и те же неудачные и порой катастрофические последствия, — и все это до тех пор, пока мы не остановимся и не разорвем порочный круг. Вот главный урок, который нам преподносит карма (и вся западная психология в этом с ней согласна): решите проблемы сейчас — иначе придется снова страдать в будущем, когда в следующий раз наступите на те же грабли. А повторение страданий и есть ад. Освободиться из цикла бесконечных повторений и выйти на новый уровень понимания — только так можно попасть в рай.

Однако Кетут имел в виду рай и ад совсем в другом смысле, как будто это реально существующие места во Вселенной, где он был. По крайней мере, мне так кажется.

Пытаясь прояснить, верно ли я все поняла, я спросила:

— Ты был в аду, Кетут? — Он улыбнулся:

— Конечно, был!

— И как там?

— Так же, как в раю, — был его ответ.

Увидев мое замешательство, он попытался втолковать:

— Лисс, Вселенная — это круг.

Я не была уверена, что его понимаю.

— Наверху, внизу — в конце концов оказывается, что все одно и тоже.

Я вспомнила древнее высказывание христианских мистиков: «То, что сверху, подобно тому, что снизу»*. — Тогда как определить разницу между раем и адом?

— Все дело в том, какой путь ты выберешь. Путь в рай лежит через семь счастливых мест. В ад — через семь ступеней, полных печали. Поэтому, Лисс, лучше двигаться вверх. — Кетут рассмеялся.

— Другими словами, лучше провести жизнь, двигаясь вверх по счастливым ступеням, раз рай и ад — то есть место назначения — одно и то же?

---

* На самом деле это высказывание принадлежит Гермесу Трисмегисту. Это имя, данное античными греками Тоту (Дхути) — древнеегипетскому богу мудрости и письма, отождествленному ими с собственным богом Гермесом. Гермес Трисмегист считается предтечей гностицизма, герметизма, алхимии, учения тамплиеров, масонства и множества других религиозных и философских течений не только в христианстве, но и в исламе и иудаизме.

— Одно и то же, — подтвердил Кетут. — Конечная цель одна, но путешествие должно быть приятным.

— Так значит, если рай — это любовь, то ад...

— Тоже любовь, — отвечал Кетут.

Я озадаченно замолкла, пытаясь уложить все это в голове. Кетут опять засмеялся, ласково похлопав меня по колену.

— Тем, кто молод, всегда очень трудно это понять!

## 88

Все утро я опять просидела в лавке у Вайан. Она пыталась заставить мои волосы расти быстрее и стать гуще. У самой Вайан роскошные, густые, блестящие волосы, ниспадающие ниже талии, поэтому ей стало жалко моей клочковатой белой мочалки. Поскольку Вайан — целительница, она знает способ сделать мои волосы гуще, однако это будет непросто. Для начала я должна отыскать банановое дерево и срубить его — собственноручно. Выбросить верхушку и выдолбить в стволе и корневой части (дерево при этом должно быть в земле) большое глубокое отверстие, «как плавательный бассейн». Затем накрыть углубление куском дерева, чтобы в него не попадала дождевая вода и роса. Через несколько дней, вернувшись к месту, я увижу, что отверстие заполнилось соком бананового корня, содержащим массу питательных веществ; мне следует собрать этот сок и отнести Вайан. Она освятит сок бананового корня в храме и каждый день станет втирать его в кожу моей головы. И через несколько месяцев я стану обладательницей густых, блестящих волос до попы — как у Вайан.

— Даже лысым это средство помогает, — заверила она меня.

Во время нашего разговора малышка Тутти, только что вернувшаяся домой из школы, сидит на полу и рисует дом. В последнее время Тутти рисует одни лишь домики. Очень уж ей хочется иметь собственный. На заднем фоне рисунка всегда радуга, а перед домом — семья, все улыбаются: там и папа, и все-все-все.

Собственно, так и проходят наши дни в лавке Вайан. Мы сидим и болтаем, Тутти рисует, мы сплетничаем и поддразниваем друг друга. Вайан — страшная пошлячка, вечно говорит о сексе, подначивает меня насчет моего целибата, а стоит мужчине зайти в лавку — начинает гадать, какой длины его мужское достоинство. Вайан каждый день сообщает мне, что вчера вечером опять ходила в храм и молилась, чтобы в моей жизни появился хороший мужчина и стал моим возлюбленным.

Сегодня утром я сказала ей в который раз:

— Вайан, мне это не нужно. Слишком много раз мое сердце было разбито.

— Я знаю лекарство от разбитого сердца, — ответила она. С непререкаемым видом, как и подобает доктору, она начала загибать пальцы и перечислять шесть ступеней своей выверенной программы лечения от разбитого сердца: — Принимай витамин Е, хорошенько высыпайся, пей больше воды, отправляйся в путешествие подальше от человека, которого любила, медитируй и внушай себе, что это твоя судьба.

— Кроме витамина Е, я все делала.

— Значит, вылечилась. И тебе нужен новый мужчина. Мои молитвы приведут его к тебе.

— Я не молюсь о том, чтобы у меня появился новый мужчина. Я в последнее время молюсь лишь о том, чтобы быть в мире с собой.

Вайан закатила глаза, словно хотела сказать: «Ну да, как скажешь, ненормальная» — и ответила:

— Это потому, что у тебя плохая память. Ты совсем забыла, как это приятно — заниматься сексом. Когда я была замужем, у меня была такая же проблема. Стоило увидеть симпатичного парня на улице, и я сразу забывала, что у меня есть муж! — Вайан чуть со стула не покатилась от смеха. Потом собралась и заключила: — Всем нужен секс, Лиз.

В этот момент в лавку вошла потрясающей красоты женщина, с улыбкой, как луч маяка. Тутти вскочила и бросилась ей в объятья, восклицая: «Армения! Армения!» Что оказалось вовсе не странным национальным боевым кличем, а именем женщины. Я представилась, и Армения сказала, что родом из Бразилии. Это была очень энергичная женщина, настоящая бразильянка. Красивая, элегантно одетая, обаятельная, притягивающая взгляды и совершенно неопределенного возраста, она была самим воплощением сексуальности.

Армения, как и я, подруга Вайан. Она частенько заходит в ее лавку на ланч и различные лечебные и косметические процедуры. В тот день она села с нами и проболтала почти час, присоединившись к нашим сплетням, к нашему маленькому девичнику. Ей осталось пробыть на Бали всего неделю, а потом она должна будет лететь по делам в Африку, а может, в Таиланд. Как выяснилось, жизнь Армении была отнюдь не сплошной сказкой. Раньше она работала в Высшей комиссии ООН по делам беженцев. В восьмидесятые ее направили в качестве мирного переговорщика в джунгли Сальвадора и Никарагуа, в самое пекло военных действий. Пользуясь своей красотой, обаянием и остроумием, она заставляла генералов и повстанцев усмирить пыл и прислушаться к голосу разума. (Вот она, красивая сила в действии!) Теперь Армения руководит многонациональной маркетинговой компанией «Новика», оказывающей поддержку художникам-ремесленникам по всему миру, продавая их продукцию через Интернет. Она говорит на семи или восьми языках. И у нее самые шикарные туфли, какие я видела, с тех пор как была в Риме.

Глядя на нас двоих, Вайан заметила:

— Лиз, почему ты никогда не пытаешься выглядеть сексуально, как Армения? Ты такая красивая девушка, у тебя хорошие задатки — симпатичное лицо, фигура, улыбка. А ты вечно носишь одну и ту же занюханную футболку и джинсы. Ты что, не хочешь быть сексуальной, как она?

— Вайан, — ответила я, — Армения — бразильянка. Это совсем другая история!

— Почему другая?

— Армения, — повернулась я к своей новой подруге, — пожалуйста, попробуй объяснить Вайан, что значит быть бразильянкой.

Армения рассмеялась, но потом задумалась над моим вопросом всерьез и ответила:

— Я всегда старалась выглядеть красиво и женственно, даже в зоне боевых действий и лагерях беженцев в Центральной Америке. Даже в период ужасных трагедий и кризиса нет причин усугублять страдания других людей своим несчастным видом. Это моя философия. Поэтому я всегда красилась и надевала украшения, отправляясь в джунгли — не при полном параде, конечно, так, скромный золотой браслетик, сережки, немного помады, хорошие духи. Чтобы было понятно, что я не потеряла уважение к себе.

Армения чем-то напомнила мне британских путешественниц викторианской эпохи: они твердили, что Африка — не оправдание щеголять нарядами, которые считались бы неподобающими в лондонских гостиных. Армения похожа на бабочку. Хоть она не могла задержаться у Вайан надолго из-за работы, это не помешало ей пригласить меня на вечеринку. У нее есть один знакомый, бразилец, живущий в Убуде, и сегодня вечером он устраивает тематический праздник в одном хорошем ресторане. Будет готовить фейжоаду — традиционное бразильское кушанье, сытное рагу из свинины с черными бобами. Там будут бразильские коктейли и куча интересных людей со всего света — иностранцев, заброшенных судьбою на Бали. Хочу ли я прийти? Не исключено, что после вечеринки все отправятся танцевать... Она не знает, люблю ли я вечеринки, но...

Коктейли? Танцы? И куча свиного мяса?

Еще бы я не хотела!

## 89

Не помню, когда в последний раз наряжалась, но сегодня наконец извлекла свое единственное приличное платье на тонких бретельках со дна рюкзака и надела его. И даже накрасила губы. Уж не помню, когда делала это в последний раз, но точно не в Индии. По пути на вечеринку я заглянула к Армении, и та навешала на меня кое-какие из своих шикарных украшений, разрешила побрызгаться своими шикарными духами и поставить велосипед на задний двор дома, чтобы я явилась на вечеринку в ее шикарной машине, как и подобает уважающей себя взрослой даме.

Вечеринка с экспатами удалась на славу, разбудив во мне долго дремавшие стороны моей личности. Я даже слегка опьянела — примечательное событие после долгих месяцев воздержания, в течение которых я молилась в ашраме и целомудренно пила чай в балинезийском цветочном саду. Мало того — я флиртовала! Я целую вечность ни с кем не кокетничала, общалась лишь с монахами и древними стариками врачевателями — и вот вам, пожалуйста, снова вспомнила о том, что могу быть сексуальной! Хотя сложно сказать, с кем именно флиртовала, — я скорее распространяла эту ауру во всех направлениях. Предназначалось ли мое кокетство остроумному бывшему журналисту из Австралии, что сидел рядом? («Все мы тут пьянчуги, — заметил он. — Одни пьянчуги пишут рекомендации для других».) Или неразговорчивому немцу-интеллектуалу, что сидел напротив? (Он обещал одолжить мне книги из его личной библиотеки.) Или красивому немолодому бразильцу, который и приготовил этот великолепный ужин? (Меня очаровали его добрые карие глаза и акцент. Ну и, разумеется, кулинарный талант. Не подумав, я вдруг сказала ему весьма двусмысленную фразу. Он отпустил шутку в свой адрес, сказав: «Бразилец из меня никудышный, — не умею танцевать, не играю в футбол и не владею ни одним музыкальным инструментом». А я почему-то ответила: «Возможно. Но мне кажется, из вас вышел бы неплохой Казанова». И время вдруг остановилось на долгую секунду, пока мы смотрели друг на друга и думали: какая любопытная мысль. Откровенность моих слов зависла в воздухе, как аромат духов. Он не возразил. Я первой отвела взгляд, чувствуя, как краснею.)

Как бы то ни было, фейжоада в его исполнении вышла изумительной. Настоящее блюдо для гурманов, пряное, густое — в ней было все то, чего так не хватает в балинезийской кухне. Накладывая себе тарелку за тарелкой свиного рагу, я решила, что пора сделать официальное заявление: мне никогда не стать вегетарианкой, покуда в мире существуют такие вкусности. После ужина мы все пошли танцевать в местный ночной клуб, если его можно так назвать: это местечко было скорее похоже на веселую пляжную хижину, только без пляжа. Группа балинезийских ребят играла живое регги, клуб был полон отдыхающих всех возрастов и национальностей: иностранцев, туристов, местных, потрясающе красивых балинезийских парней и девушек, и все танцевали свободно, без капли стеснения. Армения не пошла, сославшись на то, что завтра ей предстоит идти на работу, но красивый бразилец согласился составить мне компанию. Он оказался вовсе не таким плохим танцором, как утверждал. Небось, и в футбол играть умеет. Мне нравилась его компания: он открывал мне двери, делал комплименты, называл «дорогая». Правда, я заметила, что он ко всем так обращается — даже к волосатому бармену. И все же приятно, когда на тебя обращают внимание...

Я не была в баре очень давно. Даже в Италии я не захаживала в бары, да и в те годы, что мы прожили с Дэвидом, нечасто туда наведывалась. Кажется, в последний раз я ходила танцевать, еще когда была замужем... еще когда была счастлива в браке, я имею в виду. Давненько же это было. На танцполе я заметила свою подругу Стефанию, заводную молоденькую итальянку, с которой недавно познакомилась на уроке медитации в Убуде, и мы стали танцевать вместе, размахивая волосами во все стороны — светлыми и темными, весело кружась. Около полуночи группа играть перестала, и народ стал тусоваться.

Тогда-то я и познакомилась с парнем по имени Иэн. Как же он мне понравился! С первого взгляда. Он был очень симпатичный, смесь Стинга и Ральфа Файнса, только моложе. Иэн был из Уэльса, поэтому у него был очень приятный акцент. Он красиво изъяснялся, был неглуп, задавал вопросы и говорил со Стефанией на том же примитивном итальянском, что и я. Оказалось, он играет на барабанах в балинезийской регги-команде, а еще на бонго*. Я в шутку назвала его «бонгольером», по аналогии с венецианскими гондольерами — с перкуссией вместо лодки — и мы тут же разговорились, начали смеяться и болтать.

Потом подошел Фелипе — так звали бразильца — и пригласил нас в модный местный ресторан, владельцами которого были экспаты из Европы: весьма либеральное место, где пиво и все прочее наливают в любое время дня и ночи. Я поймала себя на том, что смотрю на Иэна (хочет ли он пойти?), — и когда он ответил «да», я тоже сказала «да». Мы все отправились в тот ресторан и всю ночь просидели там за разговорами и анекдотами — и знали бы вы, как я запала на этого парня. Он был первым мужчиной за долгое время, который понравился мне, как говорится, именно *в этом смысле*. Иэн был на несколько лет старше меня, у него была очень интересная жизнь и множество плюсов (любит «Симпсонов», путешествовал по всему миру, однажды жил в ашраме, знает, кто такой Толстой, кажется, даже работает, и так далее). В начале карьеры он служил в Северной Ирландии в подразделении

---

* Маленький сдвоенный барабан.

по обезвреживанию взрывных устройств в британской армии, потом стал международным специалистом по детонации минных полей. Строил лагеря беженцев в Боснии, а теперь вот устроил себе каникулы на Бали, чтобы заняться музыкой... все это казалось очень привлекательным.

Мне с трудом верилось, что в полчетвертого утра я все еще не сплю и даже не занимаюсь медитацией! Посреди ночи я не сплю, а разговариваю с привлекательным мужчиной, и на мне платье! Какая радикальная перемена. В конце вечера мы с Иэном оба признались, что было очень приятно узнать друг друга. Он поинтересовался, есть ли у меня телефон, и я ответила, что нет, зато есть адрес электронной почты, а он ответил: «Понятно, но электронная почта — это как-то... хм...» И вышло так, что в конце вечера мы просто обняли друг друга, не обменявшись ни телефонами, ни адресами. Иэн сказал:

— Мы увидимся опять, когда они захотят, — он указал на небо, имея в виду богов.

Перед самым рассветом Фелипе, тот самый красивый и немолодой бразилец, предложил подвезти меня домой. Мы ехали по извилистым закоулкам, и он сказал:

— Дорогая, тебе всю ночь заговаривал уши самый большой врун во всем Убуде.

Мое сердце упало.

— Неужели Иэн и вправду врун? — спросила я. — Лучше сразу скажи, а то потом проблем не оберешься!

— Иэн? — переспросил Фелипе и рассмеялся. — Нет, моя дорогая. Иэн — серьезный парень. И славный человек. Я имел в виду себя. Это я — самый большой врун в Убуде.

Мы долго ехали в тишине.

— Это просто шутка, — добавил он.

После долгого молчания он спросил:

— Тебе нравится Иэн?

— Не знаю, — ответила я. В голове было туманно. Кажется, я перебрала с бразильскими коктейлями. — Он хорош собой, умен. Прошло много времени, с тех пор как я думала о том, что кто-то может мне понравиться.

— Тебе предстоит провести на Бали несколько прекрасных месяцев. Подожди — и увидишь, что будет.

— Но я не уверена, что смогу часто выходить в свет, Фелипе. У меня одно-единственное платье. Люди начнут замечать, что я все время в одном и том же.

— Ты молода и красива, дорогая. Тебе и нужно всего одно платье.

Я молода и красива?

А мне казалось, что я разведенная женщина средних лет.

В ту ночь я почти не сплю — так непривычен странно поздний отход ко сну, в голове пульсирует танцевальная музыка, волосы пропахли сигаретным дымом, желудок взбунтовался под действием алкоголя. Слегка подремав, я просыпаюсь с рассветом, как привыкла. Только вот сегодня утром не чувствую себя отдохнувшей и безмятежной, и вообще мое состояние никак не располагает к медитации. Почему я так взбудоражена? Ведь вечер прошел замечательно. Я познакомилась с интересными людьми, у меня наконец появилась возможность принарядиться и потанцевать, я даже флиртовала с мужчинами...

Ага. *МУЖЧИНЫ.*

Как только это слово возникает в мозгу, приятное возбуждение приобретает более нервный оттенок и перерастает в мини-приступ паники. *Я разучилась общаться с мужчинами.* Когда-то — десять, пятнадцать лет назад — я была самой большой, дерзкой и бесстыжей кокеткой на свете. Помню, когда-то это было даже забавно: познакомиться с парнем, заманить его, раздавая завуалированные приглашения и провокационные намеки, отбросив осторожность и действуя по принципу «будь что будет».

Но теперь я чувствую страх и неопределенность. Начинаю раздувать из вчерашнего вечера нечто намного большее, чем он на деле являлся, представлять, что уже встречаюсь с парнем из Уэльса, хотя тот даже не оставил мне свой адрес электронной почты. Я рисую наше будущее во всех подробностях, даже представляю, как мы ссоримся, потому что он курит. Задумываюсь о том, не повредит ли моему путешествию (писательской карьере, жизни в целом), если я снова сойдусь с мужчиной, и так далее. Однако немного романтики не помешает. Слишком долго я хранила целибат. (Помню, Ричард из Техаса однажды дал мне совет по поводу личной жизни: «Надо, чтобы кто-то положил конец этой засухе. Пролил бы дождь на твою почву».) Я представляю Иэна с его накачанным торсом героя взрывного отряда, несущегося на мотоцикле, чтобы заняться со мной любовью в моем саду — вот было бы здорово! Но от этой не совсем чтобы неприятной мысли меня почему-то перекореживает, и фантазия вдребезги бьется о нежелание снова остаться с разбитым сердцем. После чего я вдруг начинаю скучать по Дэвиду, сильнее, чем за многие месяцы, и даже думаю: может, позвонить ему и спросить, не хочет ли он начать все сначала... (Но очень вовремя в голове возникает голос моего старого друга Ричарда, который говорит: «Гениально, Хомяк, неужели вчера ты не только наклюкалась, но и сделала лоботомию?») А от размышлений о Дэвиде недалеко и до пережевывания обстоятельств моего развода — и вот голова уже полна мрачных мыслей о бывшем муже и разводе, совсем как в старые добрые времена...

*А я-то думал, с этим покончено, Хомяк.*

Но потом на ум отчего-то приходит Фелипе, тот самый симпатичный, пусть и немолодой, бразилец. Он очень милый, этот Фелипе. Считает меня молодой и красивой и говорит, что я прекрасно отдохну на Бали. И ведь он прав. Я должна расслабиться и развлечься. Но сегодня утром мне почему-то невесело.

Все потому, что я разучилась общаться с мужчинами.

## 91

— *П*очему жизнь такая? Ты понимаешь? Я — нет.

Вайан рассуждает о жизни.

Я снова у нее в ресторане, поглощаю вкуснейший и питательный особый мультивитаминный ланч в надежде, что это избавит меня от похмелья и тревожных мыслей. Армения, наша подружка из Бразилии, тоже недавно заходила и выглядела как обычно: словно по пути сюда заглянула в салон красоты, а до этого провела выходные в спа. Малышка Тутти сидела на полу и рисовала домики, впрочем как всегда.

Вайан только что прослышала, что контракт на аренду помещения, где находится ее лавка, подлежит продлению в конце августа, то есть через три месяца. А это значит — ей поднимут ренту. И скорее всего, им с Тутти снова придется переезжать, так как остаться здесь будет не по карману. Но в банке у нее всего пятьдесят долларов, и куда переезжать — нет ни малейшего представления. Тутти снова придется бросить школу. По балинезийским меркам — совершенно негодная жизнь.

— Почему люди вечно страдают? — вопрошала Вайан. Она не плакала, всего лишь устало задавала простой вопрос, на который не было ответа. — Почему все должно повторяться снова и снова, без конца, без передышки? Сегодня ты работаешь не покладая рук, но завтра опять должна работать. Сегодня ты ешь, но на следующий день голодна опять. Находишь любовь — она уходит. Человек рождается ни с чем — у него нет ни часов, ни даже майки. Трудится, но умирает тоже ни с чем — ни часов тебе, ни майки! Сегодня ты молод, завтра — стар. И как бы усердно ни работал, старости нельзя избежать.

— А ты на Армению взгляни, — пошутила я. — Она-то не стареет.

— Это потому, что она — бразильянка!

Вайан, кажется, начала понимать, как устроен мир. Мы хором рассмеялись, но то был смех висельника, — в обстоятельствах жизни Вайан на данный момент не было ничего смешного. Факты говорят сами за себя: одинокая мать с ребенком, развитым не по годам; собственное дело, которое едва позволяет сводить концы с концами, угроза оказаться на улице без гроша в кармане. Куда ей идти? Очевидно, что не в дом бывшего мужа. А семья Вайан занимается выращиванием риса и живет в глухой деревне на грани нищеты. Если она отправится жить к ним, ее врачебной практике в городе конец — пациенты попросту не смогут ее найти. И уж точно не стоит рассчитывать, что с деревенским образованием Тутти сможет поступить в ветеринарный колледж.

А потом я узнала еще кое-что. Помните двух робких девчушек, которых я заметила в первый день, когда те прятались в кухне? Выяснилось, что это сиротки, удочеренные Вайан. Обеих зовут Кетут (это чтобы внести еще большую путаницу в повествование), а мы называем их Кетут Большая и Кетут Маленькая. Несколько месяцев назад Вайан увидела их на рынке, голодных и просящих милостыню. Их бросила там женщина, словно сошедшая со страниц романа Диккенса, — вероятно, их родственница, организовавшая мафию детей-попрошаек. Каждое утро она высаживала осиротевших детей на различных рынках Бали, заставляя их клянчить деньги, а вечером сажала в фургон, забирала выручку и отвозила в какую-нибудь лачугу переночевать. Когда Вайан нашла Большую и Маленькую Кетут, те не ели несколько дней, кишели вшами и паразитами, — короче, полный набор. По расчетам Вайан, младшей должно быть около десяти лет, а старшей — тринадцать, но сами они не в состоянии назвать свой возраст и даже фамилию. (Маленькая Кетут знает лишь, что родилась в один год с «большим поросенком» в ее деревне, однако это не помогло нам установить точную дату.) Вайан взяла сироток к себе и стала заботиться о них так же нежно, как о своей Тутти. Все четверо спят на одном матрасе в единственной спальне за магазином.

Каким образом одинокая мать с Бали, которой грозит выселение, нашла в себе мужество принять в дом двух бездомных сирот? Этот поступок опрокинул все мои прежние представления об истинной глубине человеческого сострадания.

И мне захотелось им помочь.

Вот что это было. Та странная дрожь, что пробрала меня до костей после первой встречи с Вайан. Мне захотелось помочь этой одинокой матери, ее дочке и двум приемным сироткам. Выбить им теплое местечко в лучшей жизни. Просто тогда я еще не понимала, как это сделать. Но сегодня, когда мы с Вайан и Арменией обедали, по привычке то говоря друг другу комплименты, то подкалывая, я взглянула на Тутти и заметила, что та делает что-то странное. Она ходила по лавке кругами, держа на поднятых ладошках маленькую квадратную керамическую плитку ярко-голубого цвета и пела что-то вроде мантры. Я наблюдала за ней, желая узнать, что будет дальше. Тутти долго играла с плиточкой, подбрасывала ее в воздух, что-то нашептывала ей, пела, толкала перед собой, как игрушечную машинку. Наконец она уселась в тихом углу с закрытыми глазами и стала гудеть себе под нос, словно отгородившись от мира таинственной невидимой стеной.

Я спросила Вайан, что она делает. Та объяснила, что Тутти нашла плитку на стройке многозвездочного отеля в конце улицы и прикарманила ее. И с тех самых пор то и дело твердила: «Может, когда у нас однажды будет свой дом, пол в нем можно будет выложить вот такой красивой синей плиточкой?» Теперь, добавила Вайан, Тутти частенько усаживается на крошечный голубой квадратик и может сидеть так часами, закрыв глаза и притворяясь, будто находится в собственном домике.

Ну что тут сказать? Когда я услышала эту историю, взглянула на ребенка, сидящего на маленькой голубой плитке в состоянии глубокой медитации, все решилось само собой.

Я извинилась перед подругами и вышла на улицу, чтобы покончить с подобной несправедливостью раз и навсегда.

## 92

*О*днажды Вайан сказала, что когда она лечит пациентов, то превращается в открытый канал, по которому течет любовь Господа, и в такие моменты она совершенно перестает думать о том, что нужно делать дальше. Разум останавливается, интуиция обостряется, и все, что нужно, — открыться потоку божественной сущности. «Как будто порыв ветра уносит мои руки», — говорит Вайан.

Тот самый порыв, наверное, и вынес меня в тот день из лавки Вайан, разогнал похмельное смятение по поводу того, готова ли я снова начать ходить на свидания или не готова, и привел в ближайшее интернет-кафе, где я села и написала — легко, с первой попытки — письмо с просьбой сделать пожертвования. И разослала его всем своим родным и знакомым по всему свету.

В письме я написала, что в июле у меня день рождения и мне исполнится тридцать пять. Что нет ничего в этом мире, в чем я нуждалась бы и чего хотела, и жизнь моя никогда еще не была столь счастливой. Будь я сейчас дома, в Нью-Йорке, то наверняка бы планировала глупую шумную вечеринку в честь дня рождения и заставила бы всех явиться. Всем пришлось бы покупать подарки, приносить с собой бутылки вина, и праздник обошелся бы в абсурдно великую сумму. Однако, объяснила я, есть гораздо менее затратный, но более приятный способ отпраздновать этот юбилей. И попросила всех моих друзей и родных сделать благотворительный взнос, чтобы помочь женщине по имени Вайан Нурийаси купить дом в Индонезии, где она могла бы жить со своими детьми.

После чего я рассказала историю Вайан, Тутти и сироток и объяснила, в каком они оказались положении. Я пообещала, что за каждый взнос, сделанный моими друзьями, внесу равную сумму из собственных сбережений. Разумеется, я знала, что мир полон страданий и войн, которым нет числа, и многие люди в беде, однако что с этим поделать? Вайан и ее дочери стали моей семьей, а мы должны заботиться о своей семье, где бы она ни была. Заканчивая послание, я припомнила слова моей подруги Сьюзан: когда я уезжала в это путешествие девять месяцев назад, она боялась, что я вовсе не вернусь. Она тогда сказала: «Лиз, я тебя знаю. Ты встретишь кого-нибудь, влюбишься, и вся эта история закончится тем, что ты купишь дом на Бали».

Наша Сьюзан прямо Нострадамус.

Проверив ящик на следующее утро, я увидела, что мои друзья пожертвовали семьсот долларов. Через день я собрала столько денег, что обещание внести равную сумму из собственных средств за счет каждого пожертвования пришлось взять обратно.

Не буду описывать развернувшиеся в течение недели события и пытаться объяснить, что за чувство возникает, когда каждый день читаешь письма со всего мира, и во всех написано: «Мы тоже хотим помочь!» Помощь пришла ото всех. Люди, которые, я точно знала, были на мели или расплачивались по долгам, не раздумывая дали мне денег. Одно из первых писем пришло от подружки подружки моей парикмахерши, которой переслали это письмо, — она внесла пятнадцать долларов. Мой самый циничный друг Джон просто не мог не отпустить типичное саркастическое замечание о том, как я растеклась, расчувствовалась и рассопливилась в своем письме («Когда решишь разослать очередное послание в стиле розовых соплей, будь добра, пришли мне укороченную версию».) Но деньги все равно внес. Новый бойфренд моей подруги Анны (банкир с Уолл-стрит, которого я в глаза не видела) предложил удвоить финальную сумму пожертвований. Потом мое письмо каким-то образом разлетелось по всему миру, и я начала получать денежные взносы от совершенно незнакомых людей. Это был глобальный всплеск великодушия. Подытоживая рассказ, скажу, что всего через семь дней, с той минуты как я разослала письмо с просьбой о помощи, мои родные, друзья и совершенно незнакомые люди со всего света помогли собрать восемнадцать тысяч долларов, чтобы у Вайан Нурийаси появился собственный дом.

Я знала, что это чудо случилось благодаря Тутти, благодаря силе ее молитв, в которых она призывала свою маленькую голубую плиточку стать гибче, просторнее, вырасти, как волшебный боб из детской сказки, в настоящий дом, способный навсегда обеспечить ей, ее маме и сестрам-сироткам крышу над головой.

И последнее. Со стыдом признаю, что не я, а мой друг Боб первым отметил очевидный факт: слово «тутти» по-итальянски означает «все». Как я раньше этого не замечала? Стоило жить в Риме несколько месяцев! Я как-то не уловила связи. И лишь Боб, мой друг из Юты, обратил на это внимание. В письме, присланном на прошлой неделе, помимо обещания внести средства на новый дом, были еще и такие слова:

«Так вот он, главный урок, не так ли? Отправляешься колесить по свету, чтобы помочь самой себе, а в результате оказывается, что помогла... *Тутти*».

## 93

Не хотела ни о чем говорить Вайан, пока не собрала всю сумму. Сложно хранить такой большой секрет, особенно когда Вайан постоянно беспокоится о будущем, — но ни к чему вселять напрасные надежды, пока все не определится точно. Так что я всю неделю помалкиваю о своих планах, а чтобы занять себя, почти каждый вечер ужинаю с бразильцем Фелипе, которого, кажется, совсем не коробит, что у меня всего одно приличное платье.

Похоже, я на него запала. После нескольких совместных ужинов я почти определенно могу сказать, что он мне нравится. В нем есть гораздо больше, чем кажется на первый взгляд; он не просто «врун на все руки», король каждой вечеринки, который знает в Убуде всех и вся. Я расспросила о нем Армению. Они дружат уже давно.

— Этот Фелипе... мне кажется, он серьезнее, чем на первый взгляд. В нем что-то есть, как думаешь?

— О да, — ответила она. — Фелипе — хороший и добрый человек. Но он порядком намучился с разводом. Думаю, он приехал на Бали, чтобы восстановить силы.

Вот это мне можете не объяснять.

Но ему пятьдесят два года. Это уже интересно. Неужели я достигла того возраста, когда свидания с пятидесятидвухлетним мужчиной не кажутся чем-то немыслимым? Но он нравится мне. У него серебристые волосы, редеющие в элегантной манере Пикассо. Добрые карие глаза. Милое лицо. И от него приятно пахнет. К тому же он действительно *взрослый* мужчина. Зрелый представитель мужского вида — это для меня что-то новенькое.

Фелипе живет на Бали уже почти пять лет. Он сотрудничает с балинезийскими серебряных дел мастерами, изготавливая ювелирные украшения из бразильских камней, и экспортирует их в Америку. Мне импонирует то, что Фелипе был верен жене в течение двадцати лет брака, прежде чем он распался из-за множества сложнейших причин. И то, что у него взрослые дети, которых он вырастил достойно и которые любят его. И то, что, когда его дети были маленькими, он оставался с ними дома и заботился о них, в то время как его жена, австралийка по происхождению, занималась карьерой. (Образцовый в феминистском понимании муж, Фелипе объясняет: «Я хотел быть на правильной стороне баррикад с точки зрения общественной истории».) Мне нравится и то, как бурно, по-бразильски, он выражает свои чувства. (Когда его сыну, живущему в Австралии, исполнилось четырнадцать лет, мальчик не выдержал и сказал: «Пап, мне уже четырнадцать, может, хватит целовать меня в губы, высаживая из машины у школы?!») Я в восторге от того, что Фелипе бегло говорит на четырех (а может, и больше) языках. (И хотя он настаивает, что не знает ни слова по-индонезийски, я целыми днями слышу, как он на нем болтает!) Нравится мне и то, что он побывал более чем в пятидесяти странах и воспринимает мир как маленькое место, где без труда можно сориентироваться. А как он слушает меня, склонив голову, прерывая лишь тогда, когда я сама останавливаюсь и спрашиваю, не скучно ли ему, — на что он неизменно отвечает: «Для тебя, милая, дорогая малышка, времени не жалко». И я обожаю, когда он называет меня «милая, дорогая малышка». (Ну и что, что он так же зовет официантку?)

На днях он сказал мне:

— Лиз, пока ты на Бали, почему бы тебе не завести любовника?

К его чести, Фелипе не имел в виду конкретно себя, хоть и охотно сыграл бы эту роль, как мне кажется. Он заверил меня, что Иэн, тот самый симпатичный парень из Уэльса, отлично мне подойдет, но есть и другие кандидаты. Например, шеф-повар из Нью-Йорка, «славный, большой, мускулистый, смелый парень», который наверняка мне понравится. И вообще, в Убуде сколько угодно мужчин на любой вкус и цвет, экспатов со всего света, населяющих здешний мир «бездомных и безденежных» планеты. И многие из них были бы рады проследить за тем, чтобы «ты провела на Бали прекрасное лето, моя дорогая».

— Я не уверена, что готова к этому, — призналась я. — Не хочется снова напрягаться, что неизбежно в романтических отношениях. Не хочу брить ноги каждый день, демонстрировать новому любовнику свое тело. Заново пересказывать свою жизнь и трястись, как бы не забеременеть. Как бы то ни было, я совершенно разучилась общаться с мужчинами. Такое ощущение, что в шестнадцать лет я увереннее чувствовала себя на любовно-романтической почве, чем сейчас.

— Так оно и есть, — отвечал Фелипе. — Ведь тогда ты была молодой и глупой. Только молодые и глупые люди чувствуют себя уверенно в любви! Неужели ты считаешь, что хоть кто-нибудь из нас понимает, что делает? Тебе бы увидеть, как все происходит на Бали. Когда жизнь на родине превращается в сплошную путаницу, иностранцы приезжают сюда и решают, что хватит с них западных женщин, и женятся на миниатюрной, славной и послушной балинезийке лет шестнадцати. Мне известен ход их мыслей. Им кажется, что красивая девочка сделает их счастливыми и облегчит им жизнь. Но каждый раз наблюдая такую ситуацию, мне хочется сказать одно и то же: флаг вам в руки, ребята. Потому что женщина всегда остается женщиной. А мужчина — мужчиной. Перед нами по-прежнему два человека, которые пытаются найти общий язык, а значит, сложностей не избежать. В любви не бывает все гладко. Но люди должны хотя бы попытаться любить друг друга. Каждый должен рано или поздно узнать, что такое разбитое сердце. Разбитое сердце — хороший знак. Знак того, что ты хотя бы пытался кого-нибудь полюбить.

— В прошлый раз мое сердце так пострадало, что до сих пор болит. Это, по-твоему, нормально? Почти два года прошло с тех пор как между нами все кончено, а сердце по-прежнему разбито.

— Дорогая, не забывай, что я из южной Бразилии. Мы по десять лет сохнем по женщине, которую даже не целовали.

Мы говорим о нашем опыте семейной жизни и разводе. И это не иголки в адрес бывших мужей и жен, а просто размышления на тему. Делимся воспоминаниями о глубочайшей постразводной депрессии. Пьем вино, едим вкусные блюда и рассказываем друг другу все самое лучшее, что связано с бывшими супругами, чтобы рассеять атмосферу горечи, вызванную разговором об утрате.

— Хочешь провести со мной выходные? — спрашивает он, и я не думая отвечаю: «Да, было бы здорово». Потому что это правда.

Уже дважды, провожая меня до дома и желая спокойной ночи, Фелипе наклонялся через машину, чтобы поцеловать меня на прощание, и дважды я проделывала один и тот же трюк: тянулась к нему, но в последний момент уворачивалась и прижимала голову к его груди. Так мы сидели некоторое время. Дольше, чем того требуют дружеские объятия. Он утыкался лицом мне в волосы, а моя щека лежала на его груди. Я чувствовала запах его мягкой льняной рубашки. Мне так нравится, как он пахнет. У него мускулистые руки и красивая широкая грудь. В Бразилии он был чемпионом по гимнастике. И все равно что это было в тысяча девятьсот шестьдесят девятом году — в год, когда я родилась. У него сильное тело.

Пригибаясь таким образом, когда он тянется ко мне, я словно прячусь, избегаю невинного прощального поцелуя. Но одновременно и открываюсь ему. Позволяя Фелипе обнять себя в конце вечера и долго и тихо сидеть рядом, я разрешаю себе не противиться этим объятиям.

Чего не случалось уже давно.

94

Я спросила Кетута, старика лекаря:

— Что ты думаешь об отношениях между мужчиной и женщиной?

— Что это значит — отношения?

— Ладно, забудь.

— Нет, объясни, что это? Что за слово?

— Отношения... — попробовала определить я, — ...это когда мужчина и женщина любят друг друга. Или мужчина и мужчина, или женщина и женщина. Они целуются, занимаются сексом, женятся и так далее.

— У меня в жизни было не так уж много партнеров, Лисс. Только жена.

— Да уж, действительно немного. Ты имеешь в виду первую жену или вторую?

— У меня только одна жена, Лисс. Она умерла.

— А Ниомо?

— Ниомо мне на самом деле не жена. Она жена моего брата. — Заметив мое озадаченное выражение, он добавил: — Типичная ситуация для Бали.

— Оказалось, у Кетута есть старший брат-фермер: он живет по соседству с Кетутом и женат на Ниомо. У них трое детей. У Кетута и его жены не было детей, поэтому они усыновили одного из сыновей брата, чтобы у них появился наследник. Когда умерла жена Кетута, Ниомо стала жить на оба дома, распределяя время между двумя хозяйствами, заботясь о муже и его брате и присматривая за всеми своими детьми. В балинезийском понятии она — жена Кетута по всем параметрам (готовит, убирает, совершает домашние религиозные обряды и церемонии), за одним исключением — у них нет супружеской близости.

— Почему нет? — поинтересовалась я.

— Я слишком стар! — ответил Кетут и позвал Ниомо, чтобы пересказать ей весь наш разговор: мол, американка хочет знать, почему они не занимаются сексом. Ниомо чуть не померла со смеху на месте при одной мысли об этом! А потом подошла и по-дружески ударила меня по руке — больно.

— У меня была только одна жена, — повторил Кетут. — Она умерла.

— Скучаешь по ней?

Он печально улыбнулся.

— Она умерла, потому что пришло ее время. А сейчас я расскажу тебе, как нашел свою жену. Когда мне было двадцать семь лет, я встретил девушку и влюбился в нее.

— В каком это было году? — спросила я, не оставляя отчаянных попыток выяснить, сколько же ему лет.

— Не помню, — ответил он. — Может, в двадцатом?

(То есть сейчас ему примерно сто двенадцать лет?! Еще немного — и мы разгадаем эту тайну...)

— Я любил эту девушку, Лисс. Очень красивая она была. Но с плохим характером. Ей нужны были только деньги. Она путалась с другими мужчинами и никогда не говорила правду. У нее как будто был один ум внутри другого, и туда никто не мог проникнуть. Она разлюбила меня и сбежала с другим. Я был опечален. Она разбила мне сердце. Я стал много молиться моим духовным братьям, все спрашивал: почему она больше меня не любит? А потом один из них сказал мне правду. Он сказал: «Не она твоя половина. Будь терпелив». И я стал терпеливо ждать и встретил свою жену. Это была красивая, хорошая женщина. Она всегда была ко мне добра. Мы никогда не ссорились, и в доме всегда была гармония, а она всегда улыбалась. Даже когда в доме не было денег, она улыбалась и говорила, как счастлива видеть меня рядом. Когда она умерла, мне было очень плохо.

— Ты плакал?

— Только немножко, глазами. Но я стал медитировать и очистил тело от боли. Я медитировал за ее душу. Мне было очень грустно, но я был и счастлив. Каждый день во время медитации я видел ее, даже целовал. Это единственная женщина, с которой я занимался любовью. Поэтому я не знаю, что такое... как это новое слово?

— Отношения.

— Точно, отношения. Я ничего не знаю об отношениях, Лисс.

— Не твой конек, да?

— Не твой конек? А это что значит?

## 95

Наконец я собралась с духом и поведала Вайан о деньгах, которые собрала на покупку дома. Объяснила, что именно такой подарок пожелала получить на день рождения, и показала список имен друзей, а потом назвала итоговую сумму, которую нам удалось собрать: восемнадцать тысяч долларов. Вайан была до того потрясена, что ее лицо сначала будто исказилось от горя. Странно, но факт: порой сильные эмоции заставляют нас реагировать на известия, имеющие капитальное значение, совершенно вопреки логике. Таков безотносительный смысл человеческих эмоций: счастливые события регистрируются по шкале Рихтера, как чистой воды потрясение, а страшные катастрофы заставляют нас внезапно расхохотаться. Новость, которую я сообщила Вайан, была настолько непостижимой, что чуть не вызвала у нее расстройство. Так что мне пришлось просидеть с ней несколько часов, заново пересказывая историю и показывая цифры, пока реальность наконец не уложилась у нее в голове.

Ее первой внятной реакцией (еще до того, как она расплакалась, потому что поняла, что теперь у нее будет свой сад) были слова: «Прошу тебя, Лиз, ты должна объяснить всем, кто помог собрать эти деньги, что этот дом не принадлежит Вайан. Он принадлежит всем тем, кто помог ей. Если кто-нибудь из этих людей приедет на Бали, им никогда не придется останавливаться в гостинице, понимаешь? Пообещай, что передашь им это. Мы назовем его общим домом... домом для всех...»

Тут Вайан поняла, что у нее будет свой садик, и расплакалась.

Постепенно Вайан начала осознавать, сколько радости принесет ей новый дом. Ее словно встряхнули, как дешевую брошюрку, и эмоции, как листки, разлетелись повсюду. Если у нее будет дом, можно будет устроить мини-библиотеку для всех ее книг по медицине! И аптеку с традиционными лечебными снадобьями! И нормальный ресторан с настоящими стульями и столами (ведь всю хорошую мебель пришлось продать, чтобы расплатиться с адвокатом по разводам). Если у нее будет свой дом, ее имя наконец появится в путеводителе «Одинокая планета», составители которого уже давно хотели упомянуть ее клинику, но не могли сделать этого, так как у нее не было постоянного адреса. Если у нее будет свой дом, Тутти однажды сможет устроить праздник в честь дня рождения!

Но потом Вайан осеклась и посерьезнела.

— Как мне отблагодарить тебя, Лиз? Я все, что угодно, бы тебе отдала. Будь у меня муж, которого я любила, — я бы отдала его!

— Мужа можешь оставить, Вайан. Главное — проследи, чтобы Тутти поступила в университет.

— Что бы я делала, если бы ты не приехала на Бали?

Но я не могла не приехать. Мне вспомнилось одно из моих любимых суфийских стихотворений, где говорится: «Бог давно очертил кругом на песке то место, где ты сейчас стоишь». Я не могла не приехать на Бали. Этого просто не могло не случиться.

— А где ты построишь новый дом, Вайан?

Как игрок юниорской лиги, давно положивший глаз на бейсбольную перчатку в витрине, как романтическая особа, уже в тринадцать лет знавшая фасон своего свадебного платья, Вайан давным-давно присмотрела участок земли. Он находился в центре соседнего поселка, подсоединенного к городской системе водо- и электроснабжения. Рядом была хорошая школа для Тутти, и расположение в центре было удобным для пациентов и покупателей, которые могли бы дойти туда пешком. А братья помогут ей построить дом. У нее уже все было решено, кроме разве что цвета стен в спальне!

Тогда-то мы и отправились к консультанту по финансам и недвижимости, бывшему гражданину Франции, который любезно предложил лучший способ перевести деньги. Он посоветовал не усложнять дело и сделать перевод непосредственно с моего счета на счет Вайан, чтобы она сразу могла купить землю или дом, а мне не пришлось бы становиться владельцем недвижимости в Индонезии со всей вытекающей канителью. При переводе на сумму меньше десяти тысяч долларов внутренняя налоговая служба и ЦРУ не станут подозревать меня в отмывании денег наркомафии. Мы отправились в небольшой банк, где у Вайан был счет, обсудили с менеджером порядок денежных переводов. Подытожив нашу встречу, менеджер сказал:

— Что ж, Вайан, через несколько дней после того, как деньги будут переведены, на вашем счету окажется около ста восьмидесяти миллионов рупий.

При этих словах мы с Вайан переглянулись и разразились совершенно неуместным смехом. Какая огромная сумма! Мы пытались взять себя в руки — как-никак сидим в солидном кабинете банковского управляющего, — однако никак не могли остановиться. Так и выкатились из банка, как две алкоголички, хватаясь друг за друга, чтобы не упасть.

— В жизни не видела, чтобы чудо случалось буквально на глазах, — сказала Вайан. — Все это время я просила Бога: пожалуйста, помоги Вайан. А Бог, видно, попросил Лиз: пожалуйста, помоги Вайан!

— А Лиз попросила всех своих друзей: пожалуйста, помогите Вайан!

Мы вернулись в лавку и обнаружили Тутти, только что вернувшуюся из школы. Вайан упала на колени, обняла ее и воскликнула:

— Дом! Дом! У нас теперь есть дом!

Тутти очень похоже притворилась, что падает в обморок, театрально завалившись на пол.

Среди всеобщей радости я заметила сироток, наблюдавших за происходившим из своего укрытия на кухне. Они смотрели на меня, и в их лицах читалось не что иное, как испуг. Вайан и Тутти торжествующе прыгали по комнате, а я задумалась: что на уме у сироток? Чего они так боятся? Неужели думают, что их не возьмут в новый дом? Или это я такая страшная, потому что наколдовала кучу денег ниоткуда? (Сумму столь немыслимую, что не иначе как не обошлось без черной магии?) А может, когда жизнь так пошвыряет, любые перемены кажутся катастрофой?

Когда восторги наконец поутихли, я спросила Вайан на всякий случай:

— А как же Большая и Маленькая Кетут? Скажешь им хорошую новость?

Бросив взгляд на девочек в кухне, Вайан, должно быть, увидела ту же неуверенность на их лицах и тут же подбежала к ним и притянула к себе, прошептав утешительные слова им в макушечки. Сиротки обмякли в ее объятиях. Потом зазвонил телефон, и Вайан попыталась высвободиться, чтобы ответить, но тощие ручки малышек Кетут отчаянно цеплялись за названую маму, их головы зарылись ей в живот и подмышки, и даже спустя долгое время они отказывались ее отпускать — с упрямством, какого я раньше в них не замечала.

Поэтому к телефону подошла я.

— Центр традиционной медицины, — сказала я. — Добро пожаловать на нашу грандиозную финальную распродажу!

96

Я снова встречалась с бразильцем Фелипе — дважды за выходные. В субботу привела его знакомить с Вайан и детьми. Тутти нарисовала ему домик, а Вайан многозначительно подмигнула мне за его спиной и прошептала: «Новый бойфренд?» — «Нет, нет, нет,» — качала головой я, хотя знаете что? О том красавчике из Уэльса я и думать забыла. Я познакомила Фелипе и с Кетутом, моим стариком лекарем. Кетут погадал ему по руке и объявил (не меньше семи раз, все время сверля меня пронизывающим взглядом), что мой друг — «хороший человек, очень хороший, очень, очень хороший человек. Не плохой, Лисс, а хороший».

В воскресенье Фелипе спросил, не хотелось ли мне провести день на пляже. И я поняла, что, хотя живу на Бали уже два месяца, до сих пор даже не видела пляж, и это казалось таким нелепым, что я, конечно, согласилась. Фелипе заехал за мной на своем джипе, и через час мы очутились на уединенном маленьком пляже в Педангбай, куда редко ходят туристы. Это место было великолепной имитацией рая: голубая вода, белый песок, тень от пальм. Мы весь день проговорили, прерываясь, лишь чтобы поплавать, вздремнуть и почитать книжку, иногда читая друг другу вслух. Балинезийки из хижины у пляжа приготовили для нас свежевыловленную рыбу на гриле; мы купили холодного пива и фруктов на льду. Плескаясь в волнах, мы поведали друг другу все то, что не успели рассказать за последние несколько недель, в течение которых мы коротали вечера в самых уединенных ресторанчиках Убуда, выпивая одну бутылку вина за другой.

Увидев меня на пляже, Фелипе признался, что ему нравится моя фигура. Оказывается, у бразильцев есть специальный термин для такого типа фигуры (еще бы его не было!): *магра-фалса*, что переводится как «обманчиво худой» — издалека женщина с такой фигурой выглядит достаточно стройной, однако вблизи можно заметить, что у нее округлые, пышные формы (что, по мнению бразильцев, очень даже неплохо). Благослови Бог этих бразильцев. Пока мы лежим на полотенцах и разговариваем, Фелипе иногда протягивает руку, чтобы стряхнуть песок с моего носа или убрать мешающую прядь с лица. Мы проговорили целых десять часов. Потом стемнело, мы собрали вещи и прогулялись по тускло освещенной проселочной дороге старой рыбацкой деревни, уютно взявшись под руки под звездным небом. Именно тогда Фелипе из Бразилии спросил меня самым что ни на есть непринужденным и спокойным голосом (как будто интересовался, не пойти ли нам перекусить):

— Лиз, может, нам завести роман? Как думаешь?

Такой подход мне очень понравился. Начать отношения не с действия — попытки поцелуя или смелого жеста, — а с вопроса. Причем корректного вопроса. Я вспомнила, что сказал мой психотерапевт более года назад, когда я собиралась в путешествие. Я поведала ей о своем намерении хранить целибат весь год, но меня беспокоило одно: что, если я встречу человека, который мне действительно понравится? Как мне тогда поступить? Сойтись с ним или нет? Следует ли поддерживать автономию или подарить себе немного романтики? Мой доктор со снисходительной улыбкой ответила: «Знаете, Лиз, все это лучше обсудить тогда, когда подобная проблема возникнет, и с тем человеком, кого это будет касаться непосредственно».

И вот такая ситуация возникла — время, место, проблема и человек, которого это непосредственно касается. Мы продолжили обсуждать предложение — это вышло как-то само собой во время нашей дружеской прогулки рука об руку у океана.

— Фелипе, в обычных обстоятельствах я бы, пожалуй, ответила «да». Что бы это ни значило — «обычные обстоятельства»...

Мы рассмеялись. Но потом я объяснила ему причину своих колебаний. А дело было вот в чем: хотя мне было бы очень приятно на время отдать свое тело и душу в опытные руки любовника-иностранца, другой внутренний голос настойчиво требовал, что весь этот год я должна посвятить исключительно себе. В моей жизни происходит важная трансформация, и для этого превращения требуется время и свобода, чтобы процесс завершился без посторонних вмешательств. По сути, я не что иное, как пирог, который только что вынули из духовки, но, прежде чем наносить глазурь, его все-таки нужно немного охладить. Не хочу отнимать у себя это драгоценное время. И снова терять контроль над своей жизнью.

Разумеется, Фелипе ответил, что все понимает, что я должна поступить так, как будет лучше для меня, и извинился, что вообще заговорил на эту тему. («Однако рано или поздно я должен был задать этот вопрос, дорогая моя».) Он заверил меня, что каково бы ни было мое решение, мы сохраним нашу дружбу, поскольку все это время, что мы провели вместе, пошло на пользу нам обоим.

— Хотя, — добавил он, — позволь и мне высказать свое мнение.

— Конечно, — согласилась я.

— Во-первых, если я правильно понял, весь этот год был посвящен поиску равновесия между духовными практиками и наслаждением. Не стану отрицать, ты много занималась духовными практиками, но, что касается наслаждения... кажется, эту часть ты упустила.

— Фелипе, я объелась макарон в Италии.

— Макарон, Лиз? *Макарон?*

— Понимаю твое удивление.

— Но, кажется, я понимаю, чего ты боишься. Что какой-то мужчина ворвется в твою жизнь и снова отнимет все наработанное. Но, дорогая моя, я этого не сделаю. Как и ты, я тоже долго был в одиночестве и немало пострадал на любовном фронте. Я не хочу, чтобы мы в чем-то ущемляли друг друга. Просто ни с одним человеком мне не было так хорошо, как с тобой. Мне нравится, когда ты рядом. Не волнуйся, я не стану увязываться за тобой в Нью-Йорк, когда ты уедешь в сентябре. А то, что ты сказала несколько недель назад, почему не хочешь заводить любовника, — как тебе такие условия: мне все равно, бреешь ли ты ноги каждый день, твоя фигура мне и так нравится, ты уже рассказала мне историю своей жизни и тебе не надо беспокоиться, как бы не забеременеть, — я сделал вазэктомию.

— Фелипе, — проговорила я, — это самое заманчивое и романтичное предложение, которое мне делал мужчина.

Это была правда. Но я все равно ответила «нет».

Он отвез меня домой, припарковался у дома, и мы несколько раз поцеловались — поцелуи были сладкие, соленые, с привкусом песка и дня, проведенного у океана. Это было очень приятно. Могло ли быть иначе? Но я все-таки сказала «нет».

— Все в порядке, дорогая, — сказал он. — Но завтра все равно приходи ко мне на ужин, я пожарю тебе стейк.

С этими словами он уехал, а я пошла спать одна.

Что касается мужчин, в жизни я приняла немало поспешных решений. Я всегда влюблялась очертя голову и не оценивая риск. У меня есть такая особенность: я не только вижу в людях лишь хорошее, но и полагаю, что каждый обладает нужными эмоциональными качествами, чтобы достичь совершенства. Не сосчитать, сколько раз я влюблялась в это «совершенство», а не в самого мужчину, а потом долго цеплялась за отношения (порой даже чересчур долго), все ждала, когда же мой возлюбленный осуществит свой потенциал. В любви я не раз падала жертвой собственного оптимизма.

Я вышла замуж в юном возрасте, вскоре после знакомства с будущим супругом. Мы были полны любви и надежд, однако мало обсуждали реалии семейной жизни. Никто не давал мне советов по поводу замужества. Родители воспитывали во мне независимость, самостоятельность, способность самой принимать решения. В возрасте двадцати четырех лет все окружающие считали, что я способна сама сделать выбор, ни на кого не оглядываясь. Разумеется, мир не всегда был таким. Родись я в любом другом веке в западном патриархальном обществе — считалась бы собственностью отца до тех пор, пока он не передал бы меня в собственность мужа. Все самое главное в моей жизни совершалось бы без моего участия. Родись я в другую историческую эпоху — жениху пришлось бы претендовать на мою руку, а мой отец представил бы ему длинный список вопросов, чтобы определить, является ли он подходящей парой. Ему бы захотелось выяснить ответы на такие вопросы: «Как вы будете обеспечивать мою дочь? Какой репутацией вы пользуетесь в обществе? Здоровы ли вы? Где вы будете жить? Есть ли у вас долги и состояние? Каковы сильные качества вашего характера?» Мой отец не отдал бы меня в жены абы кому лишь по той причине, что я влюблена в этого парня. Но в современном мире, когда я принимала решение о замужестве, мой современный отец не имел к этому никакого отношения. Ему не пришло бы в голову вмешиваться, как не приходит в голову давать мне советы по поводу укладки волос.

Поверьте, я вовсе не ностальгирую по патриархальным временам. Однако я поняла, что, когда патриархат был уничтожен (и поделом), ему на смену так и не пришла иная система защиты. Я вот что имею в виду — мне бы самой никогда не пришло в голову задавать жениху те же сложные вопросы, что задал бы мой отец — живи мы на век раньше. Как часто ради любви я теряла себя! Иногда в этом процессе теряла и имущество. Если я действительно хочу стать независимой женщиной, мне следует взять на себя роль собственного опекуна. Помните знаменитые слова Глории Стайнем, которая советовала женщинам стремиться стать похожими на мужчин, которых им всегда хотелось видеть своими мужьями? Совсем недавно я поняла, что мне придется стать не только собственным мужем, но и отцом. Именно поэтому в тот вечер я легла спать одна. Потому что чувствовала, что слишком рано назначать встречу кандидату в женихи.

Все это замечательно на словах — но в два часа ночи я проснулась с тяжестью на сердце и столь острым чувством физической неудовлетворенности, что прямо-таки не знала, что делать. Лунатик-кот, что живет в моем доме, невесть почему печально завывал, и я утешила его: «Я прекрасно понимаю, каково тебе сейчас». Мне просто необходимо было как-то утолить свой голод, и я встала, пошла на кухню в ночной рубашке, почистила полкило картошки, отварила, нарезала, пожарила на сливочном масле, щедро посолила и съела все до последней крошки. Все это время я упрашивала свой организм принять полкилограмма жареной картошки вместо наслаждения от занятий любовью.

Но когда я доела последний кусочек, мое тело ответило: «Не выйдет, милочка».

Тогда я забралась в кровать, вздохнула от тоски и занялась...

Минуточку. Позвольте сказать пару слов о мастурбации. Иногда это весьма подручное (извините за каламбур) средство, но порой его неспособность удовлетворить до того выводит из себя, что начинаешь чувствовать себя еще хуже. Полтора года я хранила воздержание, полтора года шептала лишь собственное имя в своей односпальной кровати, и это занятие мне порядком надоело. И все же что еще мне оставалось делать в ту ночь, учитывая мое неприкаянное состояние? Жареная картошка не помогла. Поэтому я снова занялась этим сама с собой. Как обычно, я стала прокручивать в голове сцены из эротических фильмов, подыскивая подходящую фантазию или воспоминание, способное ускорить процесс. Но сегодня отчего-то ничего не помогало: ни пожарники, ни пираты, ни моя старая извращенная фантазия с участием Билла Клинтона, которая обычно действовала безотказно, ни даже джентльмены викторианской эпохи, сгрудившиеся вокруг меня в гостиной в сопровождении сексапильных юных горничных. В конце концов я неохотно позволила себе представить своего друга-бразильца в этой самой постели рядом со мной... на мне... и это сработало.

Потом я уснула. Проснулась и увидела за окном тихое голубое небо, а вокруг — еще более тихую спальню. Я по-прежнему чувствовала себя выбитой из колеи, утратившей равновесие, поэтому провела большую часть утра, выпевая на санскрите все сто восемьдесят два стиха Гуруджиты — великого, очищающего, фундаментального гимна моего индийского ашрама. Потом час промедитировала неподвижно, до покалывания в костях, и наконец ощутила это состояние снова. Конкретное, ясное, безотносительное, неменяющееся, безымянное и непоколебимое совершенство собственного счастья. Это счастье было лучше любого другого чувства, когда-либо испытанного мною на этой Земле, включая соленые маслянистые поцелуи и еще более соленую и маслянистую жареную картошку.

Тогда я очень порадовалась, что вчера решила остаться одна.

### 97

*П*оэтому представьте мое удивление, когда на следующий день, после того как Фелипе приготовил мне ужин у себя дома, после того как мы несколько часов валялись на диване, обсуждая всевозможные темы, после того как он неожиданно наклонился и зарылся лицом мне в подмышку, сказав, что ему очень нравится, как вкусно я воняю, — он погладил меня по щеке и сказал:

— Довольно, дорогая. Пойдем в постель.

И я пошла.

Да, я пошла с ним в постель, в его спальню с большими распахнутыми окнами, откуда открывался вид на ночь и тихие балинезийские рисовые поля. Он отодвинул прозрачный белый полог москитной сетки, натянутой вокруг кровати, и впустил меня. Снял мое платье с заботливым умением человека, которому не один год приходилось выполнять приятное обязательство — готовить детей к купанию; а затем объяснил свои условия — что ему абсолютно ничего от меня не нужно, кроме разрешения любить меня так долго, как я того захочу. Согласна ли я на такой уговор?

Утратив дар речи где-то между диваном и кроватью, я лишь кивнула в ответ. Говорить было нечего. Я пережила долгий, суровый период одиночества. И вела себя хорошо. Но Фелипе был прав — я ждала достаточно.

— Хорошо, — ответил он, с улыбкой отодвигая мешавшие мне подушки и опуская меня на постель, — давай наведем здесь порядок.

Это прозвучало забавно, потому что именно в этот момент я оставила все попытки навести порядок в своей жизни.

Позднее Фелипе рассказывал, какой я показалась ему в ту ночь. Он сказал, что я выглядела такой юной, ни капли не напоминавшей ту самоуверенную женщину, с которой он был знаком при свете дня. Я казалась невероятно молодой, но и открытой, и взволнованной, и полной облегчения от того, что мне дали свободу, и уставшей храбриться. Фелипе сказал, что было совершенно очевидно, как давно ко мне никто не прикасался. Во мне все кипело от желания, но вместе с тем я была благодарна, что мне позволили выразить это желание. И хотя я всего этого не помню, готова поверить ему на слово, потому что мне показалось, что он обращается со мной прямо-таки чрезмерно бережно.

Самое яркое воспоминание той ночи — развевающаяся белая москитная сетка, натянутая вокруг кровати. Она казалась мне парашютом. Я словно раскрывала этот парашют, чтобы выпрыгнуть с бокового входа самолета, символизировавшего строгость и дисциплину. Все эти годы я летела на нем, отдаляясь от пункта под названием Очень Сложный Период Моей Жизни. Но сейчас этот надежный летательный аппарат вдруг устарел, прямо в воздухе, и я выпрыгнула из ограниченного пространства одномоторного самолета и под трепещущим белым парашютом пролетела сквозь незнакомое пустое пространство между прошлым и будущим, удачно приземлившись на маленький островок в форме кровати, где живет лишь один красивый бразильский моряк, потерпевший кораблекрушение. Он тоже слишком долго пробыл в одиночестве, и потому так счастлив и удивлен моему появлению, что вдруг забыл весь свой английский и, глядя на мое лицо, мог повторять всего пять слов: красивая, красивая, красивая, красивая, красивая.

*98*

*В* ту ночь мы, естественно, совсем не спали. А потом, по нелепому стечению обстоятельств, мне пришлось уйти. Наутро я должна была вернуться домой смехотворно рано, потому что у меня была встреча с моим другом Юди. Мы с ним давно наметили, что на этой неделе отправимся в большое дорожное путешествие по Бали. Эта мысль пришла нам как-то вечером, когда мы сидели у меня дома, и Юди сказал, что, не считая жены и Манхэттена, на Бали ему больше всего не хватает американских дорожных путешествий, — когда можно просто взять машину и отправиться с друзьями в приключение, преодолевая огромные расстояния по живописным хайвеям между штатами. Тогда я пообещала: «Отлично, тогда давай отправимся в дорожное путешествие по Бали — в американском стиле».

Мы тогда здорово посмеялись, потому что совершить автомобильное путешествие в американском стиле на Бали невозможно. Во-первых, расстояния здесь очень маленькие — весь остров размером со штат Делавэр. Здешние «хайвеи» ужасны, а риск попасть в аварию сюрреалистически высок из-за повсеместного преобладания балинезийской версии американского семейного минивэна: это маленький мотоцикл, на который взгромоздились пятеро; отец рулит одной рукой, а в другой держит новорожденного младенца (на манер футбольного мяча), а мать сидит, свесив ноги набок, в узком саронге с корзиной на голове, стараясь не уронить еще двоих близняшек с несущегося на огромной скорости байка, который к тому же едет по встречной с неработающей передней фарой. Балинезийцы редко носят шлемы, но зато почти всегда — по причине, которую я так и не выяснила, — носят их с собой. Представьте себе сотни таких мощно нагруженных мотоциклов, которые несутся как ненормальные, петляют и подрезают друг друга, словно исполняя безумную моторизованную версию языческой пляски вокруг столба, — и вы поймете, что за обстановка царит на балинезийских дорогах. Не понимаю, как это балинезийцы все до последнего до сих пор не погибли в авариях.

Однако мы с Юди решили все равно поехать в путешествие, взять отпуск на неделю, машину напрокат и объездить крошечный островок вдоль и поперек, притворяясь, что мы в Америке и имеем полную свободу. Когда мы придумали это в прошлом месяце, я была в восторге, но теперь, лежа в постели с Фелипе, который целует кончики моих пальцев, плечи и руки и убеждает остаться, мне кажется, что время выбрано очень неудачно... Но я должна идти. И в определенной степени мне даже хочется уйти. Не только чтобы провести неделю в компании моего друга Юди, но и чтобы сделать передышку после первой ночи с Фелипе, привыкнуть к новой реальности, в которой, как говорят в романах, *я завела любовника*.

Фелипе подвозит меня домой, горячо обнимает в последний раз, и я как раз успеваю принять душ и собраться с мыслями, как приезжает Юди на нашей взятой напрокат машине. Бросив на меня один-единственный взгляд, он заявляет:

— Подруга, ты во сколько вчера домой пришла?

— Друг, я сегодня дома не ночевала.

— Подруууууууга, — говорит он и начинает смеяться, очевидно, припомнив наш разговор пару недель назад, когда я клялась и божилась, что никогда больше не займусь сексом, до конца жизни. — Значит, не выдержала, а?

— Юди, — сказала я, — позволь рассказать тебе одну историю. Прошлым летом, как раз перед тем как уехать из Штатов, я отправилась в гости к деду в пригород Нью-Йорка. Жена моего дедушки — его вторая жена, — очень милая дама по имени Гейл, ей сейчас восемьдесят с небольшим. Когда я гостила у них, она достала старый фотоальбом и показала мне фотографии тридцатых годов — ей тогда было восемнадцать и она на год поехала в Европу с двумя лучшими подругами и опекуном. И вот она листает страницы альбома, демонстрируя изумительные виды Италии — и вдруг я вижу портрет очень симпатичного итальянца в Венеции. И спрашиваю: «Гейл, а это что за красавчик?» И она отвечает: «Это сын владельцев отеля, где мы жили в Венеции. Мой парень». *Парень*?!» — я аж рот раскрыла. И тогда женушка моего деда хитро взглянула на меня — глаза стали томными, как у Бетт Дэвис, — и ответила: «Мне надоело ходить по соборам, Лиз».

Юди показывает поднятый вверх большой палец.

— Продолжай в том же духе, подруга.

И вот мы отправляемся в наше поддельно-американское дорожное путешествие по Бали — я и мой славный друг индонезиец, музыкальный гений в ссылке. На заднем сиденье валяются гитары, пиво и балинезийский вариант американской дорожной еды — рисовые крекеры и местные конфеты с ядреным вкусом. Подробности путешествия вспоминаются туманно, сквозь пелену отвлекающих мыслей о Фелипе и странное ощущение нереальности, что неизменно сопровождает любое дорожное путешествие в любой стране мира. Я помню лишь, что мы с Юди все время говорили по-американски — это язык, который я не использовала уже давно. Весь этот год я много говорила *по-английски*, но это совсем не то, и уж точно рядом не лежало с рэпперским вариантом американского диалекта, который нравится Юди. И мы пускаемся во все тяжкие — ведем себя, как насмотревшиеся MTV дети, едем и подкалываем друг друга, как персонажи подростковой комедии, обращаемся друг к другу «чувак» и «друг», а иногда, правда, безо всякого злого умысла, даже «баклан». В основном наш диалог построен на дружеских оскорблениях чьей-то мамы:

— Чувак, ты куда карту дел?

— Спроси у своей матери, куда я дел карту.

— Спросила бы, друг, да слишком уж она жирная.

И так далее, в том же духе.

Мы не сворачиваем в глубь острова, а едем по побережью — пляжи, пляжи, одни лишь пляжи всю неделю. Иногда берем рыбацкую лодочку и плывем на один из близлежащих островов посмотреть, что там интересного. На Бали огромное количество самых разных пляжей. Один раз мы целый день торчим на длинном кайфовом пляже в стиле Южной Калифорнии с белым песком — Кута; потом направляемся на зловеще-прекрасный скалистый берег в западной части острова, после чего пересекаем невидимую черту, отделяющую ту часть Бали, куда никогда не заходят западные туристы, и оказываемся на диких пляжах северного побережья, куда отваживаются ступить лишь серферы (да и то самые безбашенные). Мы сидим на песке и смотрим на страшные волны, на стройных серферов с коричневой (индонезийцы) и белой (иностранцы) кожей, рассекающих водную гладь, словно расстегивая молнию на спине синего вечернего платья. С опасным для жизни высокомерием море выбрасывает их на рифы и скалы, но они лишь возвращаются и седлают новую волну, а нам остается лишь затаить дыхание и вымолвить:

— Чувак, да они просто чокнутые!

И в точности согласно нашему замыслу, мы надолго забываем о том, что находимся в Индонезии (прежде всего ради Юди). Мы колесим по шоссе на взятой напрокат машине, едим всякую дрянь и поем американские песни, покупаем пиццу везде, где она попадается. Когда свидетельства того, что мы находимся на Бали, становятся слишком уж явными, мы стараемся их игнорировать и притворяемся, что мы в Америке. Например, я спрашиваю: «Как лучше объехать этот вулкан?» А Юди говорит: «По шоссе Ай-девяносто пять». А я отвечаю: «Но тогда мы попадем в Бостон в самый час пик...» Это всего лишь игра, но, как ни странно, очень убедительная.

Иногда нам попадается неподвижная океанская гладь на много километров вокруг, и тогда мы весь день плаваем и разрешаем друг другу пить пиво в десять утра («Чувак, это же в медицинских целях!»). Нам удается подружиться с каждым, кого мы встречаем. Юди один из тех ребят, кто, гуляя по пляжу и увидев человека, который строит лодку, непременно остановится и скажет: «О! Вы строите лодку?» Его любопытство до такой степени обезоруживает, что вскоре его уже готовы пригласить жить в доме у лодочника хоть целый год.

По вечерам происходит странное. Мы натыкаемся на таинственные храмовые ритуалы, происходящие в самой глуши, и поддаемся гипнозу хора голосов, барабанов и гамелана*. В одном прибрежном городишке все местные жители собираются на церемонию в честь дня рождения; Юди и меня выдергивают из толпы (как почетных гостей) и приглашают потанцевать с самой красивой девушкой деревни. (Она вся обвешана золотом и драгоценностями и накрашена в египетском стиле; ей не больше тринадцати, но она двигает бедрами с мягкой чувственной уверенностью существа, которому под силу соблазнить всех богов.) На следующий день в той же деревне мы заходим в странный семейный ресторанчик, хозяин которого объявляет себя великим знатоком тайской кухни. Оказывается, он таковым вовсе не является; и тем не менее мы сидим там весь день, прихлебываем ледяную колу, едим жирный пад тай** и играем в американские настольные игры с хозяйским сыном-подростком, мальчиком с грациозными женственными повадками. (Лишь позднее до нас доходит, что этот симпатичный мальчик, скорее всего, и был вчерашней прекрасной танцовщицей: балинезийцы — мастера ритуального трансвестизма.)

Каждый день я звоню Фелипе с любого попадающегося в глуши телефона, и он спрашивает:

— Долго еще мне спать одному, прежде чем ты вернешься? — А еще признается: — Влюбляться в тебя так приятно, дорогая.

---

* Национальный индонезийский оркестр.

** Популярное тайское блюдо, жареная лапша с соевыми ростками и яйцом.

Это чувство так знакомо, будто я переживаю его чуть ли не каждую неделю, но на самом деле ничего подобного я не испытывал уже почти тридцать лет.

Поскольку мы еще не влюбились друг в друга окончательно, не достигли того момента, когда этот процесс переходит в свободное падение, я что-то нерешительно бормочу и тихонько напоминаю, что через несколько месяцев мне уезжать. Но Фелипе все равно.

— Может, во мне говорит моя идиотская латиноамериканская сентиментальность, но я хочу, чтобы ты поняла: милая, ради тебя я готов даже страдать. Какие бы муки ни ждали нас в будущем, я уже смирился с ними ради одного лишь удовольствия находиться рядом с тобой сейчас. Давай наслаждаться этим временем. Это замечательное время.

— Знаешь, странно, но, прежде чем встретить тебя, я всерьез думала, что мне до конца жизни придется жить в одиночестве, соблюдая целибат. Я даже подумывала, не посвятить ли мне себя духовным размышлениям.

— Поразмысли-ка над этим, крошка, — и он начинает в тщательных деталях перечислять первое, второе, третье, четвертое и пятое, что он сделает со мной, когда я снова окажусь в его постели. Я выхожу из телефонной будки на слегка подкашивающихся ногах, изумленная и ошарашенная новой страстью.

В последний день нашего дорожного путешествия мы с Юди целый день прохлаждаемся на очередном пляже, и, как часто у нас бывает, разговор опять заходит о Нью-Йорке — какой это чудесный город и как мы его любим. Юди скучает по городу почти так же сильно, как по жене, как если бы Нью-Йорк был живым человеком, родственником, с которым утрачена связь со времени депортации. Мы разговариваем, а Юди расчищает гладкую чистую полоску белого песка между полотенцами и чертит карту Манхэттена.

— Давай рисовать все, что помним в городе, — заявляет он. Пальцами мы чертим авеню, главные улицы, Бродвей, криво рассекающий остров и нарушающий геометрический порядок, реки, Гринвич-виллидж, Центральный парк. Находим тоненькую красивую ракушку и используем ее в качестве Эмпайр-Стейт-билдинг, а другую — как здание Крайслера. И из уважения берем две палочки и устанавливаем башни-близнецы внизу острова — там, где им и место.

При помощи нашей песчаной карты мы показываем друг другу любимые места в Нью-Йорке. Магазин, где Юди купил солнечные очки, которые на нем сейчас; и тот, где куплены мои шлепанцы. Ресторан, где я впервые поужинала с бывшим мужем; место, где Юди познакомился с женой. Лучшее вьетнамское кафе в городе, кафе, где продают самые вкусные бейглы, лучшую забегаловку с китайской лапшой («Да ладно, чувак, — лучшую лапшу делают *вот здесь!*»). Я рисую свой старый квартал в «Адской кухне», и Юди говорит:

— Я там знаю отличную забегаловку.

— «Тик-Ток», «Чейенн» или «Старлайт»?

— «Тик-Ток», подруга.

— Когда-нибудь пробовал их шоколадный коктейль?

— О Боже, ничего не говори... — стонет он.

Я так глубоко чувствую его тоску по Нью-Йорку, что на секунду принимаю ее за свою собственную. Его ностальгия по дому так заразительна, что на мгновение я даже забываю, что, в отличие от Юди, могу в любой момент вернуться на Манхэттен. Он теребит две щепочки, которые мы поставили вместо башен-близнецов, покрепче втыкает их в песок, смотрит на спокойный синий океан и говорит:

— Я знаю, здесь очень красиво... но как думаешь: я когда-нибудь еще увижу Америку?

Ну что мне ему сказать?

Повисает молчание. А потом Юди достает изо рта противную индонезийскую конфету, которую сосал уже целый час, и говорит:

— Черт, да это конфета на блевотину похожа. Где ты ее взяла?

— У твоей матери, чувак, — отвечаю я, — у твоей матери.

99

*П*о возвращении в Убуд я сразу же еду к Фелипе домой и не вылезаю из его постели еще примерно месяц. И это лишь небольшое преувеличение. Никто и никогда не любил меня и не обожал с таким наслаждением и внимательным сосредоточением. Никогда прежде занятия любовью не заставляли меня сбросить шкурку, как апельсин, показать свою сущность, раскрыться, как цветок, закружиться в водовороте.

Что касается интимной близости, я точно знаю одно: существуют определенные законы природы, регулирующие сексуальные переживания двух людей, и от них нельзя отмахнуться, как нельзя не обращать внимания на силу земного притяжения, к примеру. Не вам решать, будет ли вам комфортно рядом с другим человеком. Образ мыслей, действия, диалог, даже внешность играет очень малую роль. Загадочное притяжение, спрятанное где-то глубоко в груди, или есть, или его нет. А когда его нет (я много раз убеждалась в этом в прошлом с мучительной ясностью), вы не можете силой заставить его появиться — как не может хирург заставить организм пациента принять неподходящую донорскую почку. Моя подруга Энни говорит, что в конце концов все сводится к одному простому вопросу: хочешь ли ты до конца жизни прижиматься животом к животу партнера или нет.

У Фелипе и меня, как мы с радостью выяснили, идеальная, генетически предрасположенная «животная» совместимость. Нет ни одной части моего тела, которая страдала бы аллергией на части его тела. Ничто не кажется опасным, все дается легко, ничто не вызывает отторжения. В нашей вселенной чувств все дополняет друг друга естественным и тщательным образом. Все вызывает восхищение.

— Взгляни на себя, — говорит Фелипе, подведя меня к зеркалу, после того как мы в очередной раз занимались любовью, и показывая мне мое обнаженное тело (волосы такие, словно я только что вышла из центрифуги для подготовки космонавтов в центре НАСА). — Смотри, какая ты красивая... все линии плавные... ты — как песчаные дюны...

(И правда, кажется, еще никогда мое тело не выглядело и не чувствовало себя столь расслабленным, разве что в младенчестве, месяцев в шесть, когда мама сфотографировала меня всю размякшую после купания в кухонной раковине, растянувшейся на полотенце на кухонном столе.)

А потом Фелипе ведет меня в постель и шепчет по-португальски:

— *Vem, gostosa.*

Пойдем, моя сладкая.

Фелипе — мастер обольщения. В постели он шепчет мне нежности по-португальски, и из «милой, дорогой малышки» я превращаюсь в *queridinha* (в буквальном переводе: «милая дорогая малышка»). На Бали я слишком разленилась, чтобы учить балинезийский или индонезийский, но португальский вдруг запоминается сам собой. Конечно, в основном я учу «постельные» словечки, но разве это не прекрасное применение португальскому языку? А Фелипе говорит:

— Малышка, тебе скоро все это надоест. Наскучат мои постоянные ласки, надоест слушать, какая ты красивая.

Можем поспорить, надоест мне или нет.

Я теряю дни, пропадая под его простынями, в его объятиях. Мне так нравится это чувство — когда не знаешь, какое сегодня число. Мое тщательно организованное расписание летит ко всем чертям. В конце концов я еду к старику лекарю после того, как пропадала целую вечность. И не успеваю произнести ни слова, как Кетут все видит на моем лице.

— Ты нашла себе парня на Бали, — говорит он.

— Да, Кетут.

— Хорошо. Только осторожно, чтобы не забеременеть.

— Ладно.

— Он хороший человек?

— Это ты мне скажи, Кетут, — отвечаю я. — Ты гадал ему по руке. И сам сказал, что он хороший. Раз семь, наверное.

— Правда? Когда?

— В июне. Я привозила его к тебе. Бразилец, постарше меня. Ты еще сказал, что он тебе нравится.

— Не было такого, — уперся Кетут, и, что бы я ни делала, мне так и не удалось убедить его в обратном.

Иногда память его подводит — подвела бы и вас, если бы вам было, как я предполагаю, от шестидесяти пяти до ста двенадцати лет! Обычно его ум проницателен и остр, но порой у меня возникает чувство, будто я выдернула его из другого слоя сознания, из параллельной Вселенной. (Пару недель назад он сказал ни с того ни с сего: «Ты хороший друг, Лисс. Верный друг. Любящий друг». А потом вздохнул, уставился в пространство и печально добавил: «Не то что Шэрон». Что это за Шэрон? Чем ему насолила? Когда я попыталась расспросить его об этом, он упорно молчал. Вел себя так, будто не понимает, о чем это я. Как буд-то я первой заговорила о лживой потаскушке Шэрон!)

— Почему ты никогда не приводишь своего друга познако-миться? — спросил он сегодня.

— Он был здесь, Кетут. Правда был. И ты сказал, что он тебе понравился!

— Не помню. Он богач, твой парень?

— Нет, Кетут. Не богач. Но денег у него достаточно.

— Среднебогатый? — Старик хочет, чтобы ему предоставили точный бухгалтерский отчет.

— У него есть деньги.

Мой ответ, кажется, раздосадовал Кетута.

— Если ты попросишь у него денег, он даст тебе или нет?

— Кетут, да не нужны мне его деньги. Я никогда не беру де-ньги у мужчин.

— Ты с ним каждую ночь?

— Да.

— Хорошо. Он балует тебя?

— Очень.

— Хорошо. Ты занимаешься медитацией?

Да, я по-прежнему медитирую каждый день, выскальзывая из постели Фелипе и перемещаясь на диван, где сижу в тишине и возношу благодарность за все, что у меня есть. На улице крякают утки, семеня сквозь рисовые поля, переговариваясь и плескаясь в воде. (Фелипе говорит, что стаи балинезийских уток всегда напо-минали ему бразильянок, дефилирующих по пляжам в Рио: они громко болтают, все время прерывая друг друга и горделиво ви-ляя бедрами.) Я пребываю в таком расслаблении, что погружаюсь в медитацию, как в ванну, приготовленную любимым. Обнажен-ная, на утреннем солнце, в одном лишь накинутом на плечи оде-яле, я растворяюсь в этой благости, балансируя над бесконечнос-тью, точно крошечная ракушка на кончике чайной ложки.

Почему жизнь когда-то казалась столь сложной?

Как-то раз я звоню в Нью-Йорк своей подруге Сьюзан и вы-слушиваю очередные подробности ее очередного романа на фоне завывания полицейских сирен — типичных звуков боль-шого города. И мой голос становится похожим на прохладный, ровный тон ночного радиодиджея с какой-нибудь джазовой станции, когда я говорю Сьюзан, чтобы она забыла о нем, что ей нужно понять, что в жизни все и так совершенно, что во Вселенной все предусмотрено и вокруг лишь мир и гармония...

Тут Сьюзен говорит — и я не вижу, но знаю, что при этом она закатывает глаза:

— Такое может сказать только женщина, испытавшая сегодня уже четыре оргазма!

## 100

*Н*о через несколько недель веселью и играм приходит конец. После стольких бессонных ночей и слишком усердных занятий сексом организм не выдерживает, и меня атакует неприятная болезнь — инфекция мочевыводящих путей. Типичное последствие чрезмерных сексуальных утех, особенно в том случае, если человек не привык к сексуальным излишествам. Как и все неприятности, приступ случился внезапно. Однажды утром я гуляла по городу по своим делам, как вдруг ощутила жгучую боль и жжение, заставившие меня согнуться пополам. Такие напасти случались со мной и раньше, во времена бурной молодости, поэтому я сразу поняла, в чем дело. На минуту меня охватила паника, — такие инфекции могут быть весьма болезненными, — но потом подумала: слава Богу, моя лучшая подруга — врач, и рванула к Вайан.

— Я заболела! — объявила я.

Вайан посмотрела на меня и тут же диагностировала:

— Кто-то слишком много занимался сексом, вот и заболел, Лиз. — Я застонала, закрыла лицо руками, сгорая от стыда.

Она прыснула:

— От Вайан ничего не утаишь...

Меня здорово скрутило. Любой, у кого была такая инфекция, знает, что это за ужасное ощущение, а кто ни разу не испытывал эту специфическую боль... можете сами придумать для ее описания какую-нибудь жуткую метафору, желательно с использованием словосочетания «раскаленный прут».

Подобно ветеранам пожарной службы и хирургам «Скорой помощи», Вайан никогда не спешит. Она методично нарубила травки, отварила какие-то корешки, перемещаясь от кухни ко мне и предлагая одно теплое, коричневое, отвратительно пахнущее варево за другим:

— Пей, детка...

Пока закипала следующая порция, она села напротив, бросила на меня хитрый порочный взгляд и воспользовалась случаем сунуть нос не в свое дело.

— Не боишься забеременеть, Лиз?

— Это невозможно, Вайан. Фелипе сделал вазэктомию.

— *Фелипе сделал вазэктомию?* — вымолвила она с таким изумлением, точно хотела спросить: «У Фелипе вилла в Тоскани?» (И кстати, я разделяю ее чувства.) — На Бали очень сложно заставить мужчину сделать такое! И вечно женщины должны заботиться о том, как бы не забеременеть.

(Хотя в последнее время рождаемость в Индонезии упала благодаря блестящей программе по контролю за рождаемостью: правительство пообещало любому мужчине, который добровольно сделает вазэктомию, новый мотоцикл... хотя как-то неприятно думать о том, что ребятам приходится ехать на новом мотоцикле домой в тот же день!)

— Секс — это весело, — размышляла Вайан, наблюдая, как я корчусь от боли, прихлебывая очередной домашний отвар.

— Да, Вайан, спасибо. Обхохочешься.

— Да нет же, секс — это весело, — не унималась она. — Люди ведут себя очень смешно. Когда любовь только начинается, все ведут себя так. Хотят слишком много счастья, слишком много удовольствия, пока не заболеют. Даже с Вайан такое случается, когда она влюбляется. Равновесие теряется.

— Мне так стыдно, — говорю я.

— Нечего стыдиться, — отвечает она и добавляет на безупречном английском (и с безупречной балинезийской логикой): — Время от времени терять равновесие ради любви вполне естественно, если живешь гармоничной жизнью.

Я решила позвонить Фелипе. Дома у меня были антибиотики, экстренный запас, который я всегда беру с собой в путешествие на всякий случай. Поскольку раньше со мной подобное случалось, я знаю, как опасны могут быть такие инфекции, иногда поражая и почки. И в Индонезии мне это было совершенно ни к чему. Поэтому я позвонила ему, рассказала о случившемся (он пришел в ужас) и попросила привезти мне таблетки. Не то чтобы я не доверяла врачебным навыкам Вайан — просто слишком уж больно мне было...

Вайан сказала:

— Не нужны тебе западные таблетки.

— Но может, так лучше, на всякий случай...

— Подожди два часа, — попросила она. — Если лучше не станет, выпьешь свои таблетки.

Я неохотно согласилась. По опыту, чтобы вылечить подобную инфекцию, требуется несколько дней, даже если пить сильные антибиотики. Но мне не хотелось расстраивать Вайан.

Тутти играла в лавке и то и дело приносила новые картинки домов, чтобы подбодрить меня, и гладила меня по руке с сочувствием, на которое только способна восьмилетняя девочка.

— Тетя Элизабет заболела? — слава богу, она не знает, из-за чего я заболела!

— Вы уже купили дом, Вайан? — спросила я.

— Нет еще, милая. К чему торопиться?

— А как же тот участок, что ты присмотрела? Ты же вроде собиралась его купить.

— Оказалось, он не продается. И слишком дорого.

— А другие варианты у тебя есть?

— Не думай об этом сейчас, Лиз. Давай лучше я быстро тебя вылечу.

Приехал Фелипе с лекарствами, очень расстроенный, и извинился передо мной и Вайан за то, что стал причиной таких неприятностей, — по крайней мере, ему так казалось.

— Ничего страшного, — ответила Вайан. — Не волнуйся. Я ее скоро вылечу. Ей быстро полегчает.

После чего она отправилась в кухню и вернулась с огромной стеклянной миской, полной каких-то листиков, корешков, ягод, среди которых я признала куркуму, ворсистую массу, похожую на пырей, и, кажется, глаз какого-то зверя... вроде тритона. И все это плавало в буром собственном соку. Там было примерно три литра этого непонятного варева. Вонь стояла — как от дохлятины.

— Пей, малышка, — приговаривала Вайан. — Надо выпить все.

Я с трудом влила месиво в себя. И меньше чем через два часа... ну что тут говорить — все знают, чем заканчиваются такие истории. Меньше чем через два часа все прошло, я полностью излечилась. Инфекции, которую на Западе лечат антибиотиками несколько дней, как не бывало. Я попыталась всучить Вайан деньги в благодарность за то, что она меня вылечила, но та лишь рассмеялась в ответ.

— Моя сестра не должна платить. — Потом повернулась к Фелипе с напускным серьезным видом: — Сегодня ты будь с ней поосторожнее. Можно только спать рядом, но не трогать.

— Ты не стесняешься лечить такие... сексуальные болезни? — спросила я Вайан.

— Лиз, я же лекарь. Я лечу все болезни — женские вагины и мужские бананы. Иногда даже делаю искусственные пенисы для женщин. Чтобы они могли заниматься сексом в одиночестве.

— Вибраторы? — Я была в шоке.

— Не у всех есть бразильский бойфренд, Лиз, — укорила меня Вайан. А потом перевела взгляд на Фелипе и весело произнесла: — Если однажды твой банан станет мягким, я дам тебе лекарство!

Я принялась заверять Вайан, что Фелипе ни к чему лекарства для банана, но он прервал меня — предприимчивый, как всегда! — и спросил ее, нельзя ли разлить ее лекарство для укрепления банана по скляночкам и пустить на рынок.

— Мы могли бы заработать состояние, — сказал он.

Но Вайан объяснила, что все не так просто. Для эффективности все ее снадобья должны быть свежими, приготовленными в тот же день. И их нужно подкреплять молитвами. В любом случае, лекарство для приема внутрь — не единственный способ сделать банан твердым, заверила нас Вайан; она также лечит пациентов массажем. А потом, к нашему ужасу и изумлению, она описала различные массажи, применяемые к поникшим бананам, — например, ухватиться за штуковину у основания и трясти ее из стороны в сторону примерно в течение часа, стимулируя кровоток, одновременно распевая особые мантры.

— Но, Вайан... что, если мужчина приходит каждый день и говорит: «Доктор, я все еще не вылечился! Мне нужен еще один бананомассаж!»?

В ответ на это пошлое предположение Вайан расхохоталась, но призналась, что действительно надо быть поосторожнее и не слишком много времени посвящать бананотерапии, так как это вызывает в ней определенные... сильные чувства, и ей кажется, что они не очень хорошо влияют на целебную энергию. Бывает и так, что мужчины теряют контроль. (А вы бы что сделали, если бы много лет страдали импотенцией и вдруг прекрасная смуглокожая женщина с длинными черными шелковистыми волосами заново бы запустила аппарат?) Один парень во время сеанса вскочил и стал гоняться за ней по комнате с криком: «Мне нужна Вайан! Мне нужна Вайан!»

Но и это не все, на что способна Вайан. Бывает, ее просят стать сексуальной наставницей для пары, где или мужчина импотент, или женщина фригидна, или никак не получается зачать ребенка. Тогда Вайан рисует волшебные картины на простынях и объясняет, какие сексуальные позы лучше подходят для определенного дня месяца. Вайан говорит, что, если мужчина хочет сделать ребенка, он должен заниматься сексом с женой «очень, очень жестко» и выстреливать «воду из своего банана в ее вагину очень, очень быстро». Порой Вайан приходится находиться непосредственно в спальне, где супруги выполняют свои обязанности, и объяснять, насколько «жестко» и «быстро» все должно происходить.

— И что, мужчинам удается выстреливать воду из банана очень сильно и очень быстро, когда рядом стоит доктор Вайан и смотрит? — любопытствую я.

Фелипе изображает Вайан, помогающую семейной паре:

— Сильнее! Быстрее! Ты хочешь ребенка или нет?

Вайан соглашается, что со стороны это кажется безумием, однако такова работа врачевателя. Хоть и признает, что с целью оградить священный дух до и после мероприятия она проводит многочисленные церемонии очищения. Ей не нравится работать с такими пациентами слишком часто, так как это вызывает у нее «странные» ощущения. Но если нужно зачать ребенка, она обо всем позаботится.

— И у твоих пациентов действительно рождаются дети? — спрашиваю я.

— Рождаются! — с гордостью подтверждает она. Иначе и быть не может.

А потом Вайан рассказывает кое-что весьма интересное. Если паре не удается зачать ребенка, она осматривает обоих и определяет, как говорится, по чьей вине. Если бесплодна женщина — никаких проблем, Вайан вылечит ее старинными народными средствами. Но если мужчина, то возникает весьма деликатная ситуация, поскольку речь идет о патриархальном балинезийском обществе. Тут возможности Вайан как врачевателя ограничены, так как небезопасно говорить балинезийцу, что он бесплоден. Ведь такого просто быть не может! Мужчина всегда остается мужчиной, и не иначе. Если женщина не может забеременеть, она и только она в этом виновата. А если вскоре после замужества у нее не родится ребенок, ее ждут большие неприятности — побои, насмешки и даже развод.

— И как же ты поступаешь в такой ситуации? — спрашиваю я, впечатленная тем, что женщина, называющая сперму «банановой водой», способна диагностировать мужское бесплодие.

И Вайан все нам рассказала. Когда выясняется, что мужчина бесплоден, она сообщает ему, что его жена не может иметь детей и ей необходимо одной являться каждый день и проходить сеанс лечения. Когда жена приходит в лавку одна, Вайан приглашает молодого парня из деревни, и тот занимается с ней сексом. Если все складывается удачно, им удается зачать.

Фелипе был в ужасе.

— Вайан! Нет!

Но Вайан лишь тихо кивнула.

— Да. Это единственный путь. Если женщина здорова, она родит ребенка. И все будут счастливы.

Фелипе сразу же захотел узнать, поскольку сам живет в этом городе:

— И кто это? Кого ты нанимаешь для этой работы?

— Таксистов, — ответила Вайан.

Это нас очень рассмешило, так как в Убуде пруд пруди так называемых таксистов, молодых ребят, которые сидят на каждом углу и пристают к туристам с вечной репликой («Транспорт? Транспорт?»), пытаясь заработать пару долларов и доставляя их к вулканам, пляжам и храмам. В общем, они действительно довольно хороши собой: тонкая гогеновская кожа, накачанные тела и роскошные длинные волосы. В Америке можно было бы немало заработать, открыв подобную «клинику искусственного оплодотворения» для женщин, где в качестве персонала выступали бы эти красавцы. Вайан говорит, что ее способ лечения от бесплодия хорош прежде всего тем, что ребята обычно не берут плату за то, чтобы прокатить чужих жен на своем «транспорте», особенно если жены симпатичные. Мы с Фелипе соглашаемся, что это весьма щедрый поступок на пользу обществу. А через девять месяцев рождается красивый малыш. И все счастливы. А самое главное — удается избежать развода. Все мы знаем, как ужасен развод, тем более на Бали.

— Господи, какие же мужчины идиоты, — говорит Фелипе.

Но Вайан не чувствует угрызений совести. Это лечение лишь потому стало необходимым, что нельзя сообщить балинезийцу о его бесплодии и быть уверенным, что он не вернется домой и не сделает со своей женой что-нибудь ужасное. Если бы мужчины на Бали не были такими упертыми, их недуг можно было бы вылечить иным способом. Но такова балинезийская культура — и вот вам последствия. Вайан ни капли не совестно, для нее это всего лишь новый и весьма изобретательный метод врачевания. К тому же, добавляет она, балинезийским женам иногда полезно заняться сексом с симпатичными таксистами, так как большинство мужей на Бали все равно не знают, как удовлетворить женщину.

— Большинство мужей занимаются сексом, как петухи. Как козлы.

— Может, тебе устроить школу сексуального образования, Вайан? — предложила я. — Ты могла бы учить мужчин, как нежно ласкать женщин, и тогда женам было бы более приятно заниматься сексом. Ведь когда мужчина ласков с тобой, когда он ласкает кожу, говорит приятные слова, покрывает поцелуями все твое тело, действует не торопясь... секс действительно может быть приятным.

И вдруг Вайан покраснела. Вайан Нурийаси, специалист по бананомассажу и лечению инфекций мочевыводящих путей, торговка искусственными членами и мелкая сводня, — она в самом деле покраснела!

— Когда ты так говоришь, я чувствую себя как-то странно, — сказала она, обмахиваясь рукой, как веером. — Все эти разговоры заставляют меня чувствовать себя какой-то... другой. У меня даже в штанах все по-другому! А ну-ка, идите домой, оба. Хватит этих разговоров о сексе! Идите домой, ложитесь в кровать, но можно только спать, понятно? Только СПАТЬ!

101

По пути домой Фелипе спросил:
— Она уже купила дом?
— Нет еще. Но говорит, что присматривает.

— Прошел уже месяц, с тех пор как ты дала ей деньги, да?

— Да, но тот участок, который она хотела купить, не продается.

— Будь осторожна, дорогая, — предупредил Фелипе. — Не затягивай это слишком надолго. Нельзя допустить, чтобы вышло так, как обычно бывает на Бали.

— О чем это ты?

— Не хочу вмешиваться в твои дела, но я прожил в этой стране пять лет и знаю, как тут все делается. Ситуация может запутаться. Иногда трудно понять, что же на самом деле происходит.

— Фелипе, что ты пытаешься сказать? — спросила я и, когда он не ответил, процитировала его фирменную реплику: — Если будешь говорить медленно, я пойму быстрее.

— Я вот что хочу сказать, Лиз: твои друзья собрали для этой женщины кучу денег, а в данный момент они лежат у Вайан на банковском счету. Ты должна проследить, чтобы она действительно купила дом.

## 102

Пришел июль, а с ним и мой тридцать пятый день рождения. Вайан устроила для меня вечеринку в своей лавке, и этот праздник был не похож ни на один из виденных мною ранее. Она нарядила меня в традиционный костюм, который на Бали носят именинники, — ярко-малиновый саронг, бюстье без лямок и длинный отрез золотистой ткани, плотно обернутый вокруг туловища. Получился такой тугой чехол, что я еле могла вздохнуть или проглотить кусочек собственного именинного торта. Заворачивая меня, как мумию, в это невероятное одеяние в своей маленькой темной спальне (загроможденной вещами трех маленьких человечков, которые тоже живут здесь), Вайан спросила, не глядя на меня, занятая сложнейшими манипуляциями с тканью и булавками у моих ребер:

— Ты планируешь выйти за Фелипе?

— Нет, — ответила я. — Мы не планируем жениться. Я не хочу больше замуж, Вайан. И, думаю, Фелипе тоже не хочет жениться. Но мне нравится быть с ним.

— Легко найти человека, красивого снаружи, но, чтобы он был красивым и снаружи и изнутри, — это труднее. У Фелипе есть и то и другое.

Я кивнула.

Она улыбнулась.

— И кто привел тебе этого красавца, Лиз? Кто молился каждый день, чтобы ты его встретила?

Я расцеловала ее.

— Спасибо, Вайан. Ты славно потрудилась.

Мы присоединились к гостям. Вайан с детьми украсили лавку шариками, пальмовыми ветвями и самодельными лозунгами со сложными, многословными поздравлениями типа «С днем рождения, милая и добрая душа, наша дорогая сестра, возлюбленная Леди Элизабет, с днем рождения тебя, да пребудет мир в твоей душе и поздравляем». У Вайан есть брат, его маленькие дети — талантливые храмовые церемониальные танцоры. Сегодня ее племянники и племянницы пришли и станцевали для меня прямо в ресторане, устроив восхитительное и таинственное представление, которое обычно наблюдают лишь священники. Разодетые в золото, с массивными головными уборами, густо накрашенные в стиле трансвестит-шоу, они мощно топали ножками и двигали грациозными женственными пальчиками.

Вечеринка по-балинезийски, как правило, проходит так: люди наряжаются в свою лучшую одежду, а потом просто сидят и разглядывают друг друга. Очень похоже на нью-йоркские вечеринки глянцевых журналов. («О Боже, милая, — простонал Фелипе, когда я сообщила, что Вайан устраивает для меня традиционный балинезийский праздник, — это будет так скучно...») Но было не скучно, а просто тихо. И как-то необычно. Сначала мы наряжались, потом смотрели танцевальное представление, а потом сидели и пялились друг на друга — что, вообще, было не так уж плохо. Все были такие красивые... Семья Вайан явилась в полном составе, они все время улыбались и махали мне с расстояния двух метров, а я улыбалась и махала им в ответ.

Я задула свечи на именинном пироге вместе с Кетут Маленькой, младшей из сироток. Несколько недель назад я решила, что ее день рождения теперь тоже будет восемнадцатого июля, как и у меня, — ведь у нее никогда в жизни не было дня рождения и именинной вечеринки. После того как мы задули свечи, Фелипе презентовал малышке куклу Барби. Она развернула ее в немом изумлении и оглядела так, будто то был билет на ракету до Юпитера, — никогда, даже через семь миллиардов световых лет, она не ожидала, что ей вручат нечто подобное.

Все на этом празднике было каким-то чудным. Собралась чудная компания всех национальностей и возрастов: мои друзья, родственники Вайан и кое-кто из ее клиентов-европейцев и пациентов, которых я прежде в глаза не видела. Мой друг Юди преподнес упаковку пива в качестве подарка на день рождения. Зашел и еще один классный парень, молодой модный писатель из Лос-Анджелеса по имени Адам. Мы с Фелипе познакомились с ним в баре буквально на днях и пригласили на вечеринку. Весь вечер Адам с Юди болтали с маленьким мальчиком по имени Джон: его мать — пациентка Вайан, дизайнер модной одежды из Германии, замужем за американцем, живет на Бали. Джон, которому семь лет и который зовет себя «типа американцем», так как папа у него американец (хотя сам он никогда не был в Штатах), но говорит по-немецки с мамой и по-индонезийски с детьми Вайан, был просто очарован Адамом, узнав, что тот из Калифорнии и умеет кататься на серфинге.

— А какое у вас любимое животное, мистер? — спросил Джон, и Адам ответил:

— Пеликан.

— А что такое пеликан? — спросил мальчик. Тут вмешался Юди:

— Чувак, ты даже не знаешь, кто такие пеликаны? Друг, иди домой и спроси об этом папу. Пеликаны — это же просто класс, чувак!

Потом Джон, типа американский мальчик, повернулся к Тутти и спросил ее что-то по-индонезийски (наверное, кто такие пеликаны), а Тутти сидела на коленях у Фелипе и пыталась прочитать мои поздравительные открытки, а Фелипе на безупречном французском разговаривал с пожилым джентльменом из Парижа, который лечит у Вайан почки. Тем временем Вайан включила радио — Кенни Роджерс пел «Самый трусливый парень во всей округе», — а в лавку вошли три японки, которые хотели сделать лечебный массаж. Я попыталась уговорить девушек съесть по кусочку моего именинного торта, а две сиротки — Кетут Большая и Маленькая — тем временем украшали мою прическу огромными блестящими заколками, купленными мне в подарок на сэкономленные деньги. Племянники и племянницы Вайан, маленькие храмовые танцоры, дети земледельцев с рисовых полей, сидели очень тихо, смиренно потупившись в пол, укутанные в золотые одежды, как маленькие божки; их присутствие наполняло комнату странным и сверхъестественным священным духом. На улице раскричались петухи, хотя еще не наступил вечер и даже не смеркалось. Мой традиционный балинезийский наряд стискивал меня, как крепкие объятия, и мне казалось, что это определенно самый чудной, но, пожалуй, самый счастливый мой день рождения из всех.

## 103

А Вайан все не покупает дом — и меня это беспокоит. Я не понимаю, почему так происходит, но дом необходимо купить, поэтому мы с Фелипе берем дело в свои руки. Находим агента по недвижимости, который возит нас по острову и показывает участки, но Вайан ничего не нравится. Я не устаю повторять:

— Вайан, мы должны купить хоть что-нибудь. В сентябре я уезжаю, и, прежде чем это произойдет, мои друзья должны узнать, что их деньги пошли на покупку дома. А тебе нужно найти крышу над головой, не дожидаясь выселения.

— Не так уж просто купить землю на Бали, — говорит она. — Это тебе не пойти в бар и купить пива. Может потребоваться много времени.

— У нас нет времени, Вайан.

Но она лишь пожимает плечами, и я в который раз вспоминаю, что балинезийцы считают время «резиновым», то есть относительным и гибким понятием. Когда я говорю «четыре недели», для Вайан это означает совсем не то, что для меня. В сутках у Вайан необязательно двадцать четыре часа; день может быть длиннее или короче, в зависимости от его духовной и эмоциональной природы. Как в случае с моим старым лекарем и его неопределенным возрастом, иногда дни можно сосчитать, а иногда взвесить.

Тем временем выясняется, что я недооценила стоимость недвижимости на Бали. Поскольку здесь все очень дешево, неизбежно начинаешь думать, что и земля также стоит дешевле, чем везде, однако это заблуждение. Земля на Бали стоит почти столько же, сколько в Вестчестер-Каунти, в Токио или на Родео-Драйв*. Это нарушает все законы логики, так как после покупки землю просто невозможно окупить, действуя традиционными логическими методами. Заплатив около двадцати пяти тысяч долларов за *аро* земли (аро — единица измерения, в переводе на английский «чуть больше парковочной площадки для внедорожника»), можно построить на ней магазинчик, где вы будете продавать один батиковый саронг одному туристу в день до конца жизни, получая ежедневную прибыль примерно в семьдесят пять центов. Это просто бессмысленно.

Однако та горячность, с которой балинезийцы ценят свою землю, выходит далеко за рамки экономической целесообразности. Поскольку на Бали владение участком земли по традиции считается единственным «настоящим» критерием богатства, местные воспринимают собственность сродни тому, как племя масаи воспринимает скот, а моя пятилетняя племянница — блеск для губ: ее не может быть слишком много; заполучив собственность во владение, вы никогда не должны с ней расставаться; конечной целью является заполучение как можно большего количества собственности в мире.

Кроме того, в течение всего августа, совершая путешествие в загадочную Нарнию индонезийской недвижимости, я постепенно выясняю, что на Бали почти невозможно отыскать участок земли, выставленный на продажу. Когда балинезиец продает землю, он не хочет, чтобы другие люди узнали, что его земля продается. Кому-то может показаться, что реклама полезна, однако балинезийцы думают иначе. Если земледелец на Бали продает землю, значит, ему срочно нужны деньги — а это унизительно. Более того, если соседи и родственники узнают, что вы продали участок земли, это означает, что у вас появились деньги, — и все тут же захотят одолжить эти деньги. Поэтому узнать о том, что земля про-

---

* Вестчестер-Каунти — пригород Нью-Йорка, где живут одни из самых обеспеченных граждан США, чей доход на душу населения составляет около 60 000 долларов; Родео-Драйв – улица бутиков в Беверли-Хиллз.

дается, можно только по слухам. Все сделки по купле-продаже земли совершаются под покровом секретности и украдкой.

Бывшие граждане западных стран, услышав, что я пытаюсь купить землю для Вайан, тут же собираются вокруг меня и делятся предостерегающими рассказами о собственном ужасном опыте. Они предупреждают, что при совершении сделки по покупке недвижимости никогда нельзя точно сказать, что происходит на самом деле. Земля, которую вы «покупаете», может на самом деле и не принадлежать человеку, который ее «продает». Человек, который показывает участок, может оказаться вовсе не хозяином, а сердитым племянником того самого хозяина, который пытается отыграться на дяде за какую-нибудь старую семейную ссору. Не надо и рассчитывать, что вам когда-нибудь удастся точно определить границы участка. Земля, купленная под дом вашей мечты, впоследствии может оказаться «слишком близко к храму», и вы попросту не получите разрешение на строительство (а в этой крошечной стране примерно двадцать тысяч храмов, поэтому найти участок, расположенный *не вблизи* храма, как понимаете, очень сложно).

Нельзя забывать и о том, что ваш дом вполне может оказаться на склоне вулкана и на границе разлома. Говоря «разлом», я имею в виду не только геологическое явление. Со стороны Бали кажется райским островком, однако не стоит забывать, что он находится в Индонезии, которая является самой многочисленной исламской страной в мире, нестабильной по определению, коррумпированной насквозь — от верхов законодательной власти до того парня, что заправляет бензином вашу машину и делает вид, что залил полный бак. В любой момент здесь может грянуть революция, и победившие вполне могут присвоить всю вашу собственность. Под дулом пистолета.

Я совершенно неподготовленный человек, чтобы заниматься этими сомнительными делами. То есть, конечно, на моем счету бракоразводный процесс в штате Нью-Йорк, но это же совсем другая история. Тем временем восемнадцать тысяч долларов, собранные мной, моими родственниками и близкими друзьями, лежат себе на банковском счету у Вайан в форме индонезийских рупий. А эта валюта уже не раз обесценивалась совершенно внезапно, превращая накопления в дым. Вайан должна освободить помещение лавки в сентябре, примерно тогда, когда мне пора будет уехать из страны. То есть через три недели.

Однако найти участок, который Вайан посчитала бы подходящим для постройки дома, оказывается нереальным. Помимо практических соображений, ей приходится также иметь дело с *таксу* — духом каждого дома. Будучи врачевательницей, Вайан очень остро чувствует *таксу*, даже по балинезийским меркам. Мы нашли одно местечко, которое мне показалось просто идеальным, — но Вайан заявила, что там живут злые демоны. Другой участок был отвергнут из-за слишком близкого соседства с рекой — всем известно, что у реки живут призраки. (После того как мы осмотрели это место, Вайан приснилась красивая женщина в разорванной одежде, которая плакала, и решение было принято — землю нельзя покупать.) Потом мы нашли замечательный магазинчик рядом с городом — там был и задний дворик, и все остальное, — но дом стоял на углу, а лишь тот, кто хочет обанкротиться и рано умереть, селится в доме на углу. Это всем известно.

— Даже не пытайся ее отговорить, — посоветовал Фелипе. — Поверь, милая. Не стоит вставать между балинезийцами и их *таксу*.

И вот на прошлой неделе Фелипе наконец нашел место, в точности подходящее по всем пунктам: маленький живописный участок земли недалеко от центра Убуда, на тихой улице рядом с рисовым полем, с большой территорией под сад и вполне в пределах нашего бюджета. Но когда я предложила Вайан его купить, та ответила:

— Не знаю, Лиз. Такое решение нельзя принимать слишком спешно. Сначала нужно поговорить со священником.

Она объяснила, что нужно посоветоваться со священником и определить благоприятный день для покупки земли — если, конечно, она вообще решит ее купить. Потому что на Бали сперва выбирают благоприятный день, а потом уже совершают любой значительный поступок. Но нельзя спрашивать священника, прежде чем она не решит, хочет ли жить в этом месте. А решение Вайан отказывается принять до тех пор, пока ей не приснится благоприятный сон! Так как мне скоро пора уезжать, я спрашиваю ее чисто по-нью-йоркски:

— А можно как-нибудь устроить, чтобы этот сон приснился побыстрее?

А Вайан отвечает чисто по-балинезийски:

— Такие вещи в спешке не делаются.

Хотя, добавляет она, можно пойти в один из больших храмов на Бали и принести подношение, помолиться богам, чтобы те послали ей благоприятный сон...

— Ладно, — оборвала ее я. — Завтра Фелипе отвезет тебя в большой храм, ты принесешь подношение и попросишь богов послать тебе благоприятный сон.

С удовольствием, говорит Вайан. Отличная идея. Но есть одна проблема. На этой неделе ей нельзя ходить в храм.

Потому что у нее месячные.

## 104

*В*озможно, мне не удается передать весь юмор происходящего, но это действительно очень смешно; странное, но приятное занятие — пытаться распутать клубок. А может, мне просто нравится сюрреалистический этап в моей жизни, потому что я влюбляюсь, а когда влюбляешься — мир всегда кажется прекрасным, какой бы безумной ни была реальность.

Мне всегда нравился Фелипе. Но за этот месяц — август — его участие в саге с домом Вайан сближает нас, как настоящую пару. Ведь его совершенно не касается, что произойдет с этой чудаковатой врачевательницей с Бали. Он — деловой человек. Прожил на Бали пять лет, и все это время ему удавалось не слишком близко соприкасаться с личной жизнью и сложными ритуалами балинезийцев — и вот он вдруг идет рядом со мной через грязные рисовые поля и пытается отыскать священника, который выбрал бы для Вайан благоприятный день...

— Пока ты не появилась, моя жизнь была идеально скучной, — все время повторяет он.

Фелипе действительно было скучно на Бали. Он пребывал в апатии и убивал время, как персонаж романов Грэма Грина. Но праздности пришел конец в ту минуту, как мы познакомились. Теперь, когда мы вместе, Фелипе рассказывает мне свою версию истории нашего знакомства, и это чудесный рассказ, который я никогда не устану слушать, — о том, как он увидел меня в тот вечер на вечеринке, я стояла к нему спиной, и, еще прежде чем я повернула голову и он увидел мое лицо, он понял в глубине души: «Это моя женщина. Я сделаю все, чтобы ее заполучить».

— И это оказалось просто, — говорит он. — Мне всего-то понадобилось просить и умолять каких-то несколько недель.

— Ты не просил и не умолял.

— Неужели ты не замечала?

Фелипе вспоминает, как в первый вечер мы пошли танцевать и он смотрел, как меня тянет к тому красавчику из Уэльса. Его сердце упало, когда он увидел, как разворачиваются события, он подумал: «Я так стараюсь соблазнить эту женщину, но сейчас молодой смазливый парень уведет ее у меня, и из-за него в ее жизни возникнет столько осложнений, — а если бы она знала, сколько любви я могу ей предложить».

И это так. Фелипе заботлив от природы, и я чувствую, что он словно вертится вокруг меня по орбите, а я — главное направление на его компасе. Он становится моим рыцарем-защитником. Фелипе из тех мужчин, кому обязательно нужна женщина, но не для того, чтобы заботились о нем, а чтобы у него появился кто-то, за кем можно ухаживать, кто-то, кому посвятить себя. С тех пор как они с женой разошлись, у него не было таких отношений и он чувствовал себя потерянным, однако теперь, когда у него есть я, все снова встает на места. Мне очень нравится его отношение. Но оно и пугает меня. Иногда, когда он готовит мне ужин внизу, насвистывая беззаботную бразильскую самбу, и кричит: «Дорогая, хочешь еще бокал вина?» — а я тем временем прохлаждаюсь наверху с книжкой, я невольно задумываюсь, способна ли стать чьим-то солнцем, смыслом чьей-то жизни. Есть ли в моей жизни центр, чтобы я могла стать центром чьей-то вселенной? Но когда я наконец заговорила об этом с Фелипе, он ответил:

— А я просил тебя становиться таким человеком, милая? Просил быть смыслом моей жизни?

Мне тут же стало стыдно за свое тщеславие, за то, что я подумала, будто он хочет остаться рядом со мной вечно, чтобы до конца жизни потакать моим капризам.

— Извини, — ответила я. — Я немножко задрала нос, да?

— Немножко, — согласился он и поцеловал меня в ухо. — Но не слишком. Дорогая, конечно, нам стоит поговорить об этом, потому что от правды не убежишь, — я безумно влюблен в тебя. — Я побледнела, и он быстро обратил все в шутку, пытаясь меня успокоить: — Я говорю чисто гипотетически, конечно. — Но потом добавил совершенно серьезно: — Сама посуди: мне пятьдесят два года. И поверь, я уже успел понять, как устроен мир. Я вижу, что ты не любишь меня так сильно, как я тебя, но, если честно, мне все равно. Ты почему-то вызываешь во мне те же чувства, что мои дети, когда они были маленькими, и от них не требовалось меня любить — это я должен был любить их. Твои чувства зависят от тебя, но я люблю тебя и буду любить всегда. Даже если мы никогда больше не увидимся, ты вернула меня к жизни, а это многое значит. И конечно, мне хотелось бы прожить рядом с тобой всю жизнь. Единственная проблема в том, что я не знаю, что за жизнь будет у нас на Бали.

Меня это тоже беспокоит. Понаблюдав за экспатами, живущими в Убуде, я с полной уверенностью могу заявить, что такая жизнь не для меня. Все, кто живет в этом городе, — люди с одинаковым характером — европейцы и американцы, — которых так потрепала жизнь, что они совсем опустили руки и решили зависнуть на Бали на неопределенный срок. Ведь здесь можно снимать потрясающей красоты дом всего за двести баксов, взять себе молоденького балинезийского любовника или любовницу, пить до полудня, не вызывая осуждения окружающих, и даже зарабатывать кое-какие деньги, занимаясь, к примеру, экспортом мебели. Но в общем и целом, эти люди занимаются здесь одним и тем же: обеспечивают себе такую жизнь, в которой с них никогда и никто больше ничего не спросит. И не думайте, что это отбросы общества. Нет, речь идет об очень достойных людях разных национальностей, не лишенных таланта и интеллекта. Но такое впечатление, что все, кого я здесь встречаю, когда-то были кем-то (как правило, имели семью и работу); теперь же их объединяет лишь отсутствие одного качества, от которого они отказались полностью и навсегда: амбициозности. Стоит ли говорить, что пьянство тут весьма распространено.

Разумеется, чудесный балинезийский городок Убуд — не худшее место на Земле, где можно прожигать жизнь, не обращая внимания на течение времени. В некотором роде Убуд напоминает такие городки, как Ки-Уэст во Флориде или мексиканскую Оахаку*. Большинство экспатов даже не могут толком ответить на вопрос, как давно они здесь. Мало того, они даже не знают, сколько времени прошло с тех пор, как они переехали на Бали. Впрочем, они не уверены и в том, живут ли здесь вообще или нет. Они существуют вне времени и пространства, ни к чему не привязаны. Кому-то нравится думать, что они живут здесь временно, переключив мотор на холостой ход на светофоре и поджидая смены сигнала. Но, когда встречаешь человека, прожившего здесь семнадцать лет, невольно задаешься вопросом: а реально ли вообще отсюда уехать?

Их праздная компания очень приятна — долгие воскресные дни за бранчем, шампанским и разговорами ни о чем. И все же в таком окружении я чувствую себя, как Дороти на маковых полях в стране Оз. *Будь осторожна! Не усни на поле дурманного мака, иначе так и продремлешь здесь всю жизнь!*

Так что же станет со мной и Фелипе? Теперь, когда я и Фелипе, похоже, превратились в «мы с Фелипе»? Недавно он признался: «Порой я жалею, что ты не заблудившаяся маленькая девочка, которую можно было бы подхватить на руки и сказать: пойдем, теперь ты будешь жить со мной, я стану заботиться о тебе до конца жизни. Но ты не маленькая девочка. Ты женщина, у тебя есть карьера, есть амбиции. Ты — как улитка: носишь свой домик на спине. Ты должна сохранить эту свободу как можно дольше. Но я вот что хочу сказать: если тебе нужен твой бразилец, он здесь. Я принадлежу тебе».

А я не уверена, что это мне нужно. Я знаю, что в глубине души мне всегда хотелось услышать от мужчины обещание заботиться обо мне вечно, и прежде никто мне ничего подобного не говорил. В последние несколько лет я перестала искать такого человека и научилась сама говорить себе эти теплые слова, особенно когда мне страшно. Но услышать их теперь от человека, который говорит так искренне...

---

* В курортном городке Ки-Уэст в свое время жили многие современные писатели, в том числе Эрнст Хемингуэй и Теннесси Уильямс; Оахака – город, где жил Карлос Кастанеда.

Вот о чем я думала вчера ночью, когда мы с Фелипе уснули. Свернувшись рядом с ним калачиком, я размышляла, что с нами будет. Какие у нас перспективы? Что делать с расстояниями, разделяющими нас, где мы будем жить? Не говоря уж о разнице в возрасте. Хотя, когда на днях я позвонила маме и призналась, что встретила очень хорошего человека, но — «не падай, мам, — ему пятьдесят два», ее это совершенно не смутило. Она лишь ответила: «Ну знаешь, Лиз, у меня для тебя новость. Тебе тридцать пять». (Отличное замечание, мам. Такой древней старухе, как я, вообще повезло хоть кого-то найти!) Но, если серьезно, меня не пугает разница в возрасте. Мне даже нравится, что Фелипе намного меня старше. Мне это кажется сексуальным, это так... по-французски.

Так что же с нами будет?

И почему меня это волнует?

Неужели я до сих пор не поняла, что бессмысленно беспокоиться о будущем?

И вот спустя какое-то время я отбросила все мысли и просто обняла Фелипе, пока он спал. *Кажется, я влюбляюсь в него.* А потом уснула рядом с ним, и мне приснились два очень ярких сна.

В обоих была моя гуру. В первом сне она сказала мне, что закрывает ашрамы и больше не будет выступать, учить и публиковать книги. Она выступила перед учениками в последний раз и сказала: «Я долго учила вас. Вы получили все, что нужно, чтобы стать свободными. Теперь пора вернуться в мир и начать жить счастливо».

Второй сон окончательно развеял мои сомнения. В нем мы с Фелипе ужинали в шикарном ресторане в Нью-Йорке. Перед нами стояло вкуснейшее угощение — отбивные из барашка, артишоки, хорошее вино, — и мы весело болтали и смеялись. Тут я посмотрела через зал и увидела Свамиджи, учителя моей гуру, который умер в тысяча девятьсот восемьдесят втором году. Но тут он был живой, собственной персоной в модном нью-йоркском ресторане. Он ужинал с друзьями, и, похоже, им тоже было очень весело. Мы переглянулись через зал, Свамиджи улыбнулся и отсалютовал мне бокалом.

А потом этот усохший индийский старичок, за жизнь не произнесший почти ни одного слова по-английски, очень отчетливо прошептал, обращаясь ко мне с другого конца зала:

*Наслаждайся.*

## 105

Я очень давно не виделась с Кетутом Лийером. Роман с Фелипе и попытки найти дом для Вайан положили конец нашим долгим бесцельным разговорам на духовные темы на крылечке. Я пару раз заезжала к нему поздороваться и завезти Ниомо фрукты в подарок, но как следует пообщаться не удавалось с июня. Правда, когда я пытаюсь извиниться перед Кетутом за свое исчезновение, он смеется, как человек, которому уже известна разгадка всех ребусов вселенной, и отвечает:

— Все складывается просто идеально, Лисс.

И все же я скучаю по старику, поэтому сегодня утром заехала, чтобы посидеть у него подольше. Он просиял, увидев меня, и как обычно сказал:

— Рад познакомиться!

(Я так его и не переучила.)

— Я тоже рада *видеть* тебя, Кетут.

— Ты скоро уезжаешь, Лисс?

— Да, Кетут. Меньше чем через две недели. Поэтому я и пришла сегодня. Хотела поблагодарить тебя за все, что ты для меня сделал. Если бы не ты, я бы и не вернулась на Бали.

— Ты все равно бы вернулась, — ответил он без сомнения и без излишней торжественности. — Ты делаешь медитацию четырех братьев, которой я тебя учил?

— Да.

— А медитацию, которой тебя научила индийская гуру?

— Да.

— Тебе по-прежнему снятся кошмары?

— Нет.

— Ты счастлива, что нашла Бога?

— Очень.

— Любишь своего нового бойфренда?

— Кажется, да. Да.

— Тогда ты должна его баловать. И он должен баловать тебя.

— Хорошо, — пообещала я.

— Ты мой хороший друг. Лучше, чем друг. Ты мне как дочь, — сказал Кетут. («Не то что Шэрон...») — Когда я умру, приезжай на Бали, посмотришь мою кремацию. Церемония кремации на Бали — это очень весело, тебе понравится.

— Ладно, — снова пообещала я, растрогавшись чуть ли не до слез.

— И сделай доброе дело. Если кто из твоих друзей приедет на Бали, пусть приходят ко мне за предсказанием по руке — у меня в кармане совсем пусто с тех пор, как взорвались те бомбы. Хочешь пойти со мной на благословение младенца?

Так я и оказалась на церемонии благословения младенца, которому исполнилось полгода. В этом возрасте ребенок готов впервые коснуться земли. Балинезийцы не разрешают детям дотрагиваться до земли в первые полгода жизни, так как новорожденные считаются богами, посланными с небес, а богам не пристало ползать по полу, где валяются обрезки ногтей и сигаретные окурки. Поэтому первые полгода детей на Бали везде носят на руках и боготворят, как маленьких небожителей. Если младенец умирает прежде, чем ему исполняется шесть месяцев, устраивают особую церемонию кремации, а пепел не хоронят на кладбище, так как считается, что ребенок так и не стал человеком, а был в своей жизни лишь богом. Но если ребенок доживает до полугода, проводится пышная церемония, его наконец ставят ножками на землю, и малый становится одним из человеческой расы.

Сегодняшняя церемония состоялась в доме одного из соседей Кетута. Благословляли девочку по прозвищу Путу. Ее родителями были красивая девочка-подросток и не менее красивый мальчик столь же нежного возраста, внук двоюродного брата Кетута или что-то вроде того. Ради церемонии Кетут нарядился в свое лучшее платье — белый атласный саронг, отороченный золотом, и белый пиджак с длинными рукавами, застегнутый на все пуговицы, с воротником-стойкой. В таком одеянии Кетут стал похож на вокзального носильщика или дворецкого в роскошном отеле. Вокруг головы он обернул белый тюрбан. Кетут с гордостью продемонстрировал мне свои руки, унизанные золотыми кольцами и магическими драгоценными камнями, — всего около семи колец. И все наделены волшебной силой. Еще у Кетута был медный колокольчик его отца, призывающий духов. Он попросил меня побольше его пофотографировать.

Мы вместе пошли в дом его соседа. Он был довольно далеко, и часть пути пришлось идти по людной главной улице. За четыре месяца на Бали я ни разу не видела, чтобы Кетут выходил из своего дому. И мне было не по себе смотреть, как он идет по шоссе, обгоняемый несущимися автомобилями и безумными мотоциклами. Он казался таким маленьким и хрупким. Ему было совсем не место на современной запруженной улице, среди ревущих автомобильных гудков. Мне почему-то захотелось плакать, впрочем, я и так сегодня слишком расчувствовалась...

Когда мы пришли, в доме соседа уже собралось около сорока гостей, а на семейном алтаре громоздились подношения: груды плетеных корзинок из пальмовых листьев, наполненные рисом, цветами, благовониями, жареными поросятами, гусями и курами, кокосами и бумажными деньгами, трепыхавшимися на ветру. Все гости были разодеты в свои самые элегантные шелковые и кружевные наряды. И я на фоне всего этого великолепия — одетая по-простецки, вспотевшая от катания на велосипеде, в позорной мятой майке. Но если бы вы были белой женщиной, которая ввалилась на праздник одетая черт знает как и без приглашения, вы были бы рады получить такой прием, какой получила я. Все дружелюбно мне заулыбались, после чего перестали обращать на меня всякое внимание и перешли к той части праздника, где все сидят и разглядывают чужие наряды.

Церемония под руководством Кетута длилась несколько часов. Объяснить происходящее мог бы лишь антрополог и команда переводчиков, однако некоторые ритуалы были мне знакомы — по рассказам Кетута и прочитанным книжкам. Во время первого этапа благословения отец держал на руках малышку, а мать — куклу, запеленатый кокос, напоминающий новорожденного. Кокос освятили и окропили святой водой, как настоящего ребенка, а потом положили на землю, перед тем как ее впервые коснулась нога малышки. Это было сделано для того, чтобы одурачить демонов, которые набросились на куклу и не тронули настоящего ребенка.

Однако, прежде чем ребенка поставили на землю, Кетут еще несколько часов распевал мантры. Он звонил в свой колокольчик и затягивал бесконечную молитву, а юные родители светились от радости и гордости. Гости приходили и уходили, сновали по двору, сплетничали, наблюдали за церемонией, дарили подарки и уходили по другим делам. Их присутствие выглядело до странного обычным на фоне торжественности древних ритуалов: с одной стороны, атмосфера строгая, как в церкви, с другой — ни дать ни взять пикник на заднем дворе. Кетут пел малышке чудесные мантры, преисполненные священным духом и в то же время нежностью. Мать держала ребенка на руках, а Кетут тем временем помахивал перед его носом разными лакомствами, фруктами, цветами, водой, колокольчиками, жареным куриным крылышком, кусочком свиного мяса, раскрытым кокосом... Каждый новый предмет сопровождался мантрой. Малышка смеялась и хлопала в ладоши, Кетут тоже смеялся и продолжал петь.

Я представила, что он может говорить:

— У-у-у-у... малышка, вот тебе жареная курица! В один прекрасный день ты полюбишь это лакомство, и, надеюсь, его у тебя будет в достатке! У-у-у-у... малышка, вот комочек вареного риса, пусть у тебя всегда будет столько риса, сколько пожелаешь, пусть рис всегда будет сыпаться с неба. У-у-у-у... а вот кокос, смотри, как смешно он выглядит. Однажды ты сможешь есть сколько угодно кокосов! У-у-у-у... а вот твоя семья, ты только посмотри, как они тебя обожают! У-у-у-у... малышка, вся вселенная обожает тебя. Ты самая лучшая! Наш милый зайчик! Красавица и ненаглядница! У-у-у-у малышка, наша маленькая принцесса, счастье наше...

Все гости церемонии получили благословение в виде цветочных лепестков, смоченных святой водой. Члены семьи по очереди передавали ребенка друг другу, агукали ей, пока Кетут пел древние мантры. Даже мне разрешили немножко подержать малышку — мне, в моих джинсах, — и я прошептала ей собственное напутствие, пока все распевали хором. «Удачи, — сказала я. — Будь храброй девочкой». Жара стояла нещадная, даже в тени. Юная мама в соблазнительном бюстье под прозрачной кружевной рубашкой вся вспотела. Молодой отец, который будто не способен был придать лицу иное выражение, кроме сияющей гордой улыбки, тоже был весь потный. Бабульки обмахивались, присаживались, когда уставали, потом снова поднимались и суетились вокруг жертвенных жареных поросят, отгоняя собак. Все то с интересом наблюдали за действом, то теряли интерес, утомлялись, начинали смеяться, а потом снова становились серьезными. Но Кетут и малышка были полностью поглощены своим совместным занятием, их внимание было приковано друг к другу. Весь день малышка не сводила глаз со старика врачевателя.

Вы когда-нибудь видели, чтобы шестимесячный ребенок не плакал, не капризничал и не спал четыре часа подряд на палящем солнце, а лишь смотрел на кого-то с любопытством?

Кетут хорошо поработал, да и малышка тоже. Она полностью осознавала суть происходящего на церемонии, свой переход от божественного статуса к человеческому. Глубоко погруженная в ритуал, не сомневающаяся в том, во что верить, покорная требованиям культуры, она прекрасно справлялась со своими обязанностями, как и подобает настоящей балинезийке.

Когда пение наконец смолкло, ребенка завернули в длинную чистую белую простыню, свисавшую гораздо ниже ее крошечных ножек, в которой она казалась высокой и царственной, точно дебютантка на балу. Кетут нарисовал на дне глубокой глиняной тарелки схему четырех сторон света, наполнил ее святой водой и поставил на землю. Этот рисованный компас определял то святое место на земле, куда впервые ступит ножка ребенка.

Потом малышку окружили члены семьи, — казалось, все они держат ее одновременно, и — опа! — слегка окунули ее пяточку в глиняную тарелку со святой водой, строго над картинкой, изображавшей схему вселенной. А потом ножка ребенка впервые коснулась земли. Когда же наконец девочку снова подняли на руки, на земле остались крошечные мокрые следы, которые и указали ей ее место в великой балинезийской иерархии, а определив, *где* ее место, определили, и *кто* она. Все присутствующие радостно захлопали в ладоши. Малышка стала одной из нас. Человеком, со всеми присущими этому сложному статусу опасностями и радостями.

Малышка подняла головку, огляделась, улыбнулась. Она перестала быть богом, но, кажется, ее это не огорчило. Она не выглядела испуганной. Она казалась довольной всеми когда-либо принятыми ею решениями.

106

Сделка Вайан провалилась. Тот дом, что нашел для нее Фелипе, так и не удалось купить. Когда я спросила ее, что пошло не так, то получила какой-то невнятный ответ о неудавшейся сделке, но, кажется, реальную причину мне так и не сообщили. Да и неважно, главное — что ничего не вышло. Ситуация с домом Вайан начинает меня пугать. Я пытаюсь объяснить ей, что это срочно:

— Вайан, мне меньше чем через две недели уезжать и возвращаться в Америку. Как я посмотрю в глаза своим друзьям, которые дали мне эти деньги, как объясню, что дом ты так и не купила?

— Но, Лиз, в том месте был плохой *таксу*.

Видимо, у нас разные понятия о том, что значит срочно.

Но через несколько дней Вайан приходит к Фелипе домой, вся сияющая. Оказывается, она нашла другой участок земли, и он ей нравится. Изумрудное рисовое поле на тихой улице, недалеко от города. Там хороший *таксу*, это сразу чувствуется. Вайан объясняет, что земля принадлежит фермеру, другу отца, которому срочно нужны деньги. На продажу выставлены семь *аро*, но деньги нужны срочно, поэтому он согласится продать ей всего два *аро*, на которые ей хватит. Участок ей нравится. Он понравился и мне. И Фелипе. И Тутти, которая кругами бегает по траве, раскинув руки — наша балинезийская Джулия Эндрюс*.

— Покупай, — говорю я Вайан.

Однако проходит несколько дней, но ничего не происходит.

— Ты хочешь там жить или нет? — спрашиваю я.

Вайан снова тянет время, а потом сообщает, что обстоятельства опять изменились. Сегодня утром, говорит она, фермер позвонил и сказал, что уже не уверен, хочется ли ему продавать ей всего два *аро*; не лучше ли продать весь участок — семь *аро* — целиком... Это все его жена... Фермер должен поговорить с ней и выяснить, разрешит ли она разбить участок.

И Вайан говорит:

— Вот если бы у меня было чуть больше денег...

О Господи, теперь она хочет, чтобы я накопила ей на все семь *аро*! И хотя в уме я прикидываю, удастся ли собрать непомерную сумму в двадцать две тысячи, вслух говорю:

— Вайан, я не смогу, таких денег у меня нет. Неужели нельзя договориться с фермером?

И тут Вайан, которая уже избегает смотреть мне в глаза, плетет очень запутанную историю. Якобы на днях она пошла к экс-

---

* Американская певица и актриса, звезда мюзиклов «Моя прекрасная леди», «Мэри Поппинс», «Звуки музыки».

трасенсу, тот вошел в транс и сказал, что ей просто необходимо купить эти семь *аро* земли и построить там хорошую клинику... что это судьба... а еще экстрасенс сообщил, что если Вайан удастся купить весь участок, в один прекрасный день она могла бы построить там роскошный отель...

Роскошный отель?

*Ага.*

Именно в этот момент у меня вдруг отключается слух, птички перестают петь, и я смотрю на Вайан и вижу, что ее губы двигаются, но не слышу ее, потому что вдруг поняла кое-что, и это осознание теперь горит огненными буквами у меня в голове:

ОНА ПУДРИТ МНЕ МОЗГИ.

Я встаю, прощаюсь с Вайан, медленно иду домой и в лоб спрашиваю Фелипе:

— Она что, пудрит мне мозги?

Ведь он ни разу не высказал своего мнения по поводу всей этой катавасии с Вайан.

— Дорогая, — спокойно отвечает он, — *естественно,* она пудрит тебе мозги. — Сердце с уханьем уходит в пятки. — Но не нарочно, — поспешно добавляет он. — Ты должна понять балинезийский менталитет. Здесь люди живут лишь тем, что по максимуму выжимают деньги из туристов. Только так можно выжить. Значит, теперь она наплела какую-то ерунду про фермера? Милая, с каких это пор мужчины на Бали советуются с женой, прежде чем заключить сделку? Я скажу тебе, в чем дело — этот парень наверняка готов продать ей хоть два *аро,* хоть сколько; они обо всем уже договорились. Но ей теперь захотелось весь участок. И она хочет, чтобы ты его ей купила.

Мне становится не по себе по двум причинам. Во-первых, не хочется думать, что Вайан и вправду способна на такое. И, во-вторых, мне ненавистна культурная подоплека слов Фелипе, которые попахивают колониальным превосходством белого человека и намеком свысока: «Чего ты хочешь от этих дикарей — они все такие».

Но Фелипе — не колонизатор, а бразилец. Он объясняет:

— Я сам вырос в нищете в Южной Америке. Думаешь, я не понимаю психологию людей, живущих в бедности? Ты дала Вайан столько денег, сколько она в жизни не видела, и у нее снесло крышу. Поставь себя на ее место — ты для нее чудесный благодетель, и это может быть ее последний шанс вырваться. Поэтому она хочет выжать из тебя по максимуму, пока ты не уехала. Да ты вспомни: четыре месяца назад у бедняги не было денег, чтобы покормить ребенка, — а теперь подавай ей роскошный отель!

— И что мне делать?

— Что бы ни случилось, не выходи из себя. Если рассердишься, потеряешь ее и пожалеешь об этом, потому что она — замечательный человек и любит тебя. Просто у нее такая тактика выживания, и лучше с этим смириться. Не надо думать, что она — плохой человек или что ей и детям не нужна твоя помощь. Но ты не должна позволить ей использовать тебя. Дорогая, я сто раз наблюдал такую ситуацию. Европейцы, долго живущие на Бали, рано или поздно делятся на два лагеря. Половина продолжают строить из себя туристов, восторгаются «этими милыми балинезийцами, такими улыбчивыми, такими любезными...» — и их обирают до нитки. Других же до такой степени выводят из себя постоянные попытки содрать с них деньги, что они начинают ненавидеть местных. И зря — ведь тогда они теряют всех своих замечательных друзей.

— Но мне-то что делать?

— Ты должна вернуть себе контроль над ситуацией. Начать вести игру наподобие той, что она ведет с тобой. Пригрози ей чем-нибудь, что подтолкнет ее к действию. Ты сама сделаешь ей одолжение: ведь ей нужен дом.

— Я не хочу вести никакую игру, Фелипе.

Он целует меня в макушку.

— Тогда ты не сможешь жить на Бали, милая.

Наутро я придумываю план действий. Это просто невероятно: целый год я училась добродетели и изо всех сил старалась вести честную жизнь, и вот теперь собираюсь сфабриковать большую наглую ложь, соврать самой любимой моей подруге на Бали, почти сестре, которая... которая прочистила мне почки! Соврать матери Тутти!

Я иду в город, в лавку Вайан. Та бежит ко мне с объятиями. Но я отстраняюсь и делаю вид, что расстроена.

— Вайан, — произношу я, — нам надо поговорить. У меня серьезные проблемы.

— С Фелипе?

— Нет. С тобой. — У нее такой вид, будто она сейчас упадет в обморок. — Вайан, — продолжаю я, — мои друзья из Америки очень сердятся на тебя.

— На меня? Но почему, детка?

— Потому что четыре месяца назад они дали тебе много денег на покупку дома, а ты его так и не купила. Они каждый день присылают мне письма и спрашивают: «Покажи нам дом Вайан! Где наши деньги?» Они начали думать, что ты украла их деньги и используешь для чего-то еще.

— Я не крала!

— Вайан, — заключаю я, — мои американские друзья думают, что ты их... кинула.

Вайан разевает рот, точно ее ударили под дых. У нее такой обиженный вид, что на секунду я чуть было не отказываюсь от своего плана, чуть было не обнимаю ее и не говорю: «Это все неправда! Я все выдумала!» Но нет, я должна закончить дело. И похоже, мне удалось задеть ее за живое. Просто слово «кинуть» для балинезийцев имеет гораздо большее эмоциональное значение, чем любое другое в английском языке. Кидала — одно из худших оскорблений на Бали. В балинезийском обществе, где люди успевают кинуть друг друга десяток раз до завтрака, где обман превратился в вид спорта, искусство, привычку, отчаянную тактику выживания, назвать кого-то кидалой в лоб просто немыслимо. Будь мы в Европе восемнадцатого века, это непременно спровоцировало бы дуэль.

— Милая, — у Вайан слезы на глазах, — я не кидала!

— Я знаю, Вайан. Поэтому я так расстроена. Пытаюсь объяснить своим американским друзьям, что Вайан не стала бы их кидать, но они мне не верят.

Она берет меня за руку.

— Извини, что из-за меня у тебя такие неприятности, детка.

— Вайан, ты даже не представляешь, какие у меня неприятности! Мои друзья злятся. Они говорят, что ты должна купить землю прежде, чем я уеду в Америку. И что если ты не купишь землю на следующей неделе, мне придется... *забрать деньги*.

Теперь у Вайан такой вид, будто она не просто упадет в обморок, но откинет копыта на месте. Я чувствую себя самой отвратительной мерзавкой в истории человечества, запудривая мозги бедной женщине, которая к тому же явно не понимает, что у меня не больше шансов забрать деньги с ее счета в банке, чем лишить ее индонезийского гражданства. Но откуда ей знать, что я могу, а что — нет? Я же сделала так, что деньги как по волшебству появились на ее банковском счету, не так ли? Так почему бы мне теперь так же волшебно их не отнять?

— Милая, — лопочет она, — поверь, я найду землю сейчас же, не волнуйся, я найду землю очень быстро. Прошу тебя, не волнуйся... обещаю, через три дня все будет улажено.

— Ты должна это сделать, Вайан, — серьезно говорю я и на этот раз не притворяюсь.

Она действительно должна. Ее детям нужен дом. Ее вот-вот вышвырнут на улицу. Сейчас не время для махинаций.

— Я еду к Фелипе, — говорю я. — Позвони, когда купишь землю.

И я ухожу из дома подруги, чувствуя, что она смотрит мне вслед, но не оборачиваясь и не глядя на нее. И по дороге домой все время повторяю вот такую странную молитву: «Прошу Тебя, Господи, сделай так, чтобы это оказалось правдой, что Вайан действительно пыталась меня обмануть». Потому что, если это был не обман и ей действительно не удается найти место для жилья, даже за восемнадцать тысяч долларов, нас ждут серьезные неприятности, и я понятия не имею, удастся ли Вайан когда-либо вырваться из нищеты. Но если она обманывала меня, то это в некоторой степени лучик надежды. Это значит, что у нее есть хватка, что она способна выжить в нашем лживом мире.

Я возвращаюсь к Фелипе. Чувствую себя просто отвратительно.

— Если бы Вайан только знала, какие коварные интриги я плела за ее спиной!

— Но эти интриги ради счастья и успешного завершения дела, — договаривает Фелипе за меня.

Через четыре часа — каких-то жалких четыре часа! — в доме Фелипе звонит телефон. Вайан. Запыхавшаяся. Она хочет сообщить мне, что дело закончено: она только что купила два *аро* земли у фермера (чья «жена» неожиданно оказалась совсем не против разбить участок). Оказывается, не было никакой необходимости видеть магические сны, привлекать к делу священника, измерять степень злобности демонов... Вайан даже успела получить бумагу, подтверждающую собственность на землю, и сейчас держит ее в руках! И она нотариально заверена! Она также уверяет меня, что уже заказала строительные материалы, и рабочие начнут работу в начале следующей неделе, еще до моего отъезда. Я собственными глазами смогу убедиться, что дом строится. Она надеется, что я не держу на нее зла. И говорит, что любит меня больше, чем саму себя, больше, чем свою жизнь, больше, чем весь мир.

Я отвечаю, что тоже ее люблю. И что ждусь не дождусь, когда в один прекрасный день можно будет приехать в гости в ее красивый новый дом. А еще мне нужна копия документа на землю.

Стоит мне повесить трубку — как Фелипе говорит:

— Молодец.

Не знаю, относится это ко мне или к Вайан, но Фелипе открывает бутылку вина, и мы поднимаем бокалы за нашу дорогую подругу Вайан, владелицу участка земли на Бали.

А потом Фелипе говорит:

— Может, теперь поедем отдохнуть?

107

Мы едем в отпуск на маленький остров Джили-Мено рядом с Ломбоком, следующим островом огромного, растянувшегося в длину индонезийского архипелага к востоку от Бали. Мне приходилось бывать на Джили-Мено, и я хотела показать остров Фелипе, который раньше там не бывал.

Для меня Джили-Мено — одно из самых важных мест на планете. Я впервые побывала здесь два года назад, во время первого путешествия на Бали по заданию журнала, когда мне поручили написать статью о йога-семинарах. Закончился наш двухнедельный йога-тур, после которого я чувствовала себя невероятно отдохнувшей, но я решила остаться в Индонезии подольше — раз уж меня забросило так далеко в Азию. Мне хотелось найти какое-нибудь очень уединенное местечко и десять дней прожить в абсолютном одиночестве и тишине.

Четыре года, прошедшие после того, как я поняла, что мой брак разваливается, и до того дня, когда я наконец получила развод и стала свободной, были хроникой нечеловеческой боли. И мой приезд на этот маленький остров в полном одиночестве совпал с самым жутким периодом того темного времени. То было самое дно боли, самая ее сердцевина. Мой несчастный разум превратился в поле боя для враждебных демонов. И вот, решив провести десять дней одна, в тишине в дикой глуши, я обратилась к своим противоречивым, спутанным чувствам: «Нам всем придется пожить здесь вместе, в одиночестве. И мы должны научиться ладить, иначе все рано или поздно погибнут».

Со стороны может показаться, что я действовала твердо и уверенно, однако должна признать, что никогда в жизни мне не было так страшно, как тогда, когда лодка везла меня на тихий остров. Я не взяла даже книг — ничего, что могло бы меня отвлечь. Лишь я и мое сознание — лицом к лицу в чистом поле. Помню, ноги у меня дрожали от страха. Я вспомнила одну из любимых фраз моей гуру: «Страх — да кого он может испугать?» — и отправилась в путешествие одна.

Я сняла маленькую хижину на пляже за пару долларов в день, закрыла рот на замок и поклялась не открывать его, пока что-то внутри меня не изменится. Остров Джили-Мено стал местом, где состоялось мое главное слушание, открывшее правду и примирившее все стороны. Одно было ясно сразу: я выбрала правильное место. Крошечный остров, идеальная чистота, песок, голубой океан, пальмы. Остров представляет собой идеальной формы круг, рассеченный одной-единственной дорогой; обойти его по периметру можно примерно за час. Он расположен почти ровно на экваторе, поэтому суточные циклы здесь неизменны. Солнце восходит примерно в полседьмого утра с одной стороны острова и заходит в полседьмого вечера с другой — и так каждый день, весь год. На Джили-Мено живут немногочисленные мусульманские рыбацкие семьи. Здесь нет ни одного уголка, откуда не было бы слышно океан. Машин и мотоциклов нет. Электричество подается от генератора и включается всего на пару часов после наступления темноты. Это самое тихое место, где мне приходилось бывать.

Каждое утро на рассвете я обходила остров по периметру и то же самое делала на закате. А остальное время просто сидела и наблюдала. Наблюдала за своими мыслями, эмоциями, за рыбаками. Мудрецы йоги говорят, что вся боль человеческой жизни происходит от слов, но и вся радость тоже. Мы придумываем слова, чтобы выразить наши переживания, и эти слова провоцируют те или иные чувства, дергая нас за собой, как собаку на поводке. Мы усваиваем те мантры, что повторяем про себя (*я неудачница... у меня никого нет... я неудачница... у меня никого нет...*), и становимся живым их воплощением. Но ненадолго перестав говорить, мы пытаемся освободиться от власти слов, прекратить задыхаться под их тяжестью, сбросить груз наших собственных удушающих мантр.

Потребовалось время, чтобы в моей голове наступила полная тишина. Даже закрыв рот, я обнаружила, что слова гудят в голове. Органы и мышцы, отвечающие за речь — мозг, горло, грудь, задняя часть шеи, — сохраняли остаточную вибрацию еще долго после того, как я прекратила говорить. Слова мелькали в голове искусственным эхом, как звуки и крики бесконечно отскакивают от стен закрытого бассейна, хотя детсадовская группа давно уже ушла. Чтобы шумовая пульсация затихла и мелькание прекратилось, понадобилось на удивление долгое время, — наверное, около трех дней.

А потом все стало выползать на поверхность. Состояние полной тишины освободило место для ненависти и страха, которые теперь могли свободно распоряжаться моим опустошенным сознанием. Я чувствовала себя, как наркоман во время ломки, билась в конвульсиях выходящего из меня яда. Много плакала. Много молилась. Это было тяжело и страшно, но одно я знала точно: я не жалела ни на минуту, что приехала сюда и что была здесь одна. Я знала, что должна пройти через это и должна сделать это в одиночку.

Кроме меня, из туристов на острове были лишь несколько парочек, приехавших на медовый месяц. (Джили-Мено — слишком красивое и слишком оторванное от цивилизации место, чтобы приезжать сюда в одиночестве; лишь чокнутые способны на такое.) Я смотрела на них и завидовала их чувствам, но в то же время думала: «Сейчас не время для общения, Лиз. У тебя совсем другая цель». Я держалась подальше от всех. Люди на острове обходили меня стороной. Наверное, я их пугала. Весь год мне было очень плохо. Человек, который так долго мучился бессонницей, так сильно похудел, так много плакал в течение долгого времени, просто не может не выглядеть психопатом. Поэтому со мной никто не разговаривал.

Хотя нет, неправда. Кое-кто все-таки говорил со мной, причем каждый день. Это был маленький мальчик, один из тех ребят, что бегают по пляжам, пытаясь всучить туристам свежие фрукты. Ему было, наверное, лет девять, и, судя по всему, он был у ребят вожаком. Это был крутой оборвыш, я бы сказала — воспитанный улицей, да только улиц на Джили-Мено как таковых нет. Воспитанный пляжем, наверное. Невесть как он великолепно выучил английский — должно быть, пока доканывал загорающих туристов. И приклеился ко мне как пиявка. Никто не спрашивал меня, кто я такая, никто меня не трогал, но этот неугомонный ребенок каждый день приходил на пляж, садился рядом и начинал допытываться: «Почему ты всегда молчишь? Почему такая странная? Не делай вид, что не слышишь, — я знаю, ты меня слышишь. Почему ты все время одна? Почему никогда не ходишь купаться? Где твой бойфренд? Почему ты не замужем? Да что с тобой вообще такое?»

Мне хотелось крикнуть: «Отвали, парень! Тебе что, поручили озвучить мои самые мрачные мысли?»

Каждый день я пыталась мило улыбаться и отсылать его вежливым жестом, но он не уходил, пока ему не удавалось меня вывести. А это случалось неизбежно. Помню, как-то раз я не выдержала и наорала на него: «Я молчу, потому что пытаюсь достигнуть долбанного просветления, маленький ублюдок, а ну-ка ВАЛИ ОТСЮДА!»

И мальчишка убегал смеясь. Каждый день, добившись от меня ответа, он убегал, заливаясь смехом. Я тоже обычно начинала смеяться — стоило ему скрыться из виду. Я боялась этого приставучего мальца и ждала встречи с ним в одинаковой степени. Это был мой единственный шанс посмеяться в действительно тяжелое время. Святой Антоний писал о том, как отправился в пустыню и принял обет молчания. В духовном путешествии к нему являлись всевозможные видения, и демоны, и ангелы. Пребывая в одиночестве, ему порой встречались демоны, похожие на ангелов, и ангелы, похожие на демонов. А когда его спросили, как же он отличал тех от других, святой ответил, что это можно понять, лишь когда существо покидает тебя, по возникающим ощущениям. Если после его ухода пребываешь в смятении, то был демон. Если на душе легко — ангел.

Кажется, я знаю, кем был тот малец, которому всегда удавалось меня рассмешить.

На девятый день молчания как-то вечером, на закате я вошла в медитацию на пляже и так и просидела до полуночи. Я тогда подумала: «Сейчас или никогда, Лиз. — И обратилась к своему разуму: — Это твой шанс. Покажи мне все, что причиняет тебе боль. Позволь мне увидеть все это. Ничего от меня не скрывай». Постепенно мысли и горестные воспоминания подняли руки, встали, чтобы показать себя, и я посмотрела в лицо каждой мысли, каждой крупинке печали, признала их существование и прочувствовала их страшную боль, не пытаясь защитить себя. А потом обратилась к этой боли: «Все хорошо. Я люблю тебя. Я принимаю тебя. Войди в мое сердце. Все кончено». Я почувствовала, как боль, словно она была живым существом, входит в мое сердце, как в реально существующую комнату. Потом я сказала: «Кто следующий?» — и показалась следующая крупинка горя. И я снова посмотрела ей в лицо, прочувствовала ее боль, благословила ее и пригласила в свое сердце. Так я проделала с каждым горестным переживанием, которое когда-либо возникало у меня, пролистав свою память на много лет назад, пока не осталось ничего.

И тогда я обратилась к своему разуму: «Теперь покажи мне свой гнев». И один за другим, все те случаи, когда я испытывала гнев, поднялись в моей душе и дали о себе знать. Несправедливость, предательство, утрата, ярость — передо мной встал каждый случай, когда я переживала их, один за другим, и я признала их существование. Я прочувствовала каждый из них полностью, точно в первый раз, и сказала: «А теперь войдите в мое сердце. Там вас ждет покой. Там вам ничего не грозит. Все кончено. Там только любовь». Это продолжалось часами, меня швыряло от одного мощного полюса противоположных эмоций к другому — в одну секунду ярость, пробирающая до самых костей, в другую — полное спокойствие, когда гнев проник в мое сердце, словно через дверь, улегся, свернувшись калачиком, рядом со своими братьями и перестал сопротивляться.

Потом наступило самое сложное. «Покажи мне, чего ты стыдишься», — спросила я у себя. Знали бы вы, какие ужасы я увидела тогда. Позорную демонстрацию всех моих неудач, лживости, эгоизма, зависти, высокомерия. Но я даже не дрогнула, наблюдая все это. «Покажи мне все самое худшее», — попросила я. И, когда я попыталась пригласить эти презренные качества в свое сердце, они застыли у двери, словно уговаривая: «Нет, ты не хочешь, чтобы мы вошли туда... Ты, что же, не понимаешь, что мы натворили?» А я ответила: «Нет, хочу. Хочу, чтобы даже вы вошли в мое сердце. Даже вам там будут рады. Не бойтесь.

Я вас прощаю. Вы — часть меня. Теперь можете отдохнуть. Все прошло».

Когда все закончилось, я ощутила пустоту. Ничто больше не раздирало мой ум. Я заглянула в свое сердце и увидела все то хорошее, на что способна. Я увидела, что мое сердце не заполнено даже наполовину, хотя я только что приняла и поселила в нем целый выводок убогих горбунов и карликов — мою печаль, гнев и стыд. Но мое сердце могло бы принять и простить намного больше. Его любовь была безграничной.

Тогда я поняла, что именно так Бог любит нас и принимает и что нет на свете никакого ада — он существует разве что в наших запуганных умах. Потому что, даже если один потрепанный жизнью и ограниченный человечек способен, пусть даже всего раз, на абсолютное прощение и принятие себя, представьте — нет, вы только представьте! — что может простить и принять Господь, чье милосердие не ведает границ.

Я также поняла, что мое сердце успокоилось лишь временно. Я знала, что не разобралась в себе окончательно, что ярость, грусть и стыд еще покажут свои головы, покинув мое сердце и снова поселившись в моей голове. Знала, что мне снова и снова придется избавляться от этих мыслей, пока медленно, но верно я не изменю всю свою жизнь. И что это будет тяжело и утомительно. Но тогда, на пляже, в темноте и тишине, мое сердце обратилось к разуму и поклялось: «Я люблю тебя, я никогда тебя не оставлю, я всегда буду охранять тебя». Это обещание выпорхнуло из сердца и повисло у меня на языке. Я задержала его на губах, чувствуя его вкус на пути от пляжа к своей маленькой хижине. Там я нашла чистую тетрадь, открыла ее на первой странице и лишь тогда раскрыла рот и позволила словам слететь с языка, освобождая их. Нарушив обет молчания, я взяла карандаш и записала на бумаге их колоссальный смысл:

«Я люблю тебя, я никогда тебя не оставлю, я всегда буду охранять тебя».

Это были первые слова, записанные в моем личном дневнике, с которым я не расставалась с той минуты, обращаясь к нему сотни раз за последующие два года. Я просила его о помощи и всегда находила ее, даже во время страшной депресии и паники. Один лишь этот дневник, проникнутый обещанием любви, помог мне пережить следующие годы моей жизни.

## 108

*Т*еперь я вернулась на Джили-Мено при совсем иных обстоятельствах. С моего последнего приезда на остров я успела исколесить весь мир, развестись, пережить расставание с Дэвидом, отказаться от антидепрессантов, выучить новый язык, посидеть у Бога на ладошке в течение нескольких незабываемых мгновений в Индии, поучиться у индонезийского мудреца и купить дом для семьи, нуждавшейся в крове. Я счастлива, здорова, в моей жизни наступила гармония. И главное — я плыву на этот чудесный тропический остров в компании нового возлюбленного родом из Бразилии. Не стану отрицать — подобный конец истории до абсурда напоминает волшебную сказку, он как иллюстрация мечты любой домохозяйки. (Я и сама об этом мечтала, много лет назад.) Однако что-то мешает мне воспринимать происходящее в сказочно-нереальной дымке, а именно — осознание правды, правды, которая за последние годы поистине сделала меня человеком: меня спас не прекрасный принц. Я сама организовала свое спасение.

Я вспоминаю дзен-буддистскую мудрость, прочитанную однажды в книжке. Дзен-буддисты говорят, что дуб вырастает благодаря одновременному участию двух сил. Есть желудь, с которого все начинается; семя, несущее в себе возможности и потенциал, из которого вырастает дерево. Это любому ясно. Но лишь немногие видят, что есть и другая сила — само дерево, которое так сильно стремится к жизни, что лишь с его помощью желудь оживает, лишь оно тянет росток наверх, желая вырваться из бездны, управляя процессом перехода от небытия к зрелой стадии развития. Если рассуждать таким образом, считают дзен-буддисты, именно дуб является причиной возникновения желудя, который является причиной его возникновения.

Я думаю о том, каким человеком стала, о моей сегодняшней жизни, о том, что мне всегда хотелось быть таким человеком и жить именно так, освободившись от необходимости притворяться кем-то другим, кем на самом деле не являюсь. Я думаю обо всем, что мне пришлось пережить, прежде чем я оказалась здесь, и задаюсь вопросом: не я ли (я имею в виду счастливую, гармоничную себя — ту себя, что сейчас дремлет на палубе маленькой индонезийской рыбацкой лодки), не я ли вытянула другую себя — ту, что была моложе, ту, кого раздирали смятения и противоречия, не я ли тянула себя вперед все эти тяжкие годы? Та я, что была моложе, и есть тот желудь, несущий потенциал, но кто, как не более мудрая я, уже выросший дуб, твердила все это время: «Расти! Меняйся! Развивайся! Присоединяйся ко мне там, где я стала уже полноценным, зрелым деревом! Ты должна вырасти и стать мною!» А может, это я, настоящая и полностью реализовавшаяся я, четыре года назад явилась к той молодой замужней девочке, плачущей на полу в ванной? Может, это я тогда с любовью прошептала на ухо той отчаявшейся девочке: «Иди спать, Лиз...» Заранее зная, что все будет в порядке, что рано или поздно мы соединимся здесь. Здесь, в этот самый момент. Где я всегда ждала в мире и спокойствии, ждала, когда же она придет и присоединится ко мне.

Фелипе просыпается. Мы весь день то просыпаемся, то снова засыпаем, друг у друга в объятиях на палубе рыбацкой лодки. Нас раскачивают океанские волны, светит солнце. И вот я дремлю, положив голову Фелипе на грудь, а он рассказывает, что во сне ему пришла одна мысль.

— Знаешь, Лиз, я должен остаться на Бали, ведь у меня тут бизнес, да и Австралия близко, а там живут дети, — говорит он. — Но мне нужно и часто ездить в Бразилию — там мы закупаем драгоценные камни, там моя семья. А ты должна жить в Штатах — ведь там твоя работа, родные, друзья... И я подумал: может, нам как-нибудь попытаться устроить свою жизнь, поделить ее между Австралией, Америкой, Бразилией и Бали?

Я могу лишь смеяться, потому что в самом деле: почему нет? Эта идея настолько безумна, что вполне может и сработать. Кому-то такая жизнь покажется полным сумасбродством и откровенной глупостью, но она вполне в моем стиле. И только так и следует поступить. Я уже чувствую, что мне такая жизнь знакома. И мне нравится поэтичность такой жизни. Я имею в виду, в прямом смысле — после того, как потратила целый год на отважные исследования стран на букву «И» и собственного Я, Фелипе предложил совершенно новаторскую концепцию путешествий:

Австралия, Америка, Бали, Бразилия — А, А, Б, Б.

Это похоже на классическое стихотворение. На пару рифмующихся строк.

Маленькая рыбацкая лодка бросает якорь у берега Джили-Мено. На острове нет пристани, поэтому приходится закатывать штанины, прыгать в воду и идти вброд сквозь прибой на собственных ногах. Это совершенно невозможно сделать, не промокнув и не напоровшись на кораллы, однако усилия не напрасны — ведь здешние пляжи прекрасны и не похожи ни на один в мире. И мы с моим возлюбленным снимаем шлепанцы, навьючиваем на себя наш немногочисленный скарб и готовимся вместе перепрыгнуть через борт, прямо в море.

Знаете, что странно: Фелипе говорит на всех самых романтичных языках мира, кроме итальянского. Но я все равно говорю ему, прежде чем прыгнуть:

— *Attraversiamo.*

Давай перейдем на ту сторону.

# Заключительное слово и благодарности

Через несколько месяцев после отъезда из Индонезии я вернулась, чтобы навестить моих любимых и отпраздновать Рождество и Новый год. Мой самолет приземлился на Бали через каких-то два часа, после того как на Юго-Восточную Азию обрушилось цунами ужасающей разрушительной силы. Мне тут же начали звонить знакомые со всего света, спрашивая, в безопасности ли мои индонезийские друзья. Всех особенно тревожил один вопрос: «Как там Вайан и Тутти?» Отвечаю: цунами не затронуло Бали (разве что эмоционально), и все мои друзья были целы и невредимы. Фелипе ждал меня в аэропорту (то был первый из бесчисленных разов, когда мы встречали друг друга в самых разных аэропортах мира). Кетут Лийер сидел на своем крылечке, как всегда, готовил снадобья и пел мантры. Юди недавно устроился на работу в какой-то шикарный отель и теперь выступает там с концертами гитарной музыки. У него все хорошо. А Вайан с детьми живут счастливо в чудесном новом доме, вдали от побережья, где с ними что-то может случиться, среди высокогорных рисовых террас Убуда.

А сейчас я бы хотела выразить огромную благодарность от своего лица и лица Вайан всем тем, кто пожертвовал средства на постройку дома.

Это Сакши Андреоцци, Савитри Аксельрод, Линда и Рене Баррера, Лиза Бун, Сьюзан Боуэн, Гари Бреннер, Моника Берк и Карен Кудедж, Сэнди Карпентер, Дэвид Кэшн, Энни Коннелл (она и Яна Айзенберг просто мастера выручать в последний момент), Майк и Мими де Грай, Армения де Оливейра, Раийя Элиас и Джиджи Мадл, Сьюзан Фредди, Девин Фридман, Дуайт Гарнер и Кри Лефейвор, Джон и Кэрол Гилберт, Мэйми Хили, Энни Хаббард и удивительный Харли Шварц, Боб Хьюз, Сьюзан Киттенплан, Майкл и Джилл Найт, Брайан и Линда Нопп, Дебора Лопез, Дебора Люпниц, Крэйг Маркс и Рене Штайнке, Адам Маккей и Шира Пивен, Джонни и Кэт Майлз, Шерил Моллер, Джон Морс и Росс Петерсен, Джеймс и Кэтрин Мердок (с благословения Ника и Мими), Хосе Нунес, Энн Пальяруло, Чарли Паттон, Лаура Платтер, Питер Ричмонд, Тоби и Беверли Робинсон, Нина Берстайн Симмонс, Стефания Сомаре, Натали Стэндифорд, Стейси Стирс, Дарси Штайнке, сестрички Торесон (Нэнси, Лаура и мисс Ребекка), Дафна Ювиллер, Ричард Вогт, Питер и Джин Уоррингтон, Кристер Вайнер, Скотт Вестерфелд и Джастин Ларбалестье, Бил Йи и Карен Зимет.

И наконец, совсем по другому поводу, мне бы хотелось как следует отблагодарить любимых дядю Терри и тетю Дебору, которые так помогали мне в этот год, проведенный в путешествиях. Назвать это просто «технической поддержкой» значило бы преуменьшить важность их участия. Вдвоем они сплели сетку, чтобы подстраховать мой смертельный номер, и без нее эта книга попросту бы не появилась на свет. Не знаю, как мне их отблагодарить.

Но в конечном счете, может, хватит пытаться отблагодарить всех тех, кто поддерживает нас в жизни? Может, мудрее было бы поразиться чудесной безграничности человеческой щедрости и лишь повторять «спасибо», неустанно и искренне, пока наши голоса еще слышны.

# Содержание

*Литературно-художественное издание*

**Гилберт** Элизабет

## Есть, молиться, любить

Генеральный директор издательства *С. М. Макаренков*

Редактор *Г. М. Треер*
Выпускающий редактор *Е. А. Крылова*
Художественное оформление:
*Творческая мастерская*
*Группы Компаний «РИПОЛ классик»*
Компьютерная верстка: *К. И. Бобрусь*
Корректоры: *Н. М. Рубцова, А. Б. Иванова*

Подписано в печать 04.10.2010 г.
Формат 60×90/16. Печ. л. 23,0.
Доп. тираж 40 000 экз.
Заказ № 7904

Адрес электронной почты: info@ripol.ru
Сайт в Интернете: www.ripol.ru

ООО Группа Компаний «РИПОЛ классик»
109147, г. Москва, ул. Большая Андроньевская, д. 23

Отпечатано с готовых файлов заказчика в ОАО «ИПК
«Ульяновский Дом печати». 432980, г. Ульяновск, ул. Гончарова, 14